JN065474

The Scandals of Translation

Towards an Ethics of Difference

翻訳のスキャンダル

差異の倫理にむけて

Lawrence Venuti
ローレンス・ヴェヌティ 著
秋草俊一郎／柳田麻里 訳

THE SCANDALS OF TRANSLATION
Towards an Ethics of Difference 1st edition
Lawrence Venuti

Authorised translation from the English language edition published by
Routledge, a member of the Taylor & Francis Group an Informa business
Japanese translation published by arrangement with Taylor & Francis Group
through The English Agency (Japan) Ltd.

翻訳のスキャンダル——差異の倫理にむけて　目次

第八章 グローバリゼーション 321

凡例

・〔　〕は原著者による補足説明を、〔　〕は訳者による補足説明をあらわす。
・書籍名、新聞・雑誌名、映画・演劇・番組・楽曲のタイトルは『　』、論文および詩のタイトルは「　」で示した。
・註は◆付きの数字で示し、各章末にまとめた。
・原著者が議論のために使用する英訳文に対する和訳は、付されていたとしても便宜的なものである。

イントロダクション

Introduction

スキャンダル——著しく不面目な状況、出来事、事態。

『オックスフォード英語辞典』

翻訳のスキャンダルは、文化や経済、政治にまでまたがる問題だ。翻訳がなぜ今日、とりわけ英語圏で（排除されているわけではないにしろ）、研究や、評釈、討論といった営為の末端に追いやられているのかと問うとき、スキャンダルは白日のもとにさらされる。こうした末端についてなにかを書こうとすれば、たんなる悪口を並べたてたものや、翻訳がおかれた目を覆うばかりの不遇、その結果として生まれた被害者といった上澄みだけを映したものになりかねない。翻訳は、著作権法に疎まれ、学術界では軽視され、出版社や企業、政府、宗教団体からは搾取されるという烙印を押されている。思うに、翻訳があまりにも不利なあつかいを受けているのは、支配的な文化的価値観や制度の権威に疑念をいだく契機になるからだ。そして、権威を覆そうという試みがおしなべてそうであるように、ダメージ・コントロールほかさまざまな反動的なリアクションを引きだしてしまうのだが、こうしたものはどれも翻訳のあつかいをうやむやにすることで、疑義を付された価値や制度を強化するように仕組まれている。

私のプロジェクトは第一に、翻訳を現在のマージナルな地位に追いやっているカテゴリーや実践の幅と、翻訳そのものとのあいだの関係に立ち入り、そうしたスキャンダルを暴露することにある。この試みは、翻訳研究（トランスレーション・スタディーズ）という、まさに芽生えつつあるディシプリンから最初の一歩を踏みださなくてはならない。翻訳の研究と翻訳者の訓練は、経験則による偏った翻訳観をもたらす、言語主体のアプローチが蔓延しているせいで足を引っぱられてきた。こうしたアプローチが研究上推進するのは科学的なモデルということもあり、いきおい社会的な価値（翻訳の研究同様、翻訳自体にもつきものなのだが）は考察の対象としては依然としてしぶられたままになる。ゆえに研究は科学主義的なものになり、自分が客観的かつ価値中立的な立場だと主張する一方で、ほかのあらゆる文化的な営み同様、翻訳が価値の創造的な再生産をともなうという事実を閑却するのだ。結果として、翻訳研究は一般理論の構築およびテキストの特徴と方略の記述に終始することになってしまう。こういった路線の研究は、説明能力の限定もさることながら、主にほかの言語学者を対象にしたものになり、翻訳者や翻訳の読者、それどころかほかの人文諸学の専門家にむけられたものですらなくなってしまう。結果、翻訳は分野として孤立し、同時代における関連した意義深い文化的な展開や議論からも切り離されている。

しかし、はるかに翻訳研究のさまたげとなるものは、ディシプリンそのものの外に存在する。翻訳を貶めているのは、「著者性（オーサーシップ）」という（とりわけ文学や文学研究で）一般に流通する概念である。これこそが、特定の国の法律だけでなく、主要な国際条約の条文においてですら、その好まざる著作権法上の定義の下敷きになっているのだ。翻訳を根底から抑圧している文化的アイデンティティを構築してきたのは、学術の、宗教の、政治の制度である。つまりは外国文学——とりわけ西洋の正典（キャノン）を集めた「名著（グレートブックス）」

——の教授法においてであるとか、哲学的概念や哲学史の研究においてである。実業界でも翻訳の存在を無視することはできない。海外でのベストセラーの出版や、ヘゲモニーを握る北半球・西半球の国々とその他のアフリカ・アジア・南アメリカの国々とのあいだの異文化通商に見受けられる不均衡がそうである。翻訳はグローバルな文化経済を駆動する。すなわち多国籍企業は、メジャー言語、とりわけ英語からの翻訳の市場性に乗じることで、いわゆる発展途上国の印刷・電子メディアを、翻訳を用いて支配してしまえるのだ。ここで言う「発展途上」とは、世界資本主義において相対的に後発であるという意味にすぎない。翻訳は、このような区分けや慣行を囲いこんでいる制度を揺るがしてしまう。なぜなら、翻訳はその制度を制度たらしめている怪しげな条件や影響、矛盾や排除といったものに目をむけさせ、信用を失墜させてしまうのだ。

スキャンダルはまさかという場所で起こるかもしれない。海外文化の理解をすすめるためユネスコが発行している月刊誌『クーリエ』の一九九〇年四月号（スペイン語版）に、メキシコ諸民族の歴史についての記事が掲載されていた。同誌英訳版の記事ではコロンブス以前のメキシコ人に対するイデオロギー的な偏向が目立った。メキシコの口承文化は、とりわけ過去の保管という点において、劣ったものとされたのだ。[◆1] このような中、「古くからメキシコに住んでいた人たち antiguos mexicanos」は「インディアン Indians」と訳出され、スペイン人征服者とはちがう人々として明確に区別された。「賢人 sabios」は「占い師 diviners」となり、ヨーロッパの合理主義の対極にあるものとされた。「証言、証言記録 testimonio」は「書かれた記録 written records」となり、書記を口承文化よりも微妙に優位に置いている。スペイン語テキストで、一番くりかえし使われている用語が memoria で、文化の口頭での伝播に欠かせない能力なのだが、「記憶 memory」のほかにも「歴史 history」「過去の知識 knowledge of the past」などさまざまに訳されている。次の文章では、英訳はスペイン語原文に手を入れ、構文を単純化し、もうひとつのキーワードである「神話 mitos」を削除することで、土着文化を矮小化してしまった。

Los mitos y leyendas, la tradición oral y el gran conjunto de inscripciones perpetuaron la memoria de tales aconteceres.

神話や伝説、伝統として語り継がれるもの、そして膨大な数の碑文が、そうした出来事の記憶を永遠のものにしたのだ。

The memory of these events lives on in the thousands of inscriptions and the legends of oral tradition.

このような出来事の記憶は、数千もの碑文や、口承で伝えられた伝説に息づいている。

研究者のイアン・メイソンが述べるように、翻訳が歪められているからといって、訳者の深謀遠慮のせいにする必要はかならずしもない。[2] 先住民に対するイデオロギー的な偏向は独特な論の運びに見受けられ、劣ったアイデンティティを生みだし、それが所与のものであり、当然であるかのようにあつかっている（翻訳者や雑誌の編集者には、そう思われていたにちがいないのだが）。あるいは、とにかくわかりやすければいい、読みやすければいいといったことを尊ぶ翻訳ストラテジーのせいなのかもしれない。一番なじみのある語が一番偏見に満ちたものになってしまったのも、無意識のうちなのかもしれない。どうやら、ユネスコのような、翻訳や通訳に完全に依存している組織の翻訳に対する考え方は、その理念と目的を危うくするような訳文をふるい落とすほど犀利なものではないようだ。

　取りあげた例のインパクトはさておき、翻訳のおかげで発覚した事実があっても、スキャンダルにはつきもののセンセーショナリズムに陥らないようにしたい。むしろ私は、翻訳との関わり（それが危ういものであれ）をつうじて、疑わしい価値と制度を再考する有意な機会としたい。翻訳が、文学や法律における著者の概念を再定義し、文化のちがいに敏感なアイデンティティのあり方を創りだせないか。さらには翻訳によって文学を教え、哲学するための別のアプローチが求められるようになり、出版社と企業に新たなポリシーの策定を薦める……そんな道を模索したいのだ。その過程で、詳細な事例研究にもとづいて翻訳についての認識があらためられ、一連の理論が立論され、実践が生まれる。

　過去にせよ、現在にせよ、個別の事例は貴重なものだ。なぜなら、個々の事例は翻訳が目下置かれているマージナルな立場のみならず、翻訳が下支えする意味や機能にも光をあてるからだ。翻訳のさまざまな動因や効果を今まで以上に注視したならなおのことである。翻訳が生産される理由はさまざまだ——文芸や商取引、教育や産業、プロパガンダや外交。それでも、生まれた製品の状態をコントロールするどころか、くまなく目くばせしようと望みうるような翻訳者や、翻訳にかかわる機関の責任者などだれもいない。そして翻訳の引きおこす結果——その用途、それがかなう利益、それが伝える価値——をすみずみまで予期しうるような関係者（エージェント）もだれもいない。それにもかかわらず、こういった状態や結果以上に、翻訳したり、翻訳を読んだりすることの利害を区別し、うまく説明してくれるものはなにもないのである。

本書の各章は、それぞれがカルチュラルスタディーズのかたちをとってゆるやかに結びつき、翻訳についての現行の考え方を前進させることを狙いにしている。各章ごとに、いくつもの異なる言語・文化・時代・ディシプリン・制度を行き来しながら、翻訳されたテキストの社会的な影響力を記述・評価し、翻訳プロジェクトの可能性を拡張し、アカデミズムで研究分野として翻訳を確立し、特に（それだけではないが）米国と英国において翻訳者に文化的により強い権限と法的により有利な立場を勝ちとろうと模索した。

私は翻訳者と翻訳のために、たんに権威（オーソリティ）を拡大したいわけではない。それは、原作者（たとえば小説家や詩人）と作品が目下享受している文化的権威や、その権威を支える公的制度に乗じるようなものではない。むしろ、翻訳とは文化横断的な営みであるため、別個の「著者性（オーサーシップ）」を必要とするのだ。それは外国語（フォーリン）のテキストに準じ、外国（フォーリン）だけでなく国内（ドメスティック）のコミュニティに奉仕する類のものだ。翻訳に期待できる唯一の権威とは、結局のところ二次的なものに留まり、翻訳がコミュニケーションしようとする元の作品とは区別される。また、集合的なものでもあって、翻訳に影響をおよぼすほかのエージェント（とりわけ国内の読者）に開かれたままのものでもある。したがって、翻訳者が翻訳という営みからえることのできる権威とは、パーソナルな表現のかたちをとるのではなく、異なるグループ同士のコラボレーションになるのであって、その共同作業は翻訳が必然的に書きなおし、並べなおす言語的、文化的な差異を認識することからはじまるのだ。訳すことは、書くことがおしなべてそうであるように、基本的に孤独な営みである。だが、翻訳は無数の人々とつながる——そして、思ってもみなかった顔合わせになることもしばしばなのだ。

翻訳のマージナル性に着目するのは戦略である。どのような文化であれ、周辺領域を研究すれば、中心にも光があたり、最終的にはその見直しにつながるように思われる。だが翻訳という、異文化が交差するケースにおいては、あつかう周辺は複数になり、自国（ドメスティック）と外国（フォーリン）の双方にまたがるものになる。翻訳というのはマージナルな文化であって、つまるところその拠って立つ枠組みがナショナルかグローバルか、覇権言語とどういった関係かによって決められてしまう。ここで言う覇権言語とは、国の標準方言と、一般に、世界的にいまなおもっとも翻訳されている言語である英語のことである。この、本書の根本的な前提こそが、おそらくは翻訳最大のスキャンダルなのだ。言うなれば非対称、不均衡、支配と依存という関係は、訳すという行為——翻訳する側の文化のために訳文を提出するという行為だが——のありとあらゆる側面についてまわる。翻訳者は、外国のテキストと文化の、制度的な搾取に加担しているのだ。しかし、どこの組織に雇われたわけでもないのに、個人の判断でうろんな行動にでた翻訳者もいた。

一九六七年から七二年にかけて、アメリカの翻訳者ノーマン・トマス・ディ・ジョヴァンニは、アルゼンチンの作家ホルヘ・ルイス・ボルヘスと顔を突き合わせて作業をし、数巻にもおよぶボルヘスの小説と詩の英訳を刊行した。それだけでなく、文芸エージェントの役割もかねて、ボルヘスが今日遇されているような正典作家としての地位を確立する手助けをした。[◆3] しかし、ディ・ジョヴァンニはスペイン語テキストを過度に編集、翻訳し、アメリカ人読者が読みやすいものにした。つまりディ・ジョヴァンニはテキストを、アメリカで文学的とされる文体に同化させ、現在の標準語法に合わせ、ボルヘスの散文にある突然の転調を滑らかにし、具体的な言いまわしを好むあまり抽象的な表現を避け、作家が記憶から呼びおこした引用すら修正してしまったのだ。[4] ボルヘスの作品について、ディ・ジョヴァンニはこんなことを言っている。

絵のクリーニングのようなものだよ。それまでは目に触れることのない場所に隠れていた、鮮やかな色彩や、くっきりした輪郭がわかるようになったんだ。[5]

ディ・ジョヴァンニにしてみれば、「大学教授やエセ学者みたいに、文章を顕微鏡で観察して、単語一語の意味だとか、抽象的なイメージだとかを過度に強調してしまう」のではなく、[6] 作家的なアプローチの翻訳を擁護しているつもりだった。しかし、ディ・ジョヴァンニ自身がしたことといえば、ボルヘスの手によるまったく新しいタイプの文学を、談話風の型を押しつけて抑圧し、稀に見るほど知的な作家を反知性主義で翻訳したにすぎなかった。四年後、ボルヘスは共同作業を突然打ち切った。

もっとも、作家たちの側でも翻訳者を搾取してきた。しかし自分の作品の翻訳を公然と批判したものはほとんどいなかった。チェコの作家のミラン・クンデラは、自作の外国語版を精査・訂正しただけでなく、ウィットに富みつつも辛らつなエッセイや序文で自分が好む翻訳手法を明言している点でユニークだ。中でも有名なのが、小説『冗談』（一九六七）の複数の英語版についてのものだ。一九六九年に出た最初の英訳を読んだクンデラは、開いた口がふさがらなかった。編集され、カットされ、章の順番も変えられていたからだ。一九八二年の二番目の英訳は「受け入れられない」ものだった。クンデラはそれを「自分のテキストではな」い「翻案翻訳（それがむけられた時代と国の好みに合わせたもの、つまるところ、訳者の好みに合わせた翻案）」だと判断した。[7]

クンデラの抱く疑念はもっともで、同化翻訳は外国の文学テキストを、翻訳する側の価値観に無理やりに合わせてしまうし、そもそも翻訳を必要としたであろう異質さ（フォーリンネス）の感覚を消し去ってしまうのだ。[8] だが、別の言語をへることなしに――すなわち、別の時代や国の感覚をへることなしに――異質さを翻訳に刻みこむ術などあるのだろうか？　クンデラの翻訳に対する考え方は、文体が生む効果に敏感なはずの作家にしてはあまりにもナイーヴである。クンデラは、外国語のテキストの意味が翻訳で変わらず、外国の作家の意図が言語・文化的隔たりを越えてそのまま伝わることを前提としている。翻訳とはつねに解釈を伝えるものであって、外国語のテキストは省略されたり改変されたりし、翻訳する言語の特徴で補われ、不可解なほど異質（フォーリン）なものではなく、はっきりと同化的（ドメスティック）な文体で理解しうるものなる。ほかの言葉で言えば、翻訳には同化（ドメスティケーション）がつきものなのだ。最善の翻訳とは、ある文化における価値観を可能なかぎり再創造する力をもちつつも、その力に対する責任を能うかぎり引き受けるものであって、そんな翻訳は通例、読者をほどほどに異化された自国の表現に引きこんでは、外国語のテキストとの出会いを捏造して魅了してしまうものなのだ。

つまり、クンデラはフランス語や英語の訳者が提示する解釈をコントロールしたいと思っているのだが、その理由とは著者が訳者の解釈にまったく同意していないから、というものなのだ。翻訳がフランス語と英語でよく読まれているかどうかは、国外の読者を獲得する上で重要だが、クンデラにとってはどうでもいいことだった（クンデラ自身の作品は翻訳によって文化的・経済的資本を獲得した）。クンデラは、翻訳をつかって外国語のテキストに直接かつ無媒介にアクセスできると見なしたいだけなのだ。カフカの場合、クンデラは「疑いなく〔……〕ここでカフカが願っていたことではない」として、ドイツ語の「行く gehen」の訳にフランス語訳の「歩く marcher」が使われていることを批判している。[9] だが、翻訳先の言語文化で生活していたらこう書いたみたいなものを、作家が翻訳に求めてもどだい無理な話なのだ。カフカがフランス語で書いたらというのは、ひとつのフランス語の解釈でしかなく、ドイツ語のテキストにとって、さらに忠実になるわけでも、適切になるわけでもない。著者が解釈者を兼ねたところで、解釈が目標言語の価値観を無視できるようになるわけではない。

クンデラは翻訳が交渉しなくてはならない言語的・文化的差異を認めたがらない。むしろ、自分にとって都合のいいものを選びだすことで、差異をコントロールしようとしているのだ。それゆえ、クンデラは『冗談』の三つ目の英訳版をつくるさいに、自分自身の英語・フランス語訳だけでなく、以前の翻訳から「数多くの冴えた解釈」と「数多くのすばらしい忠実な訳文と明晰な表現」を継ぎはぎしたのだ。[10] クンデラがそんなあつかいを訳文にするうえで、翻訳者の同意をえたのかははっきりしない。タイトル・ページには以前の訳者たちの名前はあがっていない。

クンデラの翻訳のあつかい方には疑問符がつくが、著作権法は作品についての権利を著者に独占的にあたえることで、クンデラを不問に付している。自分が書いたものにたいする解釈はすべて、著者が専決すべしという、クンデラの考えを著作権法は裏書きしてしまう。そしてそれは、クンデラ自身も恣意的だということを意味している。クンデラによる『冗談』英訳の「決定版」は、実際は一九六七年のチェコ語原文に手を入れたものだ。五十頁以上を削除し、小説をイギリス・アメリカの読者にわかりやすくするため、チェコの歴史についての記述を削除しただけでなく、登場人物すら変更している。[11] クンデラは序文で、こういった修正には口をつぐんでいる。それどころか「一九六五年十二月五日擱筆」といった、あたかも無削除のオリジナル・テキストを翻訳しただけかのような、誤解をあたえかねない記述で英訳を締めくくっている。著者が訳者を兼ねる場合、以前の英語版で自分が攻撃したような同化(ドメスティケーション)をためらわないようなのだ。

翻訳が提起する問題はまぎれもなく倫理的なものであり、まだ解決の目を見ていない。翻訳のスキャンダルの存在を確認するだけでも、ひとつの裁定になる。つまりここでは、翻訳がおかれた非対称性への改善案を発見し、翻訳を実践・研究するうえでよい方法論と悪い方法論を識別する倫理の存在が前提になっている。そして、俎上にあがる倫理の理論化は、経験にもとづかなくてはならない。つまり、外国語のテキストが選択・訳出される、あるいは翻訳および翻訳行為が研究対象になる特定の文化の状況に根ざした理念でなくてはならない。こうした倫理的な責任を線引きするうえで、私はまず自分自身の仕事から――アメリカ人文芸翻訳者として私が直面した問題についての議論からはじめることにする。翻訳の倫理については、ほかの関連したコンテキスト(とりわけ、アイデンティティを形成し、エージェントを認定する翻訳の力が検討される場合)についてもあとで議論していくことになる。私が弁護する倫理的な立場とは、言語的・文化的差異にさらなる敬意をはらって翻訳がなされ、読まれ、評価されるべきというものである。

翻訳が異文化間のコラボレーションである以上、いきおい本書の射程もトピックにあわせてグローバルなものになる。つまり、世界中の翻訳者や翻訳のユーザーに語りかけるというものだ――だが、彼らの立ち位置もさまざまだということを忘れてはならない――それによって、語りかける言葉も変わる。

ケーススタディが具体的になればなるほど、時代や場所が定まれば定まるほど、そこから引き出せる理論的なコンセプトを深く掘りさげ、具体化できる。異文化交流の多岐にわたる側面を研究するためには、このような批評的ギブアンドテイクが不可欠のように思われる。私たちを結びつけると同時に隔てもする、この文化的な営みにおいて、翻訳が果たすべき役割は大きいからだ。

註

◆1　Ian Mason, "Discourse, Ideology and Translation," in Robert de Beaugrande, Abdullah Shunnaq, and Mohamed Helmy Heliel eds., *Language, Discourse and Translation in the West and Middle East,* Amsterdam and Philadelphia: Benjamins. 1994. p. 33.; cf. Basil Hatim and Ian Mason, *The Translator as Communicator,* London and New York: Routledge. 1997. pp. 153–159.

◆2　Ian Mason, "Discourse, Ideology and Translation," p. 33.

◆3　Irene Rostagno, *Searching for Recognition: The Promotion of Latin American Literature in the United States,* Westport, Conn.: Greenwood. 1997. pp. 117–120

◆4　Matthew Howard, "Stranger Than Ficción," *Lingua Franca,* June/July, 1997. pp. 41-49.

◆5　ibid. p. 49.

◆6　ibid. p. 44.

◆7　Milan Kundera, *The Joke,* New York: HarperCollins.1992. p. x.

◆8　Milan Kundera, *The Art of the Novel,* trans. L. Asher, New York: Grove. 1988. pp. 129–130. ミラン・クンデラ『小説の精神』金井裕・浅野敏夫訳、法政大学出版局、一九九〇年〔ヴェヌティの言及部分は、「第六部　七十三語」に対応すると思われるが、フランス語版の見出しの順番のまま訳出した日本語版と、見出しを英訳したうえで、アルファベット順に並びかえた英語版では、該当箇所を指ししめすのが困難である〕。

◆9 Milan Kundera, *Testaments Betrayed: An Essay in Nine Parts*, trans. L. Asher, New York: HarperCollins. 1995. p. 105. ミラン・クンデラ『裏切られた遺言』西永良成訳、集英社、一九九四年、一二一頁。

◆10 Kundera, *The Joke*, p. x.

◆11 Allison Stanger, "In Search of *The Joke*: An Open Letter to Milan Kundera," *New England Review* 18(1) (Winter) 1997. pp. 93–100.

第一章

異種性

Heterogeneity

「翻訳研究（トランスレーション・スタディーズ）」とよばれる分野の成長は「一九八〇年代のサクセス・ストーリー」[1]と語られているものの、翻訳史や翻訳理論の研究は依然として学術界で孤島のごとく取りのこされている。英語圏（特に米国がその最たる例だろう）では、翻訳者の養成や翻訳研究のカリキュラムを組んでいる大学院は片手で数えられるほどしかない。また、外国語学部は文学研究（文学史・文学論・文学批評）に重きをおき、文芸翻訳にせよ産業翻訳にせよ、翻訳はないがしろにされる状況がつづいている。[2]近年、世界各国で研究所や教育プログラムがつくられつつあるが、[3]翻訳研究はいまだ新参者あつかいであり、独自の確立された学術分野ですらない。そのときどきで、言語学・外国語・比較文化・人類文化学をはじめとするさまざまな学術分野に依拠するインターディシプリンといったほうが正しいだろう。

このように分散している状態なので、翻訳研究は学術的に非常にオープンで、縦割り思考に否定的と思われるかもしれない。しかし、実態は真逆だ。翻訳研究は学術的に成功などしていない。分断されたままの理論や方法論、教授法の寄せあつめでしかなく、いっぱしの学術分野として成功するどころか、各学科の制度に追随し、翻訳も含めていただいているというありさまで、これでは成功できなくて当然だ。現在の翻訳研究の傾向として、大まかではあるがこじつけでない程度に、二つのアプローチにわけられる。言語学寄りの、経験科学の一分野となるべく研究を進める動きと、美学寄りの、文化的・政治的価値観が翻訳の実践と研究に影響を与えているとする動きだ。[4]

この分断が反映されている一例として、ラウトリッジ社の翻訳研究に関する近年の出版実績があげられる。一九九〇年代初頭、ラウトリッジ社は、翻訳研究を二つの異なる分野で出版していた。それぞれ編集者、カタログ、読者の異なる「言語学・言語研究」と「文学研究・カルチュラルスタディーズ」だ。両分野で想定される市場があまりにも異なるため、ラウトリッジ社は翻訳研究シリーズを打ち止めにした（そして本シリーズの共同編集者たちはマルチリンガル・マターズ社に移籍し似たようなシリーズをたちあげた）。現在ラウトリッジ社は、より学際的なプロジェクトに注力している言語学担当の編集者に翻訳研究の企画を任せることで、分断された翻訳研究という領域を如才なく取りこもうとしている。[5] とはいえ、学術的でありながらかつ商業的でもあるこのグローバル出版社は、まだまだ特殊な例だろう。英語、そしてまちがいなく他言語でも、翻訳研究は商業であれ学術出版であれ、小さな出版社から出されることが多く、主にアカデミックな読者層にしか読まれず、売上のほとんどは研究機関の図書館からあがる。ディシプリンの壁で隔てられ、狭い層に分断されたありさまで、翻訳が、学術出版に新たなトレンドを巻きおこしたり、学術的なアジェンダを提示したりといった状況はほどとおい。

こうした現状をさらすことは、翻訳研究をはずかしめることになる。翻訳研究が周辺的地位にあまんじたことにより、みずからの首を絞めている側面がみえてくるからだ。ごく一部の例外をのぞいて、研究者は異なる分野との共通点を探ることも、翻訳が呈する文化的、政治的、制度的な問題を深掘りすることにも積極的でない。[6] したがって、相対する二つの方向性に対する批判的な評価、それぞれの実績と限界について述べることが妥当であるように思う。私は翻訳者であり翻訳研究者でもあることから、一当事者としての評価しかできない。私としてはカルチュラルスタディーズがもっとも生産的と感じているが、蓄積された科学的データを一蹴するのももったいないと思ってしまう（そもそも科学的データなしで文化研究などできるのだろうか）。私が特に興味があるのは、両理論の対立が方法論の分断にどのように影響を与えているのか、という点だ。現在の翻訳研究を特徴づける点であり、学術界の内外問わず、翻訳を文化的言説から追いやるものだからだ。また、それぞれの分野の学者たちが、より幅広い読者の関心を翻訳にむけられるか、という問題にもっとも興味がある。現在、両分野が取りこんでいると思われる読者よりも多くの人々を、翻訳へとひきつけることは果たして可能なのだろうか。この疑問は、私の翻訳の理論と実践を導くものでもある。うめることが難しい、言語学と文化学の異種性（ヘテロジェニイティ）にとらわれているからだ。翻訳のディシプリンが置かれている現状を評価するために、また私の評価を適切なものとするために、まずは私の考える翻訳の意義と方法を述べたい。

マイナー文学を書くということ

アメリカ人の文芸翻訳者として、私は言語と原文についていくつかの前提に立って翻訳を行っている。そのなかでも最重要なのは、言語が、一定のルールに従って個人が使用するコミュニケーションの道具でしかない、という見方はまちがっているということだろう。コミュニケーションが、言語の果たす役割のひとつであるのは確かだ。しかし、哲学者のジル・ドゥルーズとフェリックス・ガタリが示すように、言語は総体となったときに力を発揮する――いわば表現の集合体で形成される――記号の帝国主義のようだと私は考えている。[7] どのような文化構成や社会的制度の中で使用されようと、表現は階層構造にある。標準語が支配しつつも、各地域や集団の多様な方言、ジャーゴン、言い回しやスローガン、新しい文体、流行語、過去の語用の膨大な蓄積により、つねに変化にさらされる。どのような言語もこうした力関係のもとで成りたっている。言語は、歴史上のどの時点においても、特定の多数派の表現が少数派を支配する状況にある。英文学・言語学者のジャン・ジャック・ルセルクルはこの少数派を「よけいなもの」と呼ぶ。[8] よけいなものが呈する言語のバリエーションは、コミュニケーション行為を超越するだけでなく、システマティックな制度をつくろうとする努力をあざ笑う。よけいなものは、多数派の表現が社会と歴史によって位置づけられたものであると明らかにすることで、多数派の表現を転覆させる。つまり「社会を構成する矛盾と闘争の数々が言葉の内に回帰したものであ」り、かつ「未来の矛盾と闘争を先取りするものである」と段階的に説明できる。[9]

したがって、文章は、ただ単純に著者の意図を個性的に表すものではないということだ。文章は表現の集合体でしかない。その表現は著者が想像し創造したものかもしれないが、本質的に意味が不安定かつ非属人的なのだ。文学は特によけいなものを解放させる文章なのかもしれない。というのも、革新的な文体をかねそなえたテキストこそ、標準語や正典（キャノン）、優勢な文化、メジャーな言語のはらむ矛盾を浮き彫りにし、言語解釈にいちじるしく干渉する。一般的な言語はつねに過去や現在の表現の累積であることから、テキストは「共時性の中の通時性」をはらみ、「構造的に相互に矛盾する、つまり異質な諸要素からなる共時的統一」でしかない。[10] 特定の文学テキストは、メジャーな言語をつねに変異にさらしてマイナーな状態を強い、非正統化し、領土を奪って疎外化することで、この反逆的な異種性を増すものである。ドゥルーズとガタリによれば、マイナー文学を構成するこのようなテキストは、著者が「自分自身の言語において異邦人なのだ」[11]。よけいなものを解放することで、マイナーな言語自身の異邦的（フォーリン）な部分をあらわにする。

この異質性（フォーリン）の発現こそ、私がマイナー文学に魅かれ、翻訳したいと思う理由だ。現地文化のなかで少数派にあまんじ、現地の正典のなかで周辺的な位置にある外国（フォーリン）のテキストを翻訳することを私は好む。翻訳することで、アメリカ英語で標準となっている言葉づかいや文化様式をマイノリティ化できると思うからだ。私の嗜好は、アメリカ国内の政治的課題でもある、国際的な英語支配への対抗からきている部分もある。アメリカの経済的・政治的地位の上昇は、外国の言語や文化をアメリカの言語や文化と比してマイナーなものに落としてしまった。英語は世界でもっとも翻訳される言語となったが、英語への翻訳は世界的に見ても非常に少ない[12]。この状況からしても、翻訳は多様性を広める舞台になりうる。

英語による支配を揺さぶるために、翻訳者は外国テキストの選定と翻訳の言説構築を戦略的に行わなければならない。外国テキストの選定によっては、不平等な文化交流を是正し、アメリカ（もしくは英語圏のもうひとつのメジャーな国であるイギリス）の標準言語や文学正典や人種的ステレオタイプから排除された、外国語文学を復権できる。と同時に、翻訳言説はアメリカ英語の多種多様性を開拓することで、「メジャーな言語を征服し、内に秘める未知のマイナーな言語を浮き彫りに」できる[13]。革新的な文体で書かれた外国テキストは、さまざまな方言、言語使用域（レジスター）や文体に彩られた社会方言をつくりだすよう英訳者にうながす。まとまって束になれば、標準的な英語の統一性はもろいのではないかと、疑問を投げかけることができる。マイノリティ化する翻訳の目標は「決して多数派に到達することではな[14]」く、新しい標準を打ちたてたり、新しい正典になったりすることでもない。むしろ、英語のなかにある多様性を深めることで、文化の革新をうながし、異文化への理解を深めることだ。少数派は「万人の生成変化」なのだ。[15]

私がマイノリティ化翻訳を好むのは、倫理的観点からの不平等な関係にも由来している。この不平等な関係はあらゆる翻訳プロジェクトに見られる。翻訳は根本的に自民族中心主義であるから、平等な二者間のコミュニケーションとはなりえない。多くの文芸翻訳は、国内(ドメスティック)文化を念頭に外国(フォーリン)テキストを選定するため、国内での受容と外国での位置づけや受容は異なってくる。そして翻訳の最たる役割は同化、つまり外国テキストを国内の人々の理解度や興味にあわせて記述することである。どのような文芸翻訳も、この不可避であるはずの同化を問答無用のコミュニケーション行為としてうやむやにしている前提で見るべきという、翻訳研究者のアントワーヌ・ベルマンの意見[16]に私も同意する。よい翻訳はうやむやになどせず、外国テキストの持つ異質性(フォーリンネス)を自言語で強調している。[17]

国内の正典とは異なる文体やテーマをもつテキストを選定することでも、異質性を強調できる。しかし一番強調しやすいのは、自国(ドメスティック)の言語を疎外する多様性を取りいれることだ。自国語だからこそ、テキストが実は翻訳であることを示し、元のテキストとの違いを明確化できる。よい翻訳とは、マイノリティ化する翻訳なのだ。異種性を提起し、標準語や正典を分解して、非標準や周辺的なものと比しても異種的な部分をさらけだし、よけいなものを解放させる。これは、マイナー言語を方言のように扱い、外国語テキストを周辺化したりゲットー化したりして、特定のせまい文化領域にしばりつけるものではない（ただし、一九六〇年代から一九七〇年代のケベック州のように、ケベックの国立劇場を設立するために、欧州の正典戯曲をケベックなまりのフランス語かつ労働者階級の言葉づかい(ジュアール)に翻訳した例もあり、一部の外国テキストのドメスティックな解釈が、限定的な社会領域にフォーカスしてしまうこともある)[18]。むしろ、マイノリティの因子をいくつか用いて、「特定の、自立した、意想外な生成変化を発明する」点にある。[19]この翻訳倫理は外国テキストの同化をさまたげるというよりも、翻訳にともなう同化のプロセスの裏で(同化によって、ともいえる)外国テキストの自立性を明らかにするねらいがある。

マイノリティ化する翻訳は、言説上の異種性にもとづくかぎり、実験的なものにならざるをえない。ゆえに読者層を狭めることになり、私がはじめに提起したアジェンダと矛盾してしまう。実験的な文体を理解するには、高い審美眼、文化的エリート特有の批評眼や教養が求められる。一方で、言語のコミュニケーションツールとしての役割は、大衆の好みを強調する。つまり、わかりやすくて特別な教養を必要とせず、感情移入をさそうぐらい現実的でなければならない。[20]

だからといって、外国テキストに対し大衆的なアプローチをとった翻訳が必ずしも大衆受けするわけではない。大衆的な嗜好は、あたかも透明で、流暢な訳文を期待する。このような文章は、標準語の使用を徹底することで、読者が単語にひっかかりを感じるような方言や使用域、文体を先回りして徹底的に避ける。結果として、流暢な訳文は多くの読者に外国テキスト(非主流の外国文学であっても)を読んでもらうことにつながり、正典の大幅な入れ替わりをうながせるかもしれない。しかしこのような翻訳はメジャー言語を強化し、ほかの言葉や文化をますます追いやってしまうと同時に、そのドメスティックな価値観をうまく隠してしまう。つまり流暢さは同化を進める要素なのだ。国内の読者に、自国のコードやイデオロギーを用いて、あたかも直接外国テキストと文化に接しているような感触をあたえてしまう。

マイノリティ化する翻訳は、メジャー言語のはらむ言語的・文化的なちがいを強調することで異種混交(ヘテロジニアス)な言説を呈し、この同化をよしとする考えに反発するものだ。大衆的なアプローチを完全に否定して疎外感を与えるほど、異種性を強調する必要はない。全体として読みやすい訳文の、要所の一部でよけいなものが解放される程度であれば、読者のページを繰る手がとまるのはほんの一瞬ですむ。マイナーな要素を戦略的に使えば、異なるグループで異なる意味をもつような内容でも、幅広い読者の理解をえつつ、文化の壁を乗りこえるような翻訳になりうる。マイノリティ化を進める翻訳者は、「コメディアン、ラジオのアナウンサーやディスクジョッキーらの早口」[21]のように大衆文化の慣例化された言葉も使って、エリート文学として扱われるような外国テキストを流暢に翻訳できる。この方略は国内のマスメディアと海外文学の正典を異化するため、大衆とエリート層の両方を取りこめる。つまり、マイノリティ化する翻訳は、現代の公共圏への介入ともとらえられる。この公共圏のなかでは、経済的利害関係から発生したデジタルコミュニケーションが、文化の消費と議論を細分化してしまう。もし、「公衆は、公共性なしに議論する専門家たちから成る少数派と、公共的に受容する一方の消費者たちの大衆とへ分裂」[22]しているならば、翻訳は文化の壁やヒエラルキーを横断するようなマイナー言語の創造を目指すべきだろう。最終的なゴールは、読書の傾向を変えること――各々が異なる文化と価値観をもちつつも、自覚することを拒む読者による、翻訳書への低評価を変えること――にある。

マイノリティ化プロジェクト

十九世紀のイタリア人作家イジーノ・ウーゴ・タルケッティ（一八三九―一八六九）の作品を翻訳するなかで、私は上述の仮説を掘りさげ、実験する機会に恵まれた。生前もいまも、タルケッティの境遇がマイナーな点に魅かれた。ミラノのボヘミアンなサブカルチャーであった「スカピリアトゥーラ派」（奇矯なという意味のイタリア語であるscapigliatoに由来）のひとりであったタルケッティは、イタリアで標準的なトスカーナ地方の方言を用いて周辺的なジャンルの文学作品を書こうとした。当時、イタリア文学はアレッサンドロ・マンゾーニの歴史小説『いいなづけ』に代表されるセンチメンタルなリアリズムが主流だった。しかしタルケッティは、ゴシックや、フローベール、ゾラなどのフランス人作家の実験的リアリズムを好んだ。[23] タルケッティは、イタリアの言語と文学のスタンダードだけでなく、モラルと政治のスタンダードにもたてついた。マンゾーニはキリスト教的な摂理の考えにもとづき、夫婦愛と現状に従順であるべきと説いたのに対し、タルケッティはイタリアのブルジョワに一泡吹かせようと、常識や良識を否定し、夢と狂気、暴力と常軌を逸したセクシュアリティを描いて慣習に逆らった。社会の不平等が浮き彫りになり問題視される、理想の世界を描いた。イタリアの新しい統治体制の特徴である文化的ナショナリズムのなか、同世代の人々の支持を受け、タルケッティは国内文学の正典に仲間入りした。しかし正典に加えられながらも、タルケッティは存在としてはマイナーだった。標準的な文学史の教科書では省略されたり不当な扱いを受けており、イタリア文学をめぐる今日のもっとも刺激的な論争の中でも、その作品が取りあげられることはない。

タルケッティの翻訳プロジェクトは、英語をマイノリティ化する力があると私は気づいた。その作品は、さまざまな文化的構成員の間を行き来することで国内を支配する価値観をゆるがす力があった。インテリ層と大衆の両方に読み継がれるジャンルである、ゴシックの作品集を訳そうとして翻訳出版したのが『幻想短編集』[24]だ。イギリスのミドルブラウ文学（アン・ラドクリフなど）に端を発するゴシックは、多くの正典作家（E・T・A・ホフマン、エドガー・アラン・ポー、テオフィル・ゴーチエなど）に受け入れられ、何度かリバイバルを果たしている。なかには、ハイブラウの知的好奇心をみたす、格調高く洗練された作品（ユードラ・ウェルティ、パトリック・マグラア）もあれば、感情移入しやすい大衆的な娯楽作品（アン・ライス、スティーヴン・キング）もあった。タルケッティを輸入すれば、こうした系譜や傾向を追いやり、ゴシックに新しい光をあてることができるのではないかと思った。長らくマンゾーニとジョヴァンニ・ヴェルガという二人のリアリズムの大家が陣取っていた、英語圏における十九世紀イタリア文学作品の正典を崩せると期待した。イタリアはゴシックの中で再三モチーフとして取りあげられているものの、私の英訳『幻想短編集』がイタリア初のゴシック作家の、初の英訳とあいなった。

タルケッティの他の作品も、同様に幅広いポテンシャルがあり柔軟性に富む。『パッション』[25]という英題で小説『フォスカ』[26]も私が訳した。この作品はロマン主義的なメロドラマとリアリズムを融合した実験的作品で、『ボヴァリー夫人』や『テレーズ・ラカン』を思わせる。『パッション』は、ボディス破り〔アメリカで一時期読まれたロマンス小説のジャンル〕に外国のタッチを与え、英語で再発見された古典かつ歴史ロマンス作品として多様な読者層をひきつけるにちがいないと確信した。そうして私が翻訳に取り組んでいるさなか、本作は大衆受容の契機となりうるタイアップに発展した。スティーヴン・ソンドハイムとジェームス・ラパインによるブロードウェイミュージカル『パッション』の公演が決まったのだ。突如として、主にエリート層にしか興味をもたれないと思われていたイタリアの正典が、より多くの層に流通することになった。

私がタルケッティの作品で特に魅かれる点は、作品が翻訳行為そのものに与える影響の大きさだ。その作品を訳していると、英語の標準語を常に変異にさらすような翻訳言説をうながされる。原文は、訳文と異なる文化と時代のものである。この読者との距離感を表現するのに適していると考え、古語調を使おうと私は当初から決めていた。とはいえ、英語の歴史をふまえたうえで古語調を取りいれる必要がある。現在の英語用法の中で際立ち、文学的なよけいなものを解放させるものでなければならない。『幻想短編集』では、イギリスおよびアメリカ文学におけるゴシックの系譜に同化させたくて、語順や言葉づかいをメアリー・シェリーやポーといった作家に似せた。英訳にはまりそうな言葉やフレーズを求めて、シェリーやポーの作品を読みあさった。読みやすさと文体上の効果のために、訳の正確さを犠牲にしたわけではない。どのような翻訳も、国内に起因する、国内の言語と文学でしか意味をなさないよけいなものを発生させるのだから、私は英語文学史の特定のジャンルに起因するよけいなものに焦点をあてたまでだ。マイノリティ化する翻訳では、方略は外国テキストの時代背景・ジャンル・文体と、翻訳する国内の文学と読者層の相関関係によって決まる。◆[27]

私の訳は原文のイタリア語によりそう形をとり、適度に英語の古語調を取りいれるために、しばしば語義借用（カルク）を取りいれた。タルケッティの短編「死人の骨」の以下抜粋はその典型だろう。

Nel 1855, domiciliatomi a Pavia, m’era allo studio del disegno inuna scuola privata di quella città; e dopo alcuni mesi di soggiorno aveva stretto relazione con certo Federico M. che era professore di patologia e di clinica per l’insegnamento universitario, e che morì di apoplessia fulminante pochi mesi dopo che lo aveva conosciuto. Era un uomo amantissimo delle scienze, della sua in particolare - aveva virtù e doti di mente non comuni - senonché, come tutti gli anatomisti ed i clinici in genere, era scettico profondamente e inguaribilmente - lo era per convinzione, né io potei mai indurlo aile mie credenze, per quanto mi vi adoprassi nelle discussioni appassionate e calorose che avevamo ogni giorno a questo riguardo.

In 1855, having taken up residence at Pavia, I devoted myself to the study of drawing at a private school in that city; and several months into my sojourn, I developed a close friendship with a certain Federico M., a professor of pathology and clinical medicine who taught at the university and died of severe apoplexy a few months after I became acquainted with him. He was very fond of the sciences and of his own in particular - he was gifted with extra ordinary mental powers - except that, like all anatomists and doctors generally, he was profoundly and incurably skeptical. He was so by conviction, nor could I ever induce him to accept my beliefs, no matter how much I endeavored in the impassioned, heated discussions we had every day on this point.◆[28]

一八五五年、パビアに居をかまえた私は、市内の私立大学でデッサンの修得に専念していた。逗留をはじめて数か月の間に、私はとあるフェデリコ・M氏なる、同じ大学で病理学と臨床医学の教鞭をとっており、知り合ってから数か月後に重い卒中で亡くなった人物と非常に親しい関係になっていた。彼は科学を愛しており、特に自身に対する科学——天賦の精神力を持っていたので——に強い関心を持っていたものの、ふつうの解剖医や医師のように、救いようのないぐらい非常に疑り深かった。それは彼の信念であり、私の信仰を理解するよう説き伏せようと、この点について連日どれだけ感情的で熱い議論を戦わせようと努めても、決して私にはかなえられなかった。

英文の古語調は、イタリア語原文によりそった部分が多く、区切りの多い構文やタルケッティの時代の語法に近づけるためのものだ（イタリア語の「滞在 soggiorno」、「脳卒中 apoplessia」、「誘発する indurlo」はそれぞれ、英訳では「逗留 sojourn」、英語古語で「卒中 apoplexy」、「彼を説き伏せる induce him」と訳した）。ほかの箇所でも、選択を迫られると私は現在の語法よりも古語調を選んだ。たとえば「私には決してできない ne io potei mai」は自然な表現である「私には決して and I could never」ではなく倒置法を用いた「決して私には nor could I ever」にしたし、「どんなに頑張っても per quanto mi vi adoprassi」については、今日一般的な言い回しである「私がどれだけ頑張っても no matter how hard I tried」よりもいくぶん古めかしさを感じる「私がどれだけ努めても no matter how much I endeavored」とした。

『幻想短編集』の翻訳言説は明らかに標準的な英文ではないが、ほとんどの現代人が読めない、ということもないだろう。読者の受容をみても、私の考えは正しかったように思う。読者がマイノリティ化翻訳を受け入れやすいよう工夫をこらした、序文の役割を果たす文章を私は書いている。書評をみると、古語調は本作の読書体験を形づくるのに適していたと思われる。タルケッティの作品が時代を経た昔のものであることを示すだけでなく、英語のゴシックジャンルの伝統とそれとなく比較したことで特徴を際立たせられた。特記すべきは、古語調により訳文が翻訳であることを読者に示しながらも、読書の不快な妨げにならなかった点だろう。『ヴィレッジ・ヴォイス』誌は「雰囲気のある言葉づかいの訳文」[29]に気づいたし、『ニューヨーカー』誌は「北方の暗影と南方のきらめきを混ぜたような、かつてなかったゴシックの文体を精製した訳文」[30]と評価した。

これらの書評より、私の学術的実験は、文化的エリートや文学的な教養のある読者層（特定の興味をもつ学者は含まれないかもしれないが）に非常に好感をもって受け入れられたと思う。と同時に、『幻想短編集』は、ホラー作品のファンなど、ゴシックを幅広く読む人々にも受け入れられた。人気のあるゴシック雑誌『ネクロファイル』の書評家は、本作が「難解すぎて一般読者が読む価値がない、というほどでもない」と結論づけたうえで、「ゴシック通の読者は「ブヴァール」と「死を招く男たち」を特に気に入るだろう」と述べた。この二編によりタルケッティは「十九世紀ファンタジーという豊かな歴史を持つジャンルの貢献者」だと、この書評家は感じたようだ。[31]

タルケッティの『フォスカ』は、より異種的な翻訳言説をさそうテキストだ。タルケッティ独特のロマンティシズムが極端な域に達しているせいで、本作はシリアスでありながらパロディっぽかったり、読者をまきこむかと思えばつきはなしたりする。本作のプロットの肝は三角関係にある。語り手である軍士官のジョルジオは、肉感的なクララとの不倫関係にあった。しかし上司のいとこであり、不気味なほどにやせほそったヒステリー患者のフォスカから激しい恋情をぶつけられ、ジョルジオの中にフォスカに対する病的な執着心がめばえる。不義の関係、病、女の美醜といったテーマ、ブルジョワ思想の家庭的な女性像と吸血鬼のような魔性の女の対比といった、うす気味悪さのあるロマンス作品ではおなじみの内容も、十九世紀イギリス文学への訳文の同化を私にうながした。エミリー・ブロンテの『嵐が丘』（一八四七）やブラム・ストーカーの『ドラキュラ』（一八九七）といった作品の英語の文体をまねた。といっても、タルケッティ作品で描かれる激情にあわせて、私は古語調をより重厚に取りいれることにした。多様な現代アメリカ人読者が理解できる程度におさえつつ、翻訳特有の違和感を如実に表したかった。この事例で示したいことは、要するに、マイノリティ化翻訳の方略は、翻訳者の外国テキストの解釈にもとづいているということだ。そして翻訳者の解釈は常に二つの側面を考慮したものだ。原文固有の文学的特性に訳文をあわせたいと思いつつも、国内読者から評価をえたいとも考えており、読者の期待や知識（言語の様式、文学の伝統、文化的背景など）にしばられる。

私は主な読者をアメリカ人と想定し、イギリスらしさを取り入れることで違和感を演出できるのではないかと考えた。そこでイギリス英語のスペルにしたり（demeanour、enamoured、apologised、offence、ensure）[32]、発音もイギリス英語にあわせたりした。アメリカ英語ならan herbとなるところをa herbにしたら[33]、校正者から「どういう意図があるのでしょうか?」といかにもいらついた様子の質問がきた。古語調の箇所のいくつかは、語義借用したことによるものだ。原文の「この方法でin tal guisa」は「〜に装うとしてin such guise」にしたし、「私の敗北をあざ笑ってvoler far le beffe della mia sconfitta」は、現代英語なら「私の敗北を笑いたくてwanting to make fun of my defeat」とでもなるのだろうが、「私が負けを喫したのをひやかしてwanting to jest at my discomfiture」にした。イタリア語の「さよならaddio」はgoodbyeのかわりにフランス語のadieuにした。ルソーかぶれのタルケッティが「自己愛amor proprio」

と書いたところは、私はフランス語で amour propre と英訳した。[34] 十九世紀の英語特有の倒置法も取りいれた。原文の Mi basta di segnare qui alcune epoche は、普通なら「私の人生のいくつかの時代を記すだけで私にとっては十分 It was enough for me to note down a few periods [of my life] here」とでも訳すところだが、「私が満足するにはいくつかのエピソードを記すので十分だった Suffice it for me to record a few episodes」と訳した。また、古い単語やフレーズを使える場所は必ず使うようにした。イタリア語の「見捨てられた abbandonato」は「わびしい forsaken」、「ここから da cui」は「いずこから whence」、「といってもよい dirò quasi」は「〜とでもいうべき I daresay」、「だます fingere」は「みせかける dissemble」にした。原文の「役に立たなかった fu indarno」を「私の努力は報われなかった my efforts were unavailing」と訳したのは、ストーカーの『ドラキュラ』にあったのをそのまま使った。

過剰な古語調により古めかしい訳文となって、原文が十九世紀のものだとほのめかすことができた。一方で、パロディといってもいいようなタルケッティ特有のロマンティシズムを表したくて、私は翻訳言説をより多様なものにした。標準語、口語、明らかにアメリカ英語の言葉づかいなど、最近の用法も取りいれた。ときおり、複数の言葉づかいがひとつのセンテンスに登場することもあった。原文の「彼はいかさま師、山師、悪人以外の何者でもない Egli non è altro che un barattiere, un cavaliere d'industria, una cattivo soggetto」を「横領者、ペテン師、ならず者以外の何者でもない He is nothing but an embezzler, a con artist, a scapegrace」と訳し、現代のアメリカ口語 con artist と、サー・ウォルター・スコット、ウィリアム・サッカレー、ジョージ・メレディスの作品に使われていたイギリスの古語 scapegrace の両方を使用した。[35] このテクニックにより読者は、あえておおげさな表現になっていることを認識しつつ、現代の感覚でも心をうつ感覚を味わい、時空の異なる世界に没入できる。
いくつかの箇所では、さまざまに語順を入れかえて不快感をあたえ、読者に現代の翻訳を読んでいることを認識させた。以下の引用文はその一例だ。恋情に命を燃やし、恍惚としながらも病にむしばまれているフォスカと、ジョルジオが一夜を過ごす決定的なシーンだ。

Suonarono le due ore all'orologio.
- Come passa presto la notte; il tempo vola quando si è felici – diss'ella.

The clock struck two.
"How quickly the night passes; time flies when you're having fun," she said.◆36
時計の針が二時を指す。
「夜がふけるのは早いわね。楽しい時間はあっというまに過ぎてしまう」と彼女は言った。

ことわざのようなtime flies when you're having funは原文のイタリア語にかなり近い表現だ（イタリア語をそのまま訳すと「楽しんでいると時間がすぎるのは早い time flies when one is happy」）。だが、英訳のほうは現代のアメリカ英語では使い古されたフレーズとして認知されており、皮肉まじりに使われることが多いので、このフレーズのもつよけいなものは複数の効果が期待できる。まず、この使い古されたフレーズはフォスカ特有ともいえる。フォスカはロマンティックなシーンで使われるようなまっすぐなセリフを好みつつ、そんな自分の発言を自嘲する傾向もある。と同時に、古いコンテキストのなかに突如あらわれる現代的な表現が、古い時代の語りのリアルさを壊してしまう。登場人物がくり広げるドラマにいれこんでいる読者を引きもどし、現在進行中の読書行為に目をむけさせる。そして意識がもどってきた瞬間に、読者はこのテキストがタルケッティの書いたイタリア語ではなく、英語の訳文だとふと気づく。

ジョルジオの心情を描写した一文でも、同様の効果を演出できた。ジョルジオが、自身の心理状態が極端な方向にかたむきつつあるのを問いかける場面で、彼は「限界を目指して何が悪い？ Perché non mirare agli ultimi limiti?」と自己正当化するのだが、私は「外界をねらって何が悪い？ Why not shoot for the outer limits?」と訳した。[37] この訳文もイタリア語に近いのだが、アメリカ的なよけいなものを解放する。宇宙飛行、特に一九六〇年代に放映されたSF的テーマのテレビドラマシリーズ『アウター・リミッツ』をほうふつとさせるからだ。古めかしい文学テキストと受けとられるところにあえて現代的で大衆的なコードを仕込んでおくことで、読書行為がいとなまれている国内文化が急に前面に出てくるので、読者は没入感を阻害される。同時にこれは夢想家であるジョルジオのロマンティスト具合をついた、キャラクターにあった表現なのだとハイブラウは解釈してくれるだろう。

このように私の翻訳は統一性なく多様な要素を取りいれており、標準的な英語だけでなく、英米圏の文学界でながらく力をもっていたリアリズムからも逸脱した。その結果、読者層によって受容に差が出た。同僚や、大学で英米文学の教鞭をとる人々にインタビューをしたかぎり、私の翻訳言説は文学形式の実験に慣れているエリート層のほうが好意的に受けいれられたようだ。一般的なアプローチで本作を読んだ人たちの間では、タルケッティの小説にどの程度関心をもったかによって反応が異なっていた。

読者からの手紙で、南カリフォルニアのプライベートな読書クラブの一員だという人から出版社あてに「すてきな本だ」との好評をいただいた。特にフォスカの「死にいたるまでの手に汗にぎるドラマ」が気に入ったとのことだった。[38] しかし、ほかの大衆読者は感情移入しづらいとの理由で、より感情移入しやすい流暢な文章を求めた。『カーカス・レビュー』誌は、『パッション』のこのスリリングな物語性を評価した。書評者は「すばらしいタルケッティ作品だ。執着、欺瞞、セックス、死とパッション、すべてがそろっている」と評すると同時に、「当初はいやいやつきあっていた恋人も読者も、いつしかフォスカの魔法に魅入られてしまう」としている。[39] しかし、翻訳については「ときどき堅苦しく、違和感のある言葉づかいもときおり見られた」との評価だった。

『ニューヨーク・タイムズ』誌に書評をよせたノンフィクション作家バーバラ・グリザティ・ハリソンは、タルケッティの文章そのものに疑問を呈した。その批評は私のマイノリティ化翻訳にまで広がった。ハリソンはまず、イタリア語テキストに問題があると考えた。メロドラマチックなロマンス作品が通常有する、読者をまきこむ文章であるべきとの期待にそわなかったからだ。しかし読みすすめると、彼女の評は、イタリア人は熱情的というステレオタイプを露見させるものだった。

> ともかく奇妙な作品。イタリア人作家による、「パッション」と冠した小説なのだから、感情を揺さぶる作品にちがいないとふつうは思うだろう。読んでみたら、予想どおりの部分もあったが、そうでない部分もあった。血、激情的なセックス、死、と要素がそろっているにもかかわらず、心の底から揺さぶられる、ということがなかった。どちらかといえば文学的かつ知的な展開で、謎（と

いっても私を引きこむようなものではなかった）やどんでん返しがあった。こんな作家、本当に実在したの？[40]

ハリソンにとって、虚構のリアルさに水をさす小説はありえないということなのだろう。批評的に距離をおいて読むべきところを、エリート文化（「文学的かつ知的な展開」）をないがしろにしてしまい、物語に浸る楽しさを優先した結果だ。

また本作の場合、彼女は型どおりでない翻訳ともむきあわなければならなかった。

もしかしたら『パッション』の課題のいくつかは、訳者であるローレンス・ヴェヌティが二十世紀の口語体をうまく再現できずに、いまふうの陳腐な言い回しにこだわったからかもしれないとも思う。十九世紀イタリアのロマン派の人間に「兄弟姉妹 siblings」（なんと忌まわしい単語だろう）がいるはずがなく、「憂鬱 funk」〔英俗語〕ということもなかっただろう。暴力的なまでに情愛を燃やす女性が、今際の際に「楽しい時間はあっというまに過ぎてしまう」なんて言えるだろうか。[41]

私が意図的に大仰にした表現に、この書評者はうまくひっかかったようだ。にもかかわらず、彼女は私が序文で説明した内容を理解することを拒んだ。クリシェや口語をあえて不自然に使用したのは、古いコンテキストから逸脱することで登場人物たちのいきすぎたロマンティシズムを面白おかしく模倣したかったからだと私は説明していた。ハリソンの反応は、文学形式上の実験に対する根深い忌避感を示すものであり、言語のもつコミュニケーション機能を複雑にする。大衆の好みは、作品と日常生活の境目をなくすような、リアルな虚構を小説の表現に求めている。だからこそ彼女はすぐに頭に入ってくるような訳文——つまり、透明で、あたかも翻訳されていないような、もしくはそもそも翻訳が存在しないかのような文章——を、原文をそのまま読んでいるような幻覚を求めた。だからこそ、イタリア人のロマンス作家が使わないであろうfunkといった俗語は使うべきでないと主張したのだろう。この主張の裏には、英文（「私の陥った憂鬱 the funk wherein I fell」）がイタリア語の原文（「私の陥った孤独 l'abbandono in cui ero caduto」）に近い、もしくはぴったり重なるという幼稚な思いこみがある。イタリア人のロマンス作家が私の訳文にある単語を使うことなど、ほとんどあるはずがないではないか——彼らはイタリア人であって英語話者ではないのだから。ハリソンの透明な文章への偏愛には、翻訳のある特徴が隠されている——もっとも親しまれ、かつもっとも目に見えにくい英語の方言、つまり現代の標準語の優遇だ。これこそ、翻訳が大衆の嗜好をよりどころに標準的な言葉、優勢な語り口調（リアリズム）、さらには広く流布されている人種のステレオタイプ（イタリア人は情熱的、など）をより強固にしてしまう実際の証拠なのだ。

しかし、私のプロジェクトは十分にマイノリティ化に成功したようで、『パッション』はさまざまな層に届いた。現代を代表する作曲家によるブロードウェイミュージカルという、大衆的な形態との思わぬタイアップによる部分が大きい。出版社はこのタイアップを活用し、訳書の題名をソンドハイムとラパインのミュージカルと同じにした。表紙のデザインも目を引くものにして、ミュージカルのポスターや広告物のビジュアルを連想させた。書評者たちはミュージカルをきっかけに訳書を手にしており、レビューの中でもミュージカルについて必ずと言っていいほど触れていた。上演されている劇場のロビーでの書籍販売は、一年近くもつづけられた。出版から四か月で六五〇〇部が刷られ、二年間で四〇〇〇部を売り上げた。ベストセラーとまではいかなかったが、英語読者にそれまであまり知られていなかった、周辺的な立ち位置のイタリア小説のわりには広く流通した。

タイアップは、ミュージカルよりも翻訳のほうに利を生んだのは確かだろう。しかしミュージカルもアメリカの演劇界においてはマイノリティ化プロジェクトだったため、タイアップが翻訳の流通を狭めた部分もある。ミュージカルと訳書の方略は驚くほど似ている。ソンドハイムとラパインは、小説だけでなくエットーレ・スコラによる映画版『パッション・ダモーレ』（一九八一）を参考に、エリート文化とイタリア文化の要素をうまく取りいれて大衆的かつアメリカ的な形態につくりかえた。一方で私は、専門家にしか知られていなかった小説を、大衆的なジャンル、コード、引喩を用いることで、大衆的な素材を用いたエリート文学の形につくりかえた。

翻訳同様に、ミュージカルに対してもさまざまな反応があった。一部の評者は、今日のブロードウェイの舞台で主流のスペクタクルとセンチメンタリズムへの、より深い同化を求めた。例として『ニューヨーク・タイムズ』紙は、ソンドハイムとラパインの作品を「観客を引きあげてくれる、と思いきや、高揚感を与える最後の一押しに欠け、不快さの方が上回る」[42]と不満げだった。他の評者は、ブロードウェイに与しすぎているせいで、物語のアイロニーを十分に醸し出せていないと評した。『ニューヨーカー』誌は「その他のミュージカル同様、反骨精神はうわべだけで、商業主義に屈してしまっている。おそらくは興行収益のためだろうか、「かならず最後に愛は勝つ」式のフィナーレとなるよう強制されている」[43]と見た。ソンドハイムとラパインの『パッションン』は、観客を二分化するような多様性をもつミュージカル形式だった。したがって、翻訳も賛否両論をもって迎えられ、ベストセラーへの妨げとなった。

しかしながら、私の目標は商業のためではなく文化のために、メジャー言語のなかでマイナーな文学作品をつくりだすことだ。その意味で、目標は達成できた。

言語学の限界

私は、翻訳の理論と実践をつづけるなかで、言語学的アプローチに疑問を抱くようになった。このアプローチは一九六〇年代に台頭して、いまや主流となり、世界中の研究と教育の両方に影響力をもつ。個々の言語学的アプローチは、テキストの言語学と語用論にもとづいていることが多く、ものによっては言語やテキスト構造について正反対の前提に立っている。あえて説明能力を狭めている部分も多く、場合にもよるが、規範となる原則にしばられている。翻訳者の立場からすると、保守的な翻訳モデルを提示しており、翻訳の役割を文化イノベーションと社会変動のみに不必要に制限しているようにみえる。とはいえ、私は決してこの言語学的アプローチを追放したいわけではなく、異なる理論的・実践的観点から検討しなおし、自らの理論と実践を再考したいと思う。

言語学的アプローチで最重要となる前提は、言語は個人が一定のルールに沿って用いるコミュニケーションツールであるという点だ。言語学者ポール・グライスの会話の理論によれば、翻訳とは、翻訳者が国内の読者の協調を得ながら外国テキストを伝えるものである。この協調とは、情報の「量」、「質」つまり真実性、「関係」つまりコンテキストの一貫性、「様態」つまりわかりやすさ、という四つの「格率」に分類される。[44]

興味深いことに、言語は協調的なコミュニケーションを行うだけのものではないとグライスは認めている。というのも、格率は会話ではしばしば「無視」されるものであり、「含み」の一種（アイロニーなど）をあらわにするために発言者に「利用」されるものである。[45] 言語学的アプローチをとる研究者は、翻訳において、含みを外国と国内の文化の違いをあらわにする外国テキストの特徴と解釈した。たいていの場合、国内読者に知識がなく、翻訳者がどうにかして補償（コンペンセーション）しないといけない部分にあたる。しかしながら、コミュニケーションでは——補償でさえも——翻訳者の手当ての仕方を十分に説明できない。翻訳者の施す手当ては、外国テキストを国内の常識や興味にあわせて書き直す、腹話術に近いかもしれない。「意味のとおる訳文にするためには、会話の含みを読みとるために必要な情報をテキストに入れ込むことだ」と、ある評者は翻訳者の手当てを説明している。[46]

問題はこの書き直し自体ではなく（そんなのは私もふくめて翻訳者なら日ごろからおこなっている）、それがどのように受けいれられているかだ。会話の格率や含みは、翻訳におけるよけいなものの作用の原因とはなりえず、むしろよけいなものを効率的に押さえつけてしまう。外国テキストに付加された国内の言語的様式により、テキストは国内の文化においても「意味のとおる」ものになる。だが、これらの様式は意味が集合的かつ多様で、異なる役割をあわせもち文化構成や制度によって違った動きをするため、伝えたいと意図するメッセージをどうしても超えてしまう（そして量の格率に反してしまう）。グライスの「含み」理論によれば、翻訳は国内の言語学コミュニティにおける格率の利用のプロセスにあたる。[47] そのような中で、格率がコミュニティ内でも異なっているものであり、翻訳言説は、たとえイントロダクションのなかで協調的な形で述べられていても、読者を二分しうるのだと、よけいなものによって判明する。外国テキストにおける含みを補償するため、翻訳者は注をつけたり、訳文の中に補足を入れたりする。いずれにしても、量の格率から離れ、異なる読者にむけて行うものである。たとえば、脚注は学術上の慣習であり、国内の読者層を文化的エリートに狭めてしまう。

よけいなものは、ほかの格率も同様に脅かす。翻訳がつくりあげる「仮想現実」[48] とも言える真実の格率も脅かす。なぜなら、よけいなものが孕むさまざまな要素により、相対する現実が垣間みえたり、本物のような幻覚を壊したりしてしまうからだ。よけいなものが多様である以上、方言やコード、使用域、文体は同じ訳文の中で変化することが多い。元のコンテキストから逸脱したり、多義的になったり意味が不明瞭になったりするので、関係と様態の格率に反してしまう。グライスの会話の理論にもとづいて翻訳理論を構築すると、よけいなものを抑制することにより、流暢さを重視し、外国テキストの同化をうやむやにしつつ、国内の支配的な価値観をより強固なものにしてしまう。特にメジャーな言語や標準的な方言の強化があげられるが、それ以外にも外国の含みをもたせるために訳文に入れこんだ文化言説（文学の正典、人種のステレオタイプ、エリートもしくは大衆の好み）も強化してしまうかもしれない。

となると、言語学的アプローチは私がマイノリティ化翻訳でなしえたいと思い描く倫理的かつ政治的目的を阻害してしまうようだ。グライスの協調の原理は、話者同士が対等な間柄であり、文化の違いや社会格差の影響を受けないという状況を仮定している。よけいなものは言語学的状況下における多様性を探るものであるため、翻訳者は常に非対称な関係性のなかで作業しており、外国文化よりも国内文化、ほかをさしおいて一部の文化的構成員に協調しているものである。理論を会話から翻訳に置きかえようとすると、言語学的アプローチをとる一論者が「グライスの格率は英語圏で重要視されている誠実さ、簡潔さ、関連性といった価値観をそのまま反映しているようだ」[◆49]と指摘しているように、協調の原理は矛盾に陥り排他的になってしまう。

さらに、文芸翻訳に置きかえると、会話の格率に従うならば、国内の期待を裏切らないよう、外国テキストや翻訳言説を翻訳者は選ばなければならない。であれば、アメリカ人の文芸翻訳者は、既存の国内文学や外国文学の正典を維持しようとするだろうし、異質（フォーリン）だったり、標準から外れたりして周辺的な要素を取り除いて同化的な言説を推しすすめるだろう。しかし英語の世界的覇権を覆し、アメリカの文化的・政治的価値観を問いただし、外国テキストのもつ異邦性（フォーリンネス）を浮き彫りにするには、翻訳者は協調的ではなく挑発的でなければならない。ただ意味を伝えるのではなく、読者を刺激しなければならない。グライスの平和的な格率は、エリートや大衆関係なく現在の読書の傾向を強めるものである。それに対しドゥルーズとガタリの物議を呼ぶ言語の概念は、文化の壁を乗り越えることで、そういった傾向を見直すような翻訳をうながす。

言語学的アプローチの限界は、文学以外のテキストを含む、人文科学を構成するさまざまなジャンルやディシプリン、フィクションとノンフィクション、電子媒体と紙媒体など広義での文芸翻訳において顕著だろう。マイノリティ化を進める翻訳者は、革新的な文体のテキストに触発されて国内のよけいなものを解放したいと思うので、協調の原理に従わない。読書にのめりこむよりも距離をおいて批判的に読むよう意識をそらす（もしくはエリートと大衆の嗜好の間を取りもつような）異種性を拒絶する一般読者も、協調の原理に従わない。グライス理論にもとづいた翻訳は、「テキストのわかりやすさを変えることなく、読者の思い描く現実、期待、好みに挑む（ただし挑戦する意義があり読者もその素地があることが前提だが）」[50]望みが薄くなってしまう。私の『パッション』に対するさまざまな反応を見るかぎり、たとえ納得のいく説明がしてあったとしても、そういった挑戦は残念ながら読者の協調を得られないようだ。たとえばハリソンは、自身が理想とするリアルさを捨てることができず、私の訳文は一貫性がないと感じた。しかし、マイノリティ化翻訳は複数の文化構成の間を行き来することができると示せたと思う。マイノリティ化翻訳の異種混交的な言説により、文化的構成員によって理解度が異なっていても、それらの違いに対応できる。現在の言語学的アプローチは、このような文芸翻訳を概念化し実践するのに必要な理論に欠けているだけでなく、評価するための方法論にも欠けている。

　実践的・専門的な翻訳であれば、グライスの格率に沿って理論化しやすいだろう。実際、科学・ビジネス・法律・外交文書の翻訳者は契約やエージェントとの雇用形態にしばられる。翻訳するテキストは、専門用語を用いて意味が通じる点を最優先せねばならず、格率を尊重することになる。専門文書の翻訳（論文、製品の特許、出生証明書、平和条約など）は、かなり限定的な状況下でつくられることになる。特定の読者を想定し、意味が変わってしまうのを避けるために標準化された用語を使用する。こうした文書にある含みは完全に慣例によるものであり、会話にあるような無視により持ちこまれる含みはほとんどない。したがって、私が文学テキストを翻訳するためにつくりあげた倫理観は、産業翻訳におけるさまざまな状況にあわせて見直さねばなるまい。産業翻訳では、よい翻訳はその領域やディシプリン、文書が作成された目的によって違ってくる。この基準は完全に役割に沿ったものであるので、翻訳されたテキストを評価する際には、社会的影響、場合によってはテキストが満たす経済的利益や政治的関心についても考慮する必要がある（たとえば、翻訳者が訳しているのは操作マニュアルなのか、広告なのか、雇用契約なのか？　労働環境に問題があるグローバル企業のために訳しているのか？）。

しかし産業翻訳においても、特定の状況やプロジェクトによっては、グライスの格率に反することもある。広告を翻訳する際に、海外の文化に対する国内の期待をあえて無視したいと翻訳者が思うこともあるかもしれない。君臨する人種ステレオタイプから離れ、製品を国内のカリスマと結びつけて売りだしたいとしよう。ステレオタイプから距離をおくのは、異なる文化のなかで広告文をより効果的にするためだ。しかし翻訳であるため、国内のオーディエンスの各層によって反応は異なってくるだろう。

一九九八年に、イギリスとイタリアのテレビ局が、それぞれイタリア車（フィアット社のティーポ）のコマーシャルを流した。どちらも同じ内容で、「英国紳士らしい冷静さと自制」という人種ステレオタイプをクライマックスでひっくり返すというものだった。[51] 英語で撮影され、イタリア人用には字幕をつけたこのコマーシャルの主人公は「冷静沈着」な紳士だ。彼はタクシーの後部座席で静かに新聞を読んでいたが、フィアット・ティーポを運転する美女を目にしたとたん、運転手に交通ルールを無視してでも彼女を追えと命じる。[52] イタリア語版では、ステレオタイプがより強調されており、紳士が突然興奮しだして感情的になる様子を大げさに描いている。コマーシャルの英題「タクシー運転手 Taxi Driver」もイギリスの特定の場所「一九八八年九月　ロンドン Londra, Settembre 1988」に変換された。紳士の控えめな「すてきだ Lovely」という台詞も、より語気の強い「美しい！ Splendida!」というイタリア語に翻訳された。[53]

このコマーシャルは、どちらの国でも視聴者の間で広まっているステレオタイプを裏切る点におもしろさがある。しかし、グライスの含みのひとつである皮肉が、会話の協調を得られて効果的だったと説明できるのは英語版だけだ。紳士に「オックスブリッジ」のアクセントでしゃべらせ、イギリス人視聴者なら即座に察知する社会階層のコードをみせたので、ステレオタイプを強固する結果となった。つまり、「逸脱そのもの」が「定型的なスキームにもとづいて展開されている」[54]。それに比べイタリア語版は視聴者との協調性に欠ける。特に英語を話せる教養のあるイタリア人に対してどのような効果がえられるのか、予測しづらい。英語音声の「すてきだ Lovely」に対しイタリア語訳が大げさで元のトーンから離れていたので、固定観念となっているステレオタイプから注意をそらすリスクがあった。

外交や法務の通訳でも、グライスの真実性の格率から容易に離れてしまうことがある。地政学的な交渉を通訳する際に、含みの一種であるあてこすりは、対立をうみ会話を阻害しかねないため省略したいと通訳者が考えることもあるだろう。法廷通訳では、通訳者が文法ミスを修正したり、ためらいの間や言いまちがい、文化固有の決まり文句を訳しとばしたりすることもあるだろう。いずれも国内の認識や関心を高め、さらには同情をえるために行うものだ。[55] こうしたケースでは、通訳者は会話の複数の格率に違反するだけでない。通訳の実践は単純なコミュニケーションではなく、煙にまいたり、帰化させたり、言い訳したりするものではないのかという疑問を提起する。必然的に、通訳者のおかす違反は倫理的かつ政治的な意味合いをもつ。その領域において訳がどのように役立てられるかというだけでなく、平和な国際関係や正義の公正な執行といった、大きな課題に対する通訳者の問題意識が関係してくる。

科学的モデル

言語学的アプローチのもっとも憂慮すべき特徴は、科学的モデルを推進したがる点にある。言語を文化や社会の多様性から独立したシステマティックな制度として定義しているため、翻訳は文化・社会構成から独立したシステマティックな行為一式として研究される。したがって翻訳理論は共時的な二つの事項にまとめられる。語義借用や「補償」[56]など、翻訳者が外国テキストを借用する言語学的テクニックと、「特定の翻訳が好まれる典型的なシチュエーション」[57]の二点だ。よけいなものの概念が考慮されていないため、これらのアプローチは翻訳の行為や状況に関する社会的・歴史的変数を単純化してしまう。文芸翻訳・産業翻訳の関係なく、翻訳行為のもつ文化的な意義・効果・価値観について翻訳者に考える余地を与えない。

研究者のキース・ハーヴェイの補償に関する研究は、今日においてもっとも包括的で含蓄に富んだものあり、特に教授法における翻訳実践を説明するために練られた概念だ。[58]ハーヴェイによれば、翻訳者は外国テキストから失われた特徴を補償するために、同時代または別の時代の国内テキストから同様もしくは類似する特徴を拾って追加することがある。したがって、タルケッティの『フォスカ』を翻訳する際に、私がイタリア語の il tempo vola quando si è felici を time flies when you're having fun と訳したのは、ハーヴェイの言う「一般化する」補償、つまり「目標テキストの文体に特徴を持たせ、訳文の読者が自国のものとして受け入れやすいようにするのは、効果の数や質で劣らないよう、起点テキストの喪失とひもづけてしまわないように」[59]したものだった。口語的なキャッチフレーズを用いることで、フォスカの口癖である古めかしい口調や文化的クリシェを、私は全般的に補償したことになる。私が使用した口語体は、自国的なよけいなものを解放させたので、想定外のものも含め複数の効果をもたらした。よけいなものの効果は、確実に読者の心情に依存した。この口語体によって、登場人物たちのキャラクターはより一貫したものになるだけでなく、小説が現実であるという幻想を壊し、私のテキストが翻訳であることを読者に印象づけた。私がこのような効果をねらったのは、倫理的かつ政治的な意図があってのことで、特に国内、現代のアメリカ文化に即したものだった。したがって、十九世紀イタリアのテキストがもつ文体的特徴を補償したいという意図はあったが、さほどではない。

ハーヴェイの例示の中に、補償が国内的なよけいなものを含み、外国テキストの重要性を変えてしまうケースがある。フランスの四コママンガ『アステリックス』の英語版で、スペイン人のメイドの「フランス語の誤用」を省いており、その補償のためにメイドの雇用主とその友人をワイン通に見せかけたり、サミュエル・ジョンソンの啓蒙的な人文主義に影響されているように見せたりした。[60]この場合、労働階級のスペイン人移民への皮肉を補償するため、エリートに近い（この文化的引喩を理解できるのは教養のある人間になるだろう）国内の読者層むけにフランスのブルジョワ的な要素を取りこんでいる。英語版で解放されているよけいなものは、イギリスとフランスの人種・国家間の対立を反映しているともいえる。

ハーヴェイは、どのような補償も同等の要素を翻訳に付加するだけのものではないと認識していたようだ。アーンスト・オーガスト・グートの研究[61]を検討するなかでハーヴェイは、「効果は、けっきょくのところ読者がテキストを読むモチベーションとなるひとつの機能である。当該テキスト固有の特徴、文化ごとの反応の違いを決定づけるさまざまな慣習でもない」と述べている。[62]しかしハーヴェイは補償という「用語を文体やテキストに固有の特徴や効果に押さえておく必要がある」と考えていた。「社会と文化の営みとの食い違いといった大きな課題にふくらみ、教授法に用いたり概念としての価値を維持したりするには広すぎる概念になってしまう[63]」と恐れたためだ。しかし、テキスト固有の特徴が、異なる効果――さまざまな読者のモチベーションや文化慣習ごとに異なる結果――を生みだせるのはなぜか、よけいなものの概念なしに記述的な枠組みで説明できない。私が『パッション』で用いた補償による翻訳がどのように国内の読者層を分断したのかを説明するには、文化価値に関する社会学の理論（ブルデューなど）が必要だ。

重要なのは、自身が選びとった文章テクニック、さまざまな種類の補償、プロジェクト（契約を結ぶかどうかの最初の意思決定）を翻訳者が説明できることだ。そうでなければ、訳文を執筆する作業の記述的枠組みは、機械的で価値観に影響されない、頭を使わない翻訳を肯定するものになるだろう。もしくは、文化的・政治的価値を考慮せず実用性や経済性に特化したものになるだろう。「言語を研究対象とする科学的モデルは、それによって言語が等質化され、中心化され、標準化されるような政治的モデル、メジャーなまたは支配的な権力の言語と一体になっている[64]」とドゥルーズとガタリは指摘している。科学的モデルは、言語の異種性を抑制することにより、翻訳行為のなかで受容・排除されるものや、翻訳を成り立たせる社会の関係性について、翻訳者が理解することも評価することも許さない。

より大きな文化的課題を対象とした翻訳研究のなかでも、似たような抑制が長年つづいた。厳密な経験主義にもとづいたアプローチへのこだわりがあるためだ。一九七〇年代に練られはじめ、のちに数々の論文やケーススタディで再考された翻訳研究者のギデオン・トゥーリーのアプローチがそうだ。彼は自らのアプローチを科学的と公言し、実際の翻訳行為を評価する際に翻訳かくあるべしというような説明を避けた。[65] トゥーリーは「翻訳とは目標文化に関する事実だ」[66] という前提から出発する。翻訳するために外国テキストを選定したり、とりとめもなく多数の方略を利活用したり、という国内の状況を念頭においている。こうした状況のなかでも特に「規範」が翻訳者の活動を抑制すると指摘した。[67] 翻訳者の決断を形づくるさまざまな価値観は、ほかの翻訳や、より一般化するならば外国から文体やテーマを輸入したパターンの影響を受けて形成される。トゥーリーは、異なる言語へ翻訳するときには必ずテキスト間で「シフト」が起こることを認識していたため、翻訳の「適切性 adequacy」にはあまり興味がなかった。適切性を測定するためには、そもそも「起点」テキストを特定するところから、国内の規範が潜在していると考えたためだ。[68] 彼の研究は、どちらかといえば翻訳の国内の「受容」を記述し説明せんとするもので、さまざまな翻訳シフトがどのように異なる「等価性 equivalence」を構成するのか、ある時代における、どのような国内の価値観に沿うものなのか考察している。[69]

トゥーリーの研究が歴史上重要なのはまちがいない。イタマー・イーヴン・ゾウハー、アンドレ・ルフェーヴル、ホセ・ランベールといった考え方の近い研究者らとともに、トゥーリーは翻訳研究を確固とした一ディシプリンとして成立させようと、研究の目的を定義し、翻訳は目標テキストが文化的規範・リソースの「ポリシステム」のなかを流通しているものととらえた。[70] 今日において、トゥーリーの目標テキスト中心の考え方は多くの研究者や翻訳者に共有され、各々が翻訳をとらえる際のよりどころとなっている。彼の概念や方法論は、翻訳を言語学的・文化的に説明しやすくしたので、結果として（彼の名前があげられていない場合においても）基本的なガイドラインのようになった。翻訳を研究するとき、外国テキストと訳文の比較は避けられない。国内の文化に限定された解釈でしかないとわかっていても、どのような翻訳シフトがあるか、どのような規範にもとづいているのか、検討せざるをえない。トゥーリーはルセルクルのよけいなものの概念を参照していないが、翻訳シフトはよけいなものを包含すると考えられる。翻訳シフトは、外国テキストの中にある国内の価値観の記述をともなうためだ。

しかし、二十年あまりが経過した現在、トゥーリーの研究の限界も明らかになってきている。科学を標榜するには、理論的に稚拙で、むしろ不誠実との見方が強くなった。トゥーリーは、翻訳研究をディシプリンとして認めさせるためには、科学的モデルにもとづいた研究を行わねばならないと感じていた。「どのような経験主義的科学も、まともな記述的な支流がなければ完全性や（相対的な）独立性を謳うことはできない」と考え、翻訳研究者が「テーマの選定や所見の公表に対し評価を重視することを避け、「まともな」言動を推奨するような結論を出すことをやめなければ」自らを「記述的」と呼べないと考えた。[◆71] しかし、トゥーリーも自らディシプリンの利益を抑制してしまっている。彼の研究の主なモチベーションは、翻訳研究を学術機関に組み入れることにあった。目標テキスト中心を強調したのは、翻訳研究に必要だからというだけでなく、学術界に己の領土を主張するためでもあった。トゥーリーが自分の読者に想定していたのは翻訳者ではなく学者であって、自分の構築した理論が科学的でない他の概念を制することを期待したのだ。

この考え方には、彼の理論も含め文化に関するどのような理論も、評価は避けられないという点が抜けている。研究プロジェクトを計画し実行する段階でも、学術的解釈はおかれている文化的状況と価値観を含んだものになる。トゥーリーはこの点について認識していたようだ。というのも、規範を記述する際に懐疑的な見方をとるよううながす唐突な文章がある。

ひとつ注意しなければならないのは、規範に沿った言動を研究する際、規範そのものと規範にもとづいた言葉は必ずしも一致しないということだ。当然ながら、会話は規範の存在や重要性を意識したうえで行われるものである。しかし、それ以外の動機、特に言動をコントロールしたいという欲望が働き、ただ規範を記録させるのではなく、書きとらせたいと思う規範を伝えることもある。したがって、規範の記述はゆがめられる傾向にあり、疑ってかかる必要がある。[72]

上述の文章がおかれたコンテキストからは、翻訳者が提供した翻訳規範は、自らが従ったものもあるだろうが違反したものも含まれているとトゥーリーが考えていたことを示唆する。最後のセンテンスが、翻訳を網羅する規範を構成しようとする翻訳研究者にも当てはまらない理由はない（もしくは、トゥーリーは翻訳研究の概念を打ち立て、翻訳研究者の言動をコントロールしたかったのかもしれない）。構成された規範は常に解釈であり、同領域における過去の概念だけでなく、広義の文化を定義する価値観のヒエラルキーを参照したり（もしくは異論を呈したり）している。

翻訳を形成する価値観をとらえる能力には、翻訳からある程度距離をおいて批判的になったほうがよく、必ずしも感情的に移入しなくてもいいだろう。トゥーリーは、若い男性にむけたシェイクスピアのソネットが、ヘブライ語では女性むけに変更された例をあげている。この変更は、「若い男性同士の恋愛が［……］そもそも考えられなかった」という信仰心の篤い二十世紀初頭のユダヤ人むけの翻訳だったからだと説明している。[73] ヘブライ語訳が同性愛に嫌悪的と明示していないものの、トゥーリーの説明は同性愛嫌悪から距離をおくものであり、どちらかといえば同性愛（男性同士の恋愛）に肯定的ととらえられる。さらに、トゥーリーは翻訳者の判断を「自主検閲」をともなう「妥協」[74] と説明していることから、トゥーリーの規範構成はリベラル寄りであることは明確だろう。翻訳者と同じ保守派であれば、トゥーリーはこの訳文を、倫理的に適切となるよう自主的に表現を変えたと評したかもしれない。

価値観に左右されない翻訳研究に固執してしまうと、ディシプリンの自己批評、ほかの関連するディシプリンに依存している事実の認識や評価、より幅広い文化的インパクトの可能性を妨げてしまう。トゥーリーの記述的研究法は、翻訳シフトを説明するとともに、その動機となる目標規範を特定するために、外国テキストと翻訳テキストを比較分析するところから出発する。この方法論においても、データの重要性を評価し規範を分析するためには、文化の概念に目をむけなければならない。規範は、一見すると言語的もしくは文学的なものに映るかもしれないが、特定の集団の関心を満たす観念的な力を有する、幅広い国内の価値観・信仰・社会的シンボルも内包している。また、翻訳が生みだされる社会制度のなかに常にあり、文化的・政治的アジェンダに連なっている。

この二十年間、翻訳研究は科学を掲げたばかりに、研究者自らがおかれた文化的状況による制約を認識しつつ、データからするどい結論を導くのに役立ったであろう、理論言説を遠ざけてしまった。ゾウハーやトゥーリーといった経験主義的記述の擁護者らの研究は、ロシア・フォルマリズムや構造主義的言語学にルーツがあり、理論の発展がまきおこした精神分析、フェミニズム、マルクス主義、ポスト構造主義といった文学研究・カルチュラルスタディーズの劇的なさまざまな変化を無視してしまった。これらの言説は、人文科学的な解釈の枠組みのなかで、事実を価値観から分離する難しさを説いている。翻訳研究者は、この言説ぬきに翻訳倫理や政治運動における翻訳の役割について考えることがまったくできない。こうした課題は、ディシプリンの狭さを概説するよりも、いま重要なことではないだろうか。科学的モデルは、文化に関する重要な理論を発展させたトレンドや議論に関わることをよしとしないせいで、翻訳研究の周辺的立場を固定しかねない。

経験主義的アプローチは、言語学にせよポリシステム理論にせよ、よけいなものの概念と、よけいなものが翻訳者や翻訳研究者に求める社会的・歴史的思考を用いて成立し補足するべきだと私は考える。言語学が言語から導きだす不変項と、言語が常にさらされている変化の、どちらを信じるかという点について迷う余地はない。言語は階層構造を成すさまざまな方言や使用域、文体、言説の連続体であり、異なる速度と方向に発展していくものだ。ほかの言語使用と同様に翻訳は、除外をともなう選択であり、歴史的局面につながる論争への介入である。翻訳者は、標準的な言語を使わねばならないものからマイノリティ化を要するものまで、多様なプロジェクトを遂行する。テキストの言語学、語用論、ポリシステム理論は、翻訳者の教育や翻訳の分析に有用となりうる。ただし、これらのアプローチが根拠とする記述的枠組みを、言語の異種性の概念、文化的・政治的価値観との関係性とくみあわせることが前提となる。研究者のレイチェル・メイは、グライスの会話の理論をよりどころにロシア語小説の英訳を分析し、翻訳者が外国テキストの含みを補償せず、内省的な語りを省いてしまったことを明らかにした。[75] しかし彼女はこの省略を英米の翻訳慣習のひとつとして位置づけ、文章の流暢さを重視する方略が支配的となった結果「起点言語と目標言語の間でナラティブと文体に対する文化的傾向の衝突」が起きただけでなく、「テキストの言語を統制したい翻訳者と語り手のつなひき」状態になってしまったと考えた。[76]

経験主義的なアプローチと、私が文化的唯物主義と呼ぶよけいなものにより可能となるアプローチの共通項をさぐるにあたり、大事なこととは何だろうか。テキストなどの経験主義的データの研究のみにもとづいて、翻訳理論と実践を理解し推しすすめるやり方に、疑問をもつことではないか。洞察を得るには、引きつづきテキストの特徴を特定の前提理論にもとづいて処理する必要はあるが（このプロセスなしには何らかの「根拠」と位置づけることはできないだろう）、この前提理論を常に精査し見直していくべきだ。研究者のアルブレヒト・ノイバートとグレゴリー・シュリーヴは、翻訳研究に経験主義的アプローチを取りいれることを呼びかけているが、彼らの主張に反し、実際の翻訳実践を観察して仮説を導くことはできない。このアプローチで可能なのは、テキスト言語学の理想概念からの推論と、彼らが援用する言語学者ロベール・ド・ボウグランドとヴォルフガング・ドレスラー[77]とグライスの理論を構成する翻訳の実践だけだ。同様に、翻訳研究は冷静に「言動の規則性」と予測しやすい「法則性」を推論すべきだとするトゥーリーの意見も、彼の記述が内包する価値をうやむやにし、翻訳実験主義の研究と実践を妨げかねない。その結果、これらのアプローチによって得られた推論が、言語とテキスト構造に関する不完全で保守的ともとれる前提に与する結果となるかもしれない。アメリカ人の文芸翻訳者の立場からは、特にそう見える。

翻訳におけるよけいなものを研究しても、経験主義的記述や現在のテキスト主義の実践や典型的な状況から離反するわけではない。むしろ、テキスト主義的かつ社会的な観点から、いかなる状況下でも翻訳者が直面する倫理的・政治的ジレンマを明確化する手段となりうる。批判精神をもち、言語の異種性を排除する規範に傾くことのない翻訳読者と翻訳者を生むような研究と教育を、私たちの目標にすえるべきだろう。

註

◆1 Susan Bassnett and André Lefevere, "General Editors' Preface," in André Lefevere ed. and trans., *Translation/History/Culture: A Sourcebook*, London and New York: Routledge. 1992. p. xi.

◆2 William M. Park, *Translator and Interpreting Training in the USA: A Survey, Arlington*, Va.: American Translators Association. 1993.

◆3 Monique Caminade and Anthony Pym, *Les formations en traduction et interprétation: Essai de recensement mondial*, Paris: Société Française des Traducteurs. 1995.

◆4 cf. Mona Baker, *In Other Words: A Coursebook on Translation*, London and New York: Routledge. 1992. ; Clem Robyns, "Translation and Discursive Identity," *Poetics Today* 15: 1994. pp. 424–425.

◆5 〔本書の原書も同様に一九九八年にラウトリッジ社から出版されている〕

◆6 ただし例外もある。cf. Basil Hatim and Ian Mason, *The Translator as Communicator*, London and New York: Routledge. 1997.

◆7 illes Deleuze and Felix Guattari, *A Thousand Plateaus: Capitalism and Schizophrenia*, trans. Brian Massumi, Minneapolis: University of Minnesota Press. 1987. ジル・ドゥルーズ、フェリックス・ガタリ『千のプラトー――資本主義と分裂症』宇野邦一・小沢秋広・田中敏彦・豊崎光一・宮林寛・守中高明訳、河出書房新社、一九九四年。

◆8 Jean-Jacques Lecercle, *The Violence of Language*, London and New York: Routledge. 1990. ジャン・ジャック・ルセルクル『言葉の

暴力――「よけいなもの」の言語学』岸正樹訳、法政大学、二〇〇八年。

◆9 ibid. p. 182. 同書、二八一頁〔傍点は岸訳より〕。

◆10 Fredric Jameson, *The Political Unconscious: Narrative as a Socially Symbolic Act*, Ithaca, New York: Cornell University Press. 1981. p. 141. フレドリック・ジェイムソン『政治的無意識――社会的象徴行為としての物語』大橋洋一・木村茂雄・太田耕人訳、平凡社、二〇一〇年、二四七頁。

◆11 Deleuze and Guattari, *A Thousand Plateaus*, p. 105. ドゥルーズ、ガタリ『千のプラトー』一二四頁。

◆12 Lawrence Venuti, *The Translator's Invisibility: A History of Translation*, London and New York: Routledge. 1995. pp. 12–14.

◆13 Deleuze and Guattari, *A Thousand Plateaus*, p. 105.〔このセンテンスは邦訳にはないため、柳田訳。〕

◆14 ibid. p. 106. ドゥルーズ、ガタリ『千のプラトー』一二五頁。

◆15 ibid. p. 105. 同書、一二五頁。

◆16 Antoine Berman, *The Experience of the Foreign: Culture and Translation in Romantic Germany*, Stefan Heyvaert trans., Albany: State University of New York Press. 1992. pp. 4–5. アントワーヌ・ベルマン『他者という試練――ロマン主義ドイツの文化と翻訳』藤田省一訳、みすず書房、二〇〇八年、一三―一六頁。 また、論点を再考した次の文献も参照。*Pour une critique des traductions: John Donne*, Paris: Gallimard. 1995. pp. 93–94.

◆17 Antoine Berman, "La Traduction et la lettre, or l'auberge du lointain," *Les Tours de Babel. Essais sur la traduction*, Mauvezin: Trans-Europ-Repress. 1985. p. 89. アントワーヌ・ベルマン『翻訳の倫理学――彼方のものを迎える文学』藤田省一訳、晃洋書房、二〇一四年、九一―九三頁。

◆18 cf. Annie Brisset, *Sociocritique de la traduction: Théâtre et altérité au Québec (1968–1988)*, Longueuil, Canada: Le Préambule. 1990.

◆19 Deleuze and Guattari, A Thousand Plateaus, p. 106. ドゥルーズ、ガタリ『千のプラトー』一二六頁。

◆20 Pierre Bourdieu, *Distinction: A Social Critique of the Judgement of Taste*, Richard Nice trans., Cambridge: Harvard University Press. 1984. pp. 4–5, 32–33. ピエール・ブルデュー『ディスタンクシオン――社会的判断力批判I』石井洋二郎訳、藤原書店、二〇二〇年、八―一一頁、五二―五五頁。 cf. John G. Cawelti, *Adventure, Mystery, and Romance: Formula Stories as Art and Popular Culture*, Chicago: University of Chicago Press. 1976. J・G・カウェルティ『冒険小説・ミステリー・ロマンス――創作の秘密』鈴木幸夫訳、研究社、一九八四年。 Janice A. Radway, *Reading the Romance: Women, Patriarchy, and Popular Literature*, Chapel Hill:

University of North Carolina Press. 1984. Resa L. Dudovitz, *The Myth of Superwoman: Women's Bestsellers in France and the United States*, London and New York: Routledge. 1990.

◆21 Jean-Jacques Lecercle, "The Misprision of Pragmatics: Conceptions of Language in Contemporary French Philosophy," Allen Phillips Griffiths ed., *Contemporary French Philosophy*, Cambridge: Cambridge University Press. 1988.

◆22 Juergen Habermas, *The Structural Transformation of the Public Sphere: An Inquiry into a Category of Bourgeois Society*, Thomas Burger with Frederick Lawrence trans., Cambridge: MIT Press. 1989. p. 175. ユルゲン・ハーバーマス『公共性の構造転換――市民社会の一カテゴリーについての探求』細谷貞雄・山田正行訳、未來社、一九九四年、二三一頁。

◆23 Venuti, *The Translator's Invisibility*. pp. 160–161.

◆24 Iginio Ugo Tarchetti, *Fantastic Tales*, Lawrence Venuti ed. and trans., San Francisco: Mercury House. 1992.

◆25 Iginio Ugo Tarchetti, *Passion: A Novel*, Lawrence Venuti trans., San Francisco: Mercury House.

◆26 Iginio Ugo Tarchetti, *Fosca*, Turin: Einaudi. 1971.

◆27 ベルマンが翻訳倫理の中で説いている「尊敬」の概念を参照。*Pour une critique des traductions*, pp. 92–94.

◆28 Iginio Uno Tarchetti, *Racconti fantastici*, Neuro Bonifazi ed., Milan: Guanda. 1977. p. 65. ; Tarchetti, *Fantastic Tales*, p. 79.

◆29 P. Shulman, "Faux Poe," *Village Voice*, 20 October 1992, p. 70.

◆30 *New Yorker*, "Books Briefly Noted," 2 November 1992, p. 119.

◆31 B. Stableford, "How Modem Horror Was Born," *Necrofile*, Winter 1993, p. 6.

◆32 Tarchetti, *Passion*, pp. 33, 95, 108, 157, 188.

◆33 ibid. p. 22.

◆34 Tarchetti, *Fosca*, pp. 140, 151, 148, 60. ; Tarchetti, *Passion*, pp. 146, 157, 154, 60.

◆35 Tarchetti, *Fosca*, p. 106. Tarchetti, *Passion*, p. 110.『オックスフォード英語辞典』

◆36 ibid. p. 82. ; ibid. p. 83.

◆37 ibid. p.18. ; ibid. p. 18.

◆38 M. Heinbockel, Letter to Mercury House, 9 February 1995.

◆39 *Kirkus Reviews*, "Review of I. U. Tarchetti, *Passion*," 1 June 1994.

◆40 Barbara Grizzuti Harrison, "Once in Love with Giorgio," *New York Times Book Review*, 21 August 1994, p. 8.

◆41 ibid.

◆42 David Richards, "Sondheim Explores the Heart's Terrain," *New York Times*, 10 May 1994, p. B1.

◆43 John Lahr, "Love in Gloom," *New Yorker*, 23 May 1994, p. 92.

◆44 Paul Grice, *Studies in the Way of Words*, Cambridge: Harvard University Press. 1989. pp. 26–27. ポール・グライス『論理と会話』清塚邦彦訳、勁草書房、一九九八年、三六－三九頁。cf. Basil Hatim and Ian Mason, *Discourse and the Translator*, London: Longman. 1990. pp. 62–65, 95–100. Baker, *In Other Words*, pp. 225–254. Albrecht Neubert and Gregory M. Shreve, *Translation as Text*, Kent, Ohio: Kent State University Press. 1992. pp. 75–84.

◆45 Grice, *Studies in the Way of Words*. pp. 30–31. グライス『論理と会話』六五－六六頁。

◆46 Greg Thomson, "An Introduction to Implicature for Translators," *Notes on Translation* 1982: 1. p. 30.〔傍点は原文〕

◆47 Baker, *In Other Words*, p. 238.

◆48 Neubert and Shreve, *Translation as Text*, p. 79.

◆49 Baker, *In Other Words*. p. 237.

◆50 ibid. p. 249.

◆51 Chiara Giaccardi, *I luoghi del quotidiano: pubblicità e costruzione della realtà sociale*, Milan: FrancoAngeli. 1995. p. 188.

◆52 ibid. pp. 165, 174.

◆53 ibid. p. 189.

◆54 ibid. p. 190.

◆55 Ruth Morris, "The Moral Dilemmas of Court Interpreting," *Translator* 1995: 1. pp. 25–46.

◆56 Keith Harvey, "A Descriptive Framework for Compensation," *Translator* 1995: 1. pp. 65–86.

◆57 Neubert and Shreve, Translation as Text, pp. 84–88.

◆58 Harvey, "A Descriptive Framework for Compensation," pp. 66, 77.

◆59 ibid. p. 84.

◆60 ibid. pp. 69–71.

◆61 Ernst-August Gutt, *Translation and Relevance: Cognition and Context*, Oxford: Blackwell. 1991.
◆62 Harvey, "A Descriptive Framework for Compensation," p. 73.
◆63 ibid. pp. 71, 69.
◆64 Deleuze and Guattari, *A Thousand Plateaus*, p. 101. ドゥルーズ、ガタリ『千のプラトー』一二〇－一二一頁。
◆65 cf. Gregory M. Shreve, "On the Nature of Scientific and Empirical Translation Studies," Marilyn Gaddis Rose ed., *Translation Horizons: Beyond the Boundaries of Translation Spectrum*, Binghamton, New York: Center for Research in Translation. 1996.
◆66 Gideon Toury, *Descriptive Translation Studies and Beyond*, Amsterdam and Philadelphia: John Benjamins. 1995. p. 29.
◆67 ibid. p. 53.
◆68 ibid. pp. 56–57, 74, 84.
◆69 ibid. pp. 61, 86.
◆70 この学派に関する研究は以下の文献の第五章を参照のこと。Edwin Gentzler, *Contemporary Translation Theories*, London and New York: Routledge. 1993.
◆71 Toury, *Descriptive Translation Studies and Beyond*, p. 12.
◆72 ibid. p. 55.〔傍点は原文。〕
◆73 ibid. p. 118.
◆74 ibid.〔傍点は原文。〕
◆75 Rachel May, The Translator in the Text: On Reading Russian Literature in English, Evanston, Ill.: Northwestern University Press. 1994. pp. 151–152.
◆76 ibid. p. 59.
◆77 Robert-Alain de Beaugrande and Wolfgang U. Dressler, *Introduction to Text Linguistics*, London and New York: Longman. 1981. R・de・ボウグランド、W・ドレスラー『テクスト言語学入門』池上嘉彦・三宮郁子・川村喜久男・伊藤たかね訳、紀伊國屋書店、一九八四年。

第二章

著者性

Authorship

おそらく、翻訳が現在おかれているマージナルな状況の一番の原因は、著者性（オーサーシップ）という広く普及した概念に反していることだろう。著者性とはおおまかにいってオリジナリティのことであり、ユニークなテキストによる自己表現を指すが、翻訳は二次的なもので、ユニークでも自己表現でもない。別のテキストのまねなのだ。著者性という概念がはびこっている以上、翻訳は誤り、歪曲、汚染を引きおこすものなのだ。だが、翻訳者が外国語テキストの言語的・文化的要素に傾注しなくてはならないとしてもなお、翻訳は外国の作家のオリジナルではなく、二次的なものであり、すでにあった題材に想をえただけものなのではないかという疑念を呼ぶかもしれない。英語文化（だけでなくほかの多くの文化もそうだ）において、翻訳行為の隠蔽が——少なくとも十七世紀、ジョン・ドライデン以来——くりかえし試みられてきたのも、そうした恐れを鎮めるためでもある[◆1]。具体的には、外国語テキストの言語的・文化的差異を抑え、ターゲット言語の文化で主流の価値観に取りこみ、理解可能にすることで、一見翻訳には見えないようにする。かくして翻訳だという事実は抹消されるのだ。このような同化（ドメスティケーション）をへて、翻訳されたテキストはオリジナルとして——外国の著者の意図を表現したものとして流通するのだ。

学問はそもそもの前提として、オリジナルな著者性に重きをおく傾向がいまだに根強いが、翻訳はそれにも反している。学問とはオリジナリティを構成する著者の意図を確かめようとするものだが、翻訳はその意図から外れるだけでなく、ほかのもので置きかえてしまうのである。翻訳は別の言語と文化の制約に応じることで、異なる読者に語りかけようとするのだ。翻訳をはさめば外国語テキストの本当の、無心な解釈どころか、まちがい、アマチュアリズム、日和見主義（オリジナリティの濫用）を生むのではないかという懸念を呼んでしまう。そして翻訳者が、外国語テキストにたいする言語的・文化的制約に傾注してしまえば、著者の意図がもともとの意味や社会的な機能をうまくはたせないのではないかという不安を翻訳は引きおこしてしまう。こうした不安を背負いこんで、翻訳は長いあいだ文学研究では無視されてきた。ポスト構造主義の流入によって、作家中心主義の文学理論と文芸批評が疑義に付されるようになった現在においてもそうなのだ。人文学であれ、ポスト構造主義であれ、現行の学問では、翻訳は外国語のテキストの理解に資さないばかりか、（国内〔ドメスティック〕・国外〔フォーリン〕問わず）文学研究に貢献しないものと見なされがちである。

　この暗黙の了解の影響力は、学術機関における就職・テニュア・昇格だけでなく、学術出版においても明らかだ。翻訳が文学研究の一環と見なされることはめったになく、文学研究分野で職をえるための資格要件としても目下認められず、原文にくらべて、翻訳テキストが文学研究の対象になることもあまりない。いかに優秀な学者といえども研究・教育において翻訳に頼らざるをえないものだが、この翻訳の実態はそういった学者にすら無視される傾向にある。

　たんに無視されるのではない場合でも、語学上の正確さの次元に徹底的に矮小化されてしまいがちだ。とりわけ外国語の専門家は、翻訳ならどうしても出てしまう同化的な「よけいなもの」に目くじらをたて、翻訳を目標〔ターゲット〕文化の文学観の運び手と見なすのを拒絶するのだ。そのため、かつては外国〔フォーリン〕の作家やテキストに国内（ドメスティック）の読者を増やしたとほめそやされた翻訳であっても、語や文法の誤りがあればとたんに排除すべきものになり、石を投げられるようになるのが常だ。アメリカの翻訳者ヘレン・ロウ・ポーターの、トーマス・マンの小説の英訳は「非常に優秀な」ものと評され、二十世紀なかばにはドイツの大作家としてのマンの名声を英語読者のあいだに確立した。[2] だが後に英国のドイツ文学者は英訳に「重大な誤りがある」とし、「語学的な拙劣さ」を責めたてることになった。[3] ポーターの誤訳と「不正確さ（翻訳者が著者の言葉を大幅に解釈しなおすこと）」は、ドイツ語テキストを貶めるスキャンダラスな行為と見なされるようになった。[4]

しかし、この一見常識的な見解の裏側には、さらなる巨大なスキャンダルが隠されている——それは、およそどんな翻訳も受けつけないような、不合理なほど極端な外国語・外国語文学の崇拝である。誤訳は正すべきだとしても、誤訳があったからといって翻訳の読みやすさや、共感を呼びおこし、よろこびを生む力は減じるわけではない。外国語アカデミズムの翻訳嫌いは、丸暗記主義の外国語学習（それさえあれば誤訳を発見するのに十分だ）が脅かされるように思えるからだろう。さらにパラノイア的な場合には、翻訳のせいでただでさえ減少傾向の外国語を学習する学生がいなくなり、講座もなくなってしまうと思っているのかもしれない。だが外国語学習がなくなれば、翻訳者も生まれないし、翻訳も翻訳研究もなくなってしまう。

外国語と外国文学に対するアカデミズムの崇拝は、やはり陰湿なものだ。保身に突き動かされて、テキストそれ自体ではなく、テキストに刻みこまれた解釈（専門家のあいだで現在主流となっているものであれば内容は問わない）のほうに重きを置いてしまうのだ。専門家が、語学的正確さにこだわりつつも、あらゆる翻訳に求めているのは、実はその解釈なのだ。マンの『ブッデンブローク家の人々』のジョン・ウッドによる新訳には構文上にあやまりがあると批判されたが、「たんに理解不能」なだけでなく、「生の「暑い昼」と死の「寒い夜」という（ロマン主義の長い伝統にさかのぼれる）対照」を壊してしまったせいでもあった。[5]

外国文学の正典テキストが専門家以外に訳されると、外国語の専門家業界連中は「自分のシマを荒らすな」的な態度をとっていびるのだ。専門家は学者的基準と解釈にそって誤りを修正し、外国語テキストのほかの、ありうる読み方や読者を排除してしまう。たとえば、美文調の翻訳は、別の価値観をもった一般的な読者層に届くような文体的な効果を出すため、正確さを犠牲にするかもしれない。ロウ・ポーターによるマンの『ヴェニスに死す』の英訳は、老作家アッシェンバッハと美少年ダッジオの「交流」を、「誤った認識」でとらえているとして批判された。しかし、一九三〇年代のアメリカ人読者のあいだで共有されていた厳格な道徳観念に合わせて、二人の同性愛的なダイナミズムを鋳なおしたとも言えるかもしれない。[6]たとえば、鍵となる場面で、マンによるドイツ語では、アッシェンバッハの少年への「陶酔 der Rausch」として中立的だった記述を（「陶酔をあまりに大切に思っていた der Rausch ihm zu teuer war」）[7]、ロウ・ポーターは英訳で「幻覚 illusion」とすることで非難の色を加えていた（「幻覚があまりに大切だった his illusion was far too dear to him」）[8]。

翻訳によって伝達される文化的価値観に、上記のような知らんぷりを決めこんでいるという事実は、学術制度の核に存在するエリート主義を暴露する。結局のところ、こうした諸制度は、アカデミックな議論に参加する資格を一部の人間にだけ授けることで、うまくまわっているのである。こうした暴露によって損なわれるものがあるとすれば、その主な原因はパラドックスが起きてしまうからだ。翻訳があばくのは、言語や文化の変化によって引きおこされるずれについて考えるのなんてうんざりだという、外国語の専門家のあいだにはびこる根深い嫌悪感だ。しかし、そういった方面こそ、外国語研究が率先して手つづきをととのえ、研究を促進しなくてはならないはずのものだろう。翻訳の価値を低く見積もる外国語の専門家は、そもそもどんな文化的条件のもとで言語を教えるべきかということを無視するような、排外的な態度を表明しているのだ。

この手の後を絶たないスキャンダルをひもときつつ、著者が翻訳としてオリジナルの作品を提示する、「擬似翻訳」と呼ばれる表現形式について考えてみたい。擬似翻訳は、変化をうながし主流の価値観の限界をしめす「文化に新たな血を取りいれるための便利な手段」であるので、擬似翻訳の受容を調べることで、実際の翻訳の地位や、その多様な効果を明らかにできる。[9] その新たな血とは、国内の文化で出始めたばかりか、現行ではマージナルな文学の形式やテーマであることが大半だ。擬似翻訳者は大抵、そうでもしなければ受け入れられないか、検閲されてしまうだろう文化的題材を用いるために、翻訳という慣行を利用するのだ。しかし、その新たな血には、著者性や学問の新規なコンセプトがふくまれていたりもする。擬似翻訳が偽装する外国語や外国文学が、国内文化で正典の地位にある場合、とりわけそうしたことが起こりうる。擬似翻訳は、その著者性を隠匿するという手口ゆえ、時代時代において著者がどう定義されてきたのかを再考する糸口になり、主流のコンセプトの反動的な押しつけか、新たな文学潮流の火口（ほくち）となる人騒がせな刷新を生むのだ。

二次的な著者性

フランスの作家ピエール・ルイスの手による文芸詐欺、『ビリティスの歌』（一八九五）と題された詩集は、擬似翻訳の中でもとりわけ興味深いものにちがいない。ルイスは自分の詩を、ギリシャ語詩のフランス語訳として提示した。詩の作者は、サッフォーの同時代人のビリティスなる女性という触れこみだった。しかし読者の多くは、ビリティスの詩が残っておらず、どうやらそんな詩人は――紀元前六世紀にも、ほかの古代ギリシャにも――存在しなかったことを知っていた。一八九八年、ルイスは自分の計画をあるフランス人学者に打ちあけている。

ビリティスの歌は、ほかさまざまな詩人を模倣した七、八編をのぞいて、すべて外典的なものです。[10]

このいかさまは、主流だった文化的価値観を覆した点で注目に値する。そのなかには、古典ギリシャ文学（とりわけサッフォーの詩）の学術的な受容だけでなく、今日にまでつづく著者性と、歴史研究の概念もふくまれている。『ビリティスの歌』は、著者性が成立する諸条件を暴露することで、オリジナリティという概念に一石を投じた。その一方で、学術性が重んじるさまざまな価値観を暴露することで、史実という概念に一石を投じもした。ルイスのいかさまが破った規範は複数のレベルにおよんでおり、うちいくつかはルイス自身ですら制御不能である――私がこの章でとりあげるのもその一例だ。本書でこのいかさまをあつかう上でもっとも重要なのは、規範を破壊する力を、主に翻訳に擬態すること（実際に翻訳であることもある）からえているという事実である。

著者のかわりに、翻訳者として故意に自分を提示することで、ルイスは読者の注意を自分がテキストを生みだした文化的な素材の方にむけた。もちろん、これはビリティスを本物らしくするためだが、ルイスが本物の著者ではないことも暗示していた。最初のうち、好意的な評者のほとんどは、ビリティスはフィクションだと知っているか、勘づいていたが、『エコー・ド・パリ』が書いたように、ルイスの詩を二次的なもの、「よくできたパスティーシュ」と見なす傾向にあった。[11] そして評者たちがルイスの著者性をはっきりと認めたときでさえ、（詩的喚起力のある言葉で書かれていたにもかかわらず）本作を自己表現ではなく、研究だととったのだった。『メルキュール・ド・フランス』はこう書いている。

> 学識や、再構成するうえでの技術的なあらはまったく気にならない。［……］ピエール・ルイス氏は実に詩人だ――その学術的な形式は、感情を抑制しながらも、突如として胸をしめつけるのだ。[12]

ルイスのいかさまは、翻訳・著者性・学術のさかいをあいまいにしたのだ。ビリティスが捏造されたものであり、ルイスのテキストには無数の文学・学術的な出典があると読者に知れるやいなや、著者性は、翻訳をとりいれた模作形式の歴史研究として再定義された。

ルイスは当初、出典を明かした詳細な注釈をそえたかたちでテキストを出版しようかと考えていた。結局、公開は控えることにしたが、現存している注釈は、著者性の問題を混乱させようというルイスの意図をありありと物語っている。ある注にはこう書かれている――「この牧歌の、拙劣な異文は、『ギリシャ詩文選』ではヘデュロスのものとされている』[13]。こう説明されているフランス語テキストは、ビリティスの「牧歌」の翻訳ではなく、実際にはルイスがヘデュロスの詩を模倣したものだが、それをヘデュロスが下手くそに模倣したことにされたのだ。この注釈はいんちきをもっともらしくするために、ビリティスの存在を文学史上確固たるものとしつつも、古典文学の正典にその詩を位置づけるという一石二鳥を狙ったものだった。ビリティスは、ヘデュロス（紀元前三世紀に活動していた）のような後世の、小粒な詩人が模倣に値すると考えるほどの大詩人だったと遠まわしにしめされたのだ。ルイスは、ビリティスについて伝記的な事実をのべたエッセイでも同じような態度でのぞんでおり、そこでギリシャ詩人のフィロデモスが「彼女［の詩］を二度くすねた」としている[14]。虚構であると知っている読者には、このようなコメントはめまいがするほど複雑なアイロニーを呼ぶ。つまり、コメントが示唆しているのは、ルイスの著者性とは、彼の手による二次的なテキスト（翻案や抄訳）の部分次第だということだ。他方で、自分がのちの古典詩人が模倣した古典詩の著者であると——言い方を変えれば、自分こそが古典詩人だと狡猾にもほのめかしてもいる。この擬似源泉研究をすることでルイスは、『ギリシャ詩文選』に掲載されている詩の著者としての地位からヘデュロスとフィロデモスを追いたてたのだ。ここで著者性とは、正典詩人との競争、詩で相手を出し抜くゲームになり、詩人のテキストは翻案や翻訳で模倣する（あるいは盗作、「くすね」る）ものになる。

しかも、この著者性の構築は男性中心主義的でもある。ルイスの例がしめすのは、男性中心社会で、家父長的な権力を維持し、継承する構造とホモソーシャルな欲望を結びつけるコネクションである[15]。ルイスがテキストの著者になったのは、男性詩人同士での競争、仲間内での対抗心がゆえだった。そしてその男同士の争いのアリーナになったのが、女性のセクシュアリティの表象だった。ルイスのフィクションは、ビリティスの性愛遍歴にほぼ集中している。ルイスが序文で明確に、詩の中で婉曲に記した伝記によれば、ビリティスの生涯は三つの時期に分けられるのだが、それぞれの時期がそれぞれの場所とそれぞれの性的活動と結びつけられている。まず、ビリティスはパンフィリアで早熟な少女時代すごし、樹にまたがって自慰にふけった。ヤギ飼いにレイプされて出産するが、生まれた娘を捨てることになる。つぎに、レスボス島のミティリーニを訪れたビリティスは、サッフォーに誘惑されてさまざまな同性愛行為にふけった。その中には若い娘との十年間にわたるものもあるが、結局、捨てられることになる。最終的にキプロスまで辿りつき、アフロディーテを奉じる高級娼婦になり、加齢で売春ができなくなるまでつづけた。

こういった伝記的な記述をふくんだテキストで、ルイスが古典詩人たちと競いあうのは、男性のセクシュアリティの対象としていかに女性を描くかという点なのだ。ビリティスの「キュプロス島の碑銘詩」にふくまれる詩「会話」は、二人のギリシャ詩人（一人はフィロデモス、一人は匿名）の抄訳をつなぎあわせたもので、詩には娼婦と売春の交渉をする男がでてくる。[16] 処女が寝ているあいだにレイプされる別の詩では、ルイスは以下のヘデュロスの詩を翻案している。

Oinos kai proposeis katekoimisan Aglaoniken
ai doliai. kai eros edus o Nikagoreo.
Es para Kypridi tauta murois eti panta mudonta

keintai. parthenion ugra laphura pathon.
sandala. kai malakai. maston endumata. mitrai.
upnou kai skulmon ton tote marturia.[17]
酒と、たくらみ心で重ねられた乾杯と、
ニカゴラスの甘い愛の口説とで、
アグラオニケは眠りに落ちてしまった。それで彼女がキュプリスに
捧げたものは、まだしっとりとしていて芳香がしたたり薫る、
乙女の愛の記念の品々。革蛙に、胸乳を覆う柔らかな帯。
彼女が眠ってしまい、無体なことをされた証しとなるもの。[18]

ルイスによる以下のフランス語の翻案は「絶たれた眠り」と題され、ヤギ飼いにレイプされる、ビリティスの人生の決定的な瞬間を書きとめている。

Toute seule je m'étais endormie, comme une perdrix dans la bruyère. Le vent léger, le bruit des eaux, la douceur de la nuit m'avaient retenue là.

Je me suis endormie, imprudente, et je me suis réveillée en criant, et j'ai lutté, et j'ai pleuré; mais déjà il était trop tard. Et que peuvent les mains d'une enfant?

Il ne me quitta pas. Au contraire, plus tendrement dans ses bras, il me serra contre lui et je ne vis plus au
monde ni la terre ni les arbres mais seulement la lueur de ses yeux.

À toi, Kypris victorieuse, je consacre ces offrandes encore mouillées de rosé e, vestiges des douleurs de la
vierge, témoin de mon sommeil et de ma résistance.

　たったひとりで眠り込んでいた、ヒースの茂みに眠る
猟鳥のように。そよ風と、さらさら流れる水の音と、
夜の心地好さとに引きとどめられるままに。

　うかつにも眠り込んでしまった、叫び声を上げて目を覚まし、
抗い、泣きわめいた。でももう遅すぎた。
それに女の子の手で何ができよう?

　あの人はわたしを放そうとはしなかった。それどころか
一層やさしくわたしを腕にかかえて、きつく胸に抱きしめた。
それでわたしは、あの人の瞳の耀きのほかは、大地も樹木も、
この世の何ひとつ目に入らなくなった。

勝ちをおさめたもうたキュプリス女神さま、
まだ露にぬれたこのお供えを捧げまする、
わたしのまどろみと抗いの証たる、処女の痛みの痕跡を。[19]

ルイスがヘデュロスと文学的に争った結果、性的に放縦で、男性に従順な女性のイメージが強調されるというずれが生じた。おそらく、もっとも大きな変化はルイスが三人称ではなく一人称を用いたことだろう。ヘデュロスの詩では、「酒」と「乾杯」を供したニカゴラスの動機が、アグラニオケを眠らせ、「無体なこと」をするためだったとして疑問視される。ルイスの詩では対照的に、被害者は自分を責めている。ビリティスは「猟鳥 perdrix」のように自然と男に追われるので、野外でひとりで寝るのは「うかつ imprudent」だとしている。自分の魅力を自覚してもいるが、他方で男性の暴力にたいしてなすすべもないこともわかっているビリティスは、家父長社会における性的対象として自分の表象を引きうけている。ヘデュロスの詩にはっきりと書かれていた男の「暴力」への言及を省略し、かわりに女の「抵抗」が結局はやんだとすることで、ルイスはビリティスの同意を強調しているのだ。ビリティスは、自分が子どものようにかよわく（「女の子の手 les mains d'une enfant」）、山羊飼いの両腕に抱かれて、自分を見つめる視線（「あの人の瞳の耀き la lueur de ses yeux」）に魅了されたと描いている。二次的かつ男性中心主義者でもあるルイスの著者性は、ヘデュロスによる男性の性的暴力のイメージを神秘的なものにしたうえで、女性詩人がそれを結局は受け入れたとすることで、確立されたのだ。翻訳の嘘は、ルイスの著者性の諸条件にあらためて注意をむけさせる（ルイス自身はその結果を予期していなかったかもしれないが）。自分が本物の古典詩人を翻訳したかのように見せかけるため、ルイスは注をつけようとしていたが、それは出典元を明かすと同時に、著者としてのアイデンティティが男性中心主義的な構築物であると明かすものでもあった。

ルイスが、読者の多くが男性文学者のボヘミアン（つまり、芸術やモラルの点においてブルジョワ的な価値観を否定する閉じられたグループ）だと想定していただろう点を考慮すると、この解釈はさらに押しすすめることができる。一八九五年に兄のジョルジュに書いた手紙で、ルイスは「女性の読者がほしい」と打ち明けているが、ルイスにかぎってそんなことはありそうもない。なにせ「女性なんて言葉のはじらいしか知らない」と発言するほど、偽善から体面をとりつくろう人物なのだ。こうも述べている。

『ビリティス』への序文で、彼女を倒錯の怪物と表現してしまったら、知っている女性はだれも読んだと認めないだろうと本気で信じているんだ。[20]

ルイスの著者性を確立するための文学的な腕くらべは、いんちきを知ったうえでそれを称賛していたアンドレ・ジッド、ステファン・マラルメのようなほかの男性作家や、知り合いのあいだでおこなわれた。そして競争にはボードレールのようなフランスの正典詩人も巻きこまれていた。『悪の華』（一八五六）はサッフォーをレズビアニズムと結びつけたので、とりわけ詩「レスボス」と「地獄堕ちの女たち」と題された二編の詩が政府の検閲に触れることになった。[21] 他方で『パリの憂鬱』（一八六九）では、さまざまなジャンル――語り、叙情詩、演劇――をとりこんだ詩的散文を発展させた。しかしルイスは、融通無碍なボードレールの散文詩を、四連ずつのテキストに落としこむことで鋳なおした。さらにその性行為の描写は、不道徳のそしりを避けつつも、男性読者を刺激するポルノ的な生々しさもあって、ボードレールを凌いでいた。アンリ・ド・レニエは、『メルキュール・ド・フランス』に肯定的な記事を執筆したが、ルイスに書いた手紙で「『ビリティス』を読むと、普通の夫という名誉とひきかえに、エロティックな快楽を思う存分に味わうことになる」とも述べている。[22]

『ビリティスの歌』で表現されているのは、ルイス自身のセクシュアリティであり、男性読者のそれでもあった。そしてこういった表現がしめすのは、ルイスのセクシュアリティも同様に二次的なもので、その欲望も自分から出たものではなく、文化的に構築されたものだということだ。テキストの自伝的な面も、この点を裏づけている。ルイスがこの作品の大半を執筆したのは一八九四年のことであり、アルジェリアを訪れたルイスは、一六歳のメリアム・ベント・アリと共同作業した。この少女のイニシャルは、初版に献辞のかたちであげられている。メリアムはウレド・ナイル族で、部族の若い女性は持参金を稼ぐための売春をする伝統があった。[23] ジッドにメリアムを紹介されたルイスは、のちにジッドに送った手紙でこう書いている。

彼女はアメリカのインディアンであり、ある時は聖母マリアであり、ある時はテュロスの娼婦であり、古代の墳墓から掘りだしたものと同じ宝石を纏っている。[24]

ルイスのメリアムへの欲望は、さまざまな文化的なコードによって決定された。異質なものに惹かれるのはロマン主義的な欲望だが、同時にボヘミアン的であり、好古趣味であり、オリエンタリズムでもあった。ルイスのジッドへの手紙の根っこにあるのは、北アフリカの女性へのステレオタイプであり、それは差別主義的かつ男性中心主義的なものだった。この点、エドワード・サイードが言い当てている――

［フローベールやルイスのような］旅行家および小説家の著作［で］［……］［東洋の］女性とは、通例男性的な権力幻想によってつくり出された生き物なのである。女性たちは限りない官能の魅力を発散し、多少なりとも愚かで、なにはさておき唯々諾々と従うものなのだ。[25]

ルイスとメリアムの関係はいくつかの詩を見ればわかるが、ルイスの学者的な枠組みのあちこちで、くりかえされるオリエンタリズムのテーマにも影を落としている。ルイスの架空の伝記によれば、ビリティスの父はギリシャ人、母はフェニキア人である。そして「装身具」と題した詩につけた注釈には現在への目くばせがされている。「驚くべきことに、この揃いの装身具は、現在もウレド・ナイル族によって手つかずのまま保管されている」[26]。『ビリティスの歌』には、メリアムへの欲望も描かれていた。その欲望は――ルイスの異性愛的な乱交趣味全般がそうとは言えなくとも――古典ギリシャ文学のルイスによる読みを翻訳したものだったのだ。一八九四年、ルイスは兄のジョルジュに次のような手紙を書いた。

二十編、新しい詩を書いた。ほとんどがアルジェリアでの思い出に触発されたものだ。そこで一か月のあいだ、ギリシャ文集だけで生き抜くことができたんだ。[27]

学問のバイアス

翻訳と著作の区別をあいまいにするルイスのいんちきは、史実をもとに著者のオリジナリティを証だてる学術に疑問符をつきつけざるをえない。『ビリティスの歌』は学術翻訳の綿密なパロディになっており、ギリシャ詩人による古典語テキストだけでなく、G（ゲー）・ハイム（ドイツ語で「秘密（ゲハイム）」の意味）なるドイツ人学者による現代語版もあることにされていたからだ。詩それ自体にも、ルイスは細部にまで学術的な意匠を凝らしている。たとえば、サッフォーについてもドーリス方言の「プサッファ Psappha」という古風なつづりを使っている。ギリシャの暦でヘラに捧げられた月である「ヘラの月 Héraïos」や、エジプト産の「香油 métôpion」のように、古典文化に特に関係するギリシャ語の語彙も同様だ。[28] そしてフランス文学者のジョーン・デジャンは次のような指摘をしている。

「ビリティスの伝記も」サッフォーの研究の間隙を埋めるものだ。ルイスはビリティスを、サッフォーが実際に名前をあげている少女、愛人のムナシディカをめぐるライバルとして、サッフォーの生涯に編みこんだのだ。[29]

ルイスは書簡でも、現行広まっている学問の欺瞞を暴くというその意図を認めていた。まさに騙すつもりで、自分のテキストの写しを古典学者に送りつけたのだ。その学者がビリティスの詩を「知らないでもない」と返したとき、ルイスはこの錯覚を、歴史研究によって真実に直接にアクセスでき、さらには過去の文化との完全な一体化が可能だとする思いこみのせいだとしている。[30] ルイスはこの学者の推論のプロセスを、ばかげた三段論法として再現してみせている。

> 考古学者であり、アテナイ人である私は、ギリシャのことならなんでも知っている。ビリティスはギリシャの詩人だ。それゆえ私はビリティスを知っている。[31]

このようにして、いんちき翻訳同様、学術も歴史の捏造に手を貸すのだが、学術制度（「考古学」）がほこる文化的権威の傘の下でそれは真実として通用してしまいもすると、ルイスは示唆したのだ。同時にルイスは、翻訳が歴史学の一部たりえること、現代の読者に供するために古典を学術的に校訂するプロセスに関与しうることをしめした。しかし、それがつくられたものであり、原典とは時代的なずれがあることを隠さない点に、ほかの学術研究とのちがいがある。ルイスは兄に自分の計画を次のように語っている。

> アナクロニズムが過大にならないようにしつつも、無理矢理な現実感を出そうとして時間を無駄に

しないようにする。[32]

ルイスは自分の作品を、古代の詩ではなく、現代のその派生物として読んでもらおうとした。そして読者は期待に応えた。文芸誌『ジル・ブラス』の評者は、やや自信なさげではあるが、次のように述べている。

もしこれが本物の翻訳なら、かなりの意訳にちがいない。なぜなら、ギリシャ精神を喚起しこそすれ、詩には現代的な精神が吹きこまれているようでもあるからだ。[33]

ルイスのいんちきは、学術研究も翻訳もアナクロニズムを避けられないことを、はっきりとしめしている。しかし学術研究にどれほど軸足を置いても、現在の文化的な価値観に突きうごかされているせいで、過去の表象は「無理矢理な現実感」をもったものになりがちだ。

この一件は予期せぬドラマチックな展開を見せることになる。一八九六年に古典学の権威、ウルリヒ・フォン・ヴィラモーヴィッツ・メーレンドルフが、『ビリティスの歌』をこっぴどくこきおろす書評を発表した。ヴィラモーヴィッツはいんちきを看破していた。ヴィラモーヴィッツは、ルイスが本物らしく見せかけるために相当の努力を払ったことを指摘し（「ある意味で、P・L〔ピエール・ルイス〕は古典学者なのだ[34]」）、テキストの一部は古典文学の贋作としてはよくできているとも述べている（「ビリティスの最後の本はほぼそのままヘレニズム期のエピグラムに翻訳可能だ[35]」）。だがヴィラモーヴィッツは、ルイスが事実誤認とアナクロニズムを犯したと咎めだてた。

細部までありありと古代を描きだそうと奮戦するルイスは、古代アジアにはラクダはおらず、ウサギは生贄の動物ではなく、「唇は銅さながらに赤く、青味がかった髪の毛は鉄を思わせ、黒い瞳は銀にも似たかがやき」というのは喩えとしてはまったく古代らしくないと口をはさみまずにはいられないうるさ方の専門家に挑戦しているのだ。[36]

ヴィラモーヴィッツにとって、真実を発見しうるのは歴史学だけであって、それはユニークなテキストとして表現されている著者の「個性」を想像力で特定することでなされるのだった。

つぶさに観察すれば、多くのことが発覚する。だが、詩においては個性が決定的に重要だ。そして、それはこの「ルイスの」方法では決して取りもどされないのだ。このような場合、最善の成果は詩的直観を模倣することで達成されうる。ヴェルカーの力は、その想像力という天賦の才能にこそあった。[37]

この本音がもれた一節で、ヴィラモーヴィッツは注意深い研究が必要だと言うが（「つぶさに観察」）、学問は学者の「詩的直観」に拠ることで、歴史記述をのりこえうるとも告白している。この直観を、たんなる近代的な発明と隔てるものこそ「神聖なる」全知の力であって、歴史的な瞬間を超越して古代の作者の意図を復元する学者の能力である。ルイスのテキストに欠けているのはその超越性だった。というのも、あまりに多くの細部が詰めこまれているせいで、それが近代のもので、近代の読者に語りかけているのだとわかってしまうからだった。ヴィラモーヴィッツはそれをこう呼んでいる――「大衆受けを狙って、多少なりともむらのある翻訳がほどこされた［……］冴えない細部」[38]。

だがルイスのいんちきの領域を侵犯する力は、ヴィラモーヴィッツに、自分の学問を基礎づけている近代的な価値観を吐露させるほど強いものだった。そのことはまず、第一に、一九世紀前半の文献学者、フリードリヒ・ゴットリープ・ヴェルカーへの言及にあらわれている。ヴィラモーヴィッツのルイス批判は、伝統的なドイツのサッフォー研究、とりわけサッフォーは同性愛者ではなかったというヴェルカーの見解に拠っていた。ヴィラモーヴィッツはこう断言している。

流布している偏見からサッフォーを解放したのはヴェルカーであるという思いを私が抱いていることを、完全なる自信をもって打ちあけるものである。

そして彼女は「高貴なる女性であり、妻であり、母」だった[39]。しかし、ヴェルカーによるサッフォーの読みの直観は、時代的なめぐりあわせを逃れうるようなものではなかった。デジャンはこう述べている。

フランスの王政復古と、ドイツ・ナショナリズムの興隆の時期にあって、ヴェルカーは男性の肉体美、軍国主義、愛国精神といったものと、サッフォーの貞節とのあいだに本質的な結びつきを見いだした。[40]

ヴェルカーのサッフォーは明らかにドイツ的な捏造だった。サッフォーは「市民道徳を涵養するための国家的プログラム」において、「新たな市民」を生みだすために結婚まで純潔を守る教師とされたのだ。[41]

ヴィラモーヴィッツの評では、八十年ごしのナショナリズムが、サッフォーの同性愛の頑迷な否認のみならず（評のほとんどはこの疑問に割かれている）、偏見をはっきりと述べた個所にも生き残っている。そのホモフォビアは、ドイツ文化の卓越性という信念とかかわっていた——「ドイツでは、ビリティス的な傾向に共感するのは、だいたいが無教養をひけらかしている連中なのだ[42]」。そしてルイスのオリエンタリズムも、ヴィラモーヴィッツが「ビリティス」という名前についてつけた脚注で、反ユダヤ主義を誘発してしまった。

> これはどうやらアフロディーテのシリア語名であって、私が見るかぎりほとんどの場合、ベルティスと書かれている。著者がセム人（ユダヤ）に払っている敬意は不適当であり、学問的には克服されてかなり経つものだが、いまだにはびこっている。パンフィリアのギリシャ人とそれを混ぜ合わせ、セム人の伝統である難解な韻律についての寓話を語り、ビリティスの言葉にはフェニキア語の語彙が無数にふくまれていると請け負う。まったくのナンセンスだ。だがルイス氏はその小説『アフロディート』（一八九六）のアフロディーテのような美がガリラヤに由来するものともし、アフロディーテに敬意を表して旧約聖書のエロティックな部分に言及している。ルイス氏は生まれつき、セム人贔

肩にちがいない。[43]

ルイスのいんちきが古典学を脅かすものとされたのは、その古代ギリシャの描き方が、サッフォーのドイツにおける受容に見られた、ナショナリスティックな、人種差別的な価値観に反するものだったせいだ。ヴィラモーヴィッツが『ビリティスの歌』を評す必要性に駆られたのは、ヴェルカーの貞淑なサッフォーのイメージを再確認し、うさんくさいフランス人による名誉棄損から守るためだった。[44] ヴィラモーヴィッツはこう嘆きもする――「ドイツの外では［ヴェルカーは］私たちのあいだほど完全なる勝利をおさめていない」。[45] 実直な学者をからかうチャンスを手ぐすね引いてまちかまえていたルイスは、ヴィラモーヴィッツをいんちきに巻きこむかたちで評に応えた。一八九八年版に添えられたにせの参考文献で、『ビリティスの歌』のドイツ語版を、「ヴィラモーヴィッツ・メーレンドルフ『ビリティスの歌』、「ゲッティンゲン学会」に掲載、ゲッティンゲン、一八九六年」と記載して、ドイツの文献学者が攻撃を発表した場所と年号を残しておいたのだ。[46]

翻訳の再定義

ルイスのいんちきは、現在の翻訳・著者性・学術の境界線を引きなおすよう再考をうながすものである。翻訳は著者性の一種ととらえることができる。ただし、著者性はもはや二次的なものであって、自分から出たものではなくなってしまう。著者性とはそもそも独自のものではないのだ。書くこととは既存の題材に想をえることである。つまり、ある価値観にしたがって、著者が選びだし、優先順位をつけ、書きなおした（あるいは練りあげた）ものなのだ。『ビリティスの歌』第二版刊行前夜に兄に送った手紙で、ルイスはそのことをはっきりとさせている。

私はこの本のオリジナリティは、謙虚さが一切問題にならない点にこそあると思います。特に、第二部は非常に新しいものになるでしょう。今日に至るまで、レズビアンは常に運命の女（ファム・ファタール）（バルザック、ミュッセ、ボードレール、ロップス）か、悪女（ゾラ、マンデス、ほか凡百の作家たち）として描かれてきました。モーパン嬢ですら、悪魔的ではまったくないものの、普通の女ではないのです。このテーマで牧歌が書かれたのははじめてのことでしょう。◆[47]

ルイスはテキストが二次的なものであっても、自分をオリジナルな著者だと思っていた。だがそれは、女性同性愛の描かれ方を変え、別のジャンル（「牧歌」）の意匠を凝らしたという点においてのみのことだった。この観点からは、翻訳とオリジナル作品を分けるものは、主としてほかのテキストをどれだけ模倣しているかということにかかっている。翻訳は模倣という目的に縛られているが、くらべて創作は、文化的な題材を取りこむうえで、より幅広いアプローチをとることができる。

翻訳は学術のとりうるかたちのひとつでもある。翻訳と学術はともに、古語や外国語のテキストを私たちの理解に供するうえで歴史研究に依拠する。だが、どちらも著者の意図を完全に再現することはできない。それどころか反対に翻訳も学術も、その意図を必然的に補うような、同時代の、国内の価値観に応えてしまう。実際にはどちらもテキストを再構築して、特定の文化的な連続性をあたえるが、それは当初の意図とは異なるものになる。ゆえに、マラルメはルイスに次のように書きおくった。

> この本を読むうえでなにより魅惑的なのは、その後ろから聞こえてくるような理想のギリシャが、あなたの言語で読みとられたテキストそのものだからです。[48]

いんちきに気づいていたにもかかわらず（「後ろから聞こえてくる」）、マラルメはルイスの詩を翻訳として読む快楽を感じていた。だがその翻訳とは、ギリシャ語のテキストにとってかわるまでに成功してしまったものだった。この観点からは、翻訳を学術と分かつものは主に、テキストに対してパフォーマティヴなアプローチをとる必要があるかどうかという点になる。翻訳がまさにその言語の内部でテキストを再現し、パフォーマンスしなくてはならないのにくらべて、学術はテキストを再構成して注釈としてレイアウトすることができる。

ルイスの擬似翻訳がフランス文芸文化に新たな血をもたらしたことは疑いようもない。それは、女性のセクシュアリティを率直に描いた点だけでなく、翻訳・著者性・学術のより内省的な概念もふくまれる。そしてこういった新しさは思いがけない効果を引き起こした。『ビリティスの歌』が著者による男性中心的・異性愛的な欲望を表現したものととれることはたしかだが、ルイスによる、ビリティスの露骨な同性愛描写はナタリー・クリフォード・バーネイやルネ・ヴィヴィアンのレズビアン的な作品にインスピレーションをあたえ、ヴィヴィアンにいたってはサッフォーを仏訳したのだ。レズビアン作家の創意を掻きたてるかどうかは、（まさに男性読者のように）疼きを感じるほど、ルイスのテキストに深く没入できるかどうかにかかっている。一九〇一年に、バーネイはルイスにこう書きおくっている。「『ビリティス』は、ほかの愛人などよりもよほどうっとりするような快楽を、よほどやさしい愛撫をくれました[49]」。バーネイのレズビアンへの最初の目覚めは、一九〇二年の『短いギリシャ対話劇五編』だが、バーネイの著者性が派生的なものだったことをしめしている。バーネイは、これは「『ビリティス』のほとんど姉妹編として書かれた」もので、「来たるべき社会の若き娘」（ルイスは『ビリティスの歌』への献辞にそう書いていたのだが[50]）がルイスに献じたのだとした[51]。バーネイの著者性はルイスへの対抗心に根ざしている。そしてその対抗心が発揮されるのは女性のセクシュアリティという闘技場なのだ。バーネイはルイスがこしらえたビリティスの性的アイデンティティを共有しつつも、評価しなおし、男性の内輪の窃視趣味をレズビアンのユートピアで置きかえたのだ。

ヴィヴィアンによる一九〇三年のサッフォーは、ルイスのいんちきが先鞭をつけた翻訳の再定義を踏襲している。バーネイのように、『ビリティスの歌』に自分のセクシュアリティが映しだされているのを発見したヴィヴィアンは、同書を「私の思考、存在と不可分な本」の一冊と見なしている[52]。ヴィヴィアンはサッフォーを同性愛者と見なすルイスに同調し、その貞潔に固執するドイツ文献学の伝統に反旗をひるがえすことになった[53]。そのサッフォー訳が綿密に構成されていることからも、ヴィヴィアンが翻訳に対して著者的なアプローチをとったことがわかる。翻訳を読めば、ヴィヴィアンの著者性が二次的なものであり、自国内の文化的な素材に依拠している一方で、歴史という側面から見ると、当時の、ある性的な価値観にむけられていることがわかる。ヴィヴィアンはギリシャ語テキストを添えただけでなく、逐語的な散文訳も掲載し、そのあとに韻を踏んだ自由訳をつづけたが、後者はしばしば断片を完全な詩のかたちにまで引きのばしていた。省略の多い散文を、伝統的なスタンザのかたちに整え、彫琢した韻文と並べることでわかるのは、ヴィヴィアンがフランス語でサッフォーを再現するうえで[54]、そのホモセクシュアリティに故意に力点を置いていることだ。

Tu nous brûles.

Mes lèvres ont soif de ton baiser amer,
Et la sombre ardeur qu'en vain tu dissimules
Déchire mon âme et ravage ma chair:
Érôs, tu nous brûles . . .[55]

そなたはわたしを燃やす。

わたしの唇はそなたのキスに飢えている、
そして、そなたが無駄に隠している昏い情熱は
わたしの魂を引き裂き、わたしの肉体を蹂躙する。
エロスよ、そなたはわたしを燃やす……。

ヴィヴィアンの翻訳には著者性がある。だがそう言えるのは、サッフォーと自分を重ねているからではなく、フランスの先人たちに対抗心をいだいているからだ。ヴィヴィアンが利用し、再評価したのはフランスの伝統的なサッフォー像であって、それは「女性同性愛の現実になんの関心ももたないミソジニスト」である、ボードレールのような正典作家にまでさかのぼることができるものだった。[56]『ビリティスの歌』でルイスが展開したような、翻訳と模倣が入り混じったパスティーシュの類にうったえつつも、ヴィヴィアンはサッフォーの詩をレズビアンの読者層に開かれたものにした。とはいえ、フランス語版がレズビアンの性的な価値観に応えたものだという事実を隠すわけではなかった。

翻訳がどんな影響をおよぼすかは、さまざまな文化的・社会的要因によって決定されることもあって、予測不能かつ矛盾ぶくみなものである。ゆえに、学術的な正典を攪乱したり、抑圧に立ちむかったりすることもある。だがこのような予測不能な性質こそが、翻訳されたテキストを――訳す前の外国語テキストと同じく――学者の興味の対象たりうるものにするのだ。翻訳研究は実際に、歴史研究の一部である。なぜなら、外国語テキストの受容が歴史の中でどう変わってきたのかという問題を研究者に突きつけるからである。外国語テキストと国内文化の双方に倣わねばならない翻訳は、文化的構成員のみなが納得のいく解釈行為などなく、アカデミアのような一見厳格な社会制度に囲われている場合でも、解釈はつねに局地的かつ恣意的なものだということを思い出させてくれる。こうした場合、翻訳は制度の境界を超えるため、スキャンダラスなものになる。翻訳は学術研究が言語・文化・専門分野の垣根を行き来するよう求めるだけでなく、学者にアカデミアの外のひとびととの存在を思慮にいれるよう強いる。たとえば、英語がグローバルに広まるにつれ外国語学習が退潮したがゆえ、翻訳を必要とするようになった圧倒的多数の英語話者などがそうである。現時点において翻訳研究は、英語による学術研究の限界と、英語それ自体の限界を、突きつけてくる領域にもなっているのである。

註

◆1 Lawrence Venuti, *The Translator's Invisibility: A History of Translation*, London and New York: Routledge. 1995. ; Antoine Berman, "La Traduction et la lettre, or l'auberge du lointain," in *Les Tours de Babel: Essais sur la traduction*, Mauvezin: Trans-Europ-Repress. 1985. pp. 33–150. アントワーヌ・ベルマン『翻訳の倫理学——彼方のものを迎える文字』藤田省一訳、晃洋書房、二〇一四年。

◆2 "The Artist and the Real World," *Times Literary Supplement*, 5 January 1951. pp. 1–2.

◆3 David Luke ed. and trans., "Introduction," in Thomas Mann, *Tonio Kröger and Other Stories*, New York: Bantam. 1970; Timothy Buck, "Neither the letter nor the spirit: Why most English translations of Thomas Mann are so inadequate," *Times Literary Supplement*, 13 October 1995. p. 17.

◆4 ibid. p. 17.; Luke ed. and trans., "Translating Thomas Mann," p. 15.

◆5 以下のやりとりを参照のこと。ibid. p. 15.; Lawrence Venuti, "Translating Thomas Mann," *Times Literary Supplement*, 22 December 1995. p.17.

◆6 Timothy Buck, "Neither the letter nor the spirit: Why most English translations of Thomas Mann are so inadequate," *Times Literary Supplement*, 13 October 1995. p. 17.

◆7 Thomas Mann, *Erzählungen*, in *Gesammelte Werke*, vol. 8, Oldenburg: S. Fischer. 1960. p. 494. トーマス・マン『トニオ・クレーゲル　ヴェニスに死す』高橋義孝訳、新潮文庫、一九六七年、一七七頁。

◆8 Thomas Mann, *Stories of Three Decades*, H.T. Lowe-Porter trans., New York: Knopf. 1936. p. 414.

◆9 Gideon Toury, *Descriptive Translation Studies and Beyond*, Amsterdam and Philadelphia: John Benjamins. 1995. p. 41.

◆10 Pierre Louÿs, *Les Chansons de Bilitis*, J.-P. Goujon ed., Paris: Gallimard. 1990. p. 318.

◆11 Herbert Peter Clive, *Pierre Loüys*(1870-1925): A Biography, Oxford: Clarendon Press. 1978. p. 111.

◆12 Camille Mauclair, "Review of *Les Chansons de Bilitis, Mercure de France*," April, 1895. p. 105.

◆13 Louÿs, *Les Chansons de Bilitis*, p. 218.

◆14 ibid. p. 35.

◆15 Eve Kosofsky Sedgwick, *Between Men: English Literature and Male Homosocial Desire*, New York: Columbia University Press. 1985. chap. 1. イヴ・K・セジウィック『男同士の絆――イギリス文学とホモソーシャルな欲望』上原早苗・亀澤美由紀訳、名古屋大学出版会、二〇〇一年、第一章。

◆16 William Roger Paton ed. and trans., *The Greek Anthology*, Cambridge: Harvard University Press. 1956. V.46 and 101.

◆17 以下の文献より転記。ibid.

◆18 『ギリシア詞華集　1』沓掛良彦訳、京都大学学術出版会、二〇一五年、二四五―二四六頁。

◆19 Louÿs, *Les Chansons de Bilitis*, p. 74. ルイス『ビリティスの歌』一〇〇―一〇一頁より一部改変を施して引用。

◆20 ibid. p. 314.

◆21 Joan Dejean, *Fictions of Sappho 1546-1937*, Chicago: University of Chicago Press. 1989. pp. 271–273.

◆22 Louÿs, *Les Chansons de Bilitis*, p. 329.

◆23 Clive, *Pierre Louÿs (1870–1925)*, pp. 102–106. ; Pierre Louÿs, *Journal de Meryem*, J.-P. Goujon ed., Paris: Librairie A.-G. Nizet. 1992.

◆24 Clive, *Pierre Louÿs (1870–1925)*, p. 106.

◆25 *Edward Said, Orientalism*, New York: Pantheon. 1978. pp. 207-208. エドワード・W・サイード『オリエンタリズム　下』板垣雄三・杉田英明監訳・今沢紀子訳、平凡社ライブラリー、一九九三年、二四―二五頁。

◆26 Louÿs, *Les Chansons de Bilitis*, p. 223.

◆27 ibid. p. 311.

◆28 ibid. pp. 33, 88, 133, 145. ルイス『ビリティスの歌』一五、一二八、二一八、二四〇頁。

◆29 Dejean, *Fictions of Sappho 1546–1937*, p. 277.
◆30 Louÿs, *Les Chansons de Bilitis*, p. 320.
◆31 ibid. 強調はルイス。
◆32 ibid. p. 311.
◆33 Clive, *Pierre Louÿs (1870–1925)*, p. 111.
◆34 Ulrich von Wilamowitz-Moellendorff, *Sappho und Simonides: Untersuchungen über griechische Lyriker*, Berlin: Weidman. 1913. p. 69.
◆35 ibid. p. 68.
◆36 ibid. p. 64.
◆37 ibid. p. 70.
◆38 ibid. p. 69.
◆39 ibid. pp. 70, 71, 73.
◆40 Dejean, *Fictions of Sappho 1546–1937*, p. 205.
◆41 ibid. pp. 218, 219.
◆42 Wilamowitz-Moellendorff, *Sappho und Simonides*, p. 68.
◆43 ibid. p. 64.
◆44 William M. Calder, "Ecce Homo: The Autobiographical in Wilamowitz's Scholarly Writings," in W. M. Calder, H. Flashar, and T. Lindken eds., *Wilamowitz Nach 50 Jahren*, Darmstadt, Germany: Wissenschaftliche Buchgesellschaft. 1985. pp. 86-87.
◆45 Wilamowitz- Moellendorff, *Sappho und Simonides*, p. 71.
◆46 Louÿs, *Les Chansons de Bilitis*, p. 194. ルイス『ビリティスの歌』三三八頁に一部変更を施して引用。
◆47 ibid. p. 317.
◆48 ibid. p. 331.
◆49 ibid. p. 333.
◆50 ルイス『ビリティスの歌』七頁。
◆51 Dejean, *Fictions of Sappho 1546–1937*, p. 280.

◆52 Louÿs, *Les Chansons de Bilitis*, p. 333.

◆53 Dejean, *Fictions of Sappho 1546–1937*, pp. 249–250.

◆54 〔この詩は、サッフォーによる一行の断片「そなたはわたしの心を燃え立たせる」をヴィヴィアンが翻案したものである。沓掛良彦『サッフォー　詩と生涯』平凡社、一九八八年、三七頁。〕

◆55 Renée Vivien, *Poésies complètes*, J.-P. Goujon ed., Paris: Régine Desforges. 1986. p. 161.

◆56 Dejean, *Fictions of Sappho 1546-1937*, p. 285.

第三章

著作権

Copyright

著作権とは、知的創作物の保有権利を規定する法律や慣習を指すわけだが、往々にして翻訳に関する言及は限定的だ。十八世紀以降の著作権の歴史をひもといていくと、著者が自らの作品を流通させる権利を保護する動きが強まる傾向にあり、翻訳出版の許可も著者の権利に含まれている。[1] 本書出版時点〔一九九八年〕では、各種国際条約により自国民だけでなく外国人の権利も保障され、世界中の著者が自著の翻訳の権利についても死後五十年まで独占できる。例外は、翻訳が雇用業務や買取契約にもとづいて行われた場合で、その場合は雇用主が翻訳に対する権利を享受する。[2] 実際の出版契約の条文は多種多様であるものの、原則として著作権法により翻訳者の訳文に対する権限は厳しく制限されている。

翻訳者と訳文の立場からすれば、この制限のせいでいくつかの経済的・文化的な問題とむきあわざるをえない。著作権は、翻訳者の権利を著者の権利に従属させているため、翻訳により得られる利益のうち翻訳者の取り分を著者が減らすことができてしまう。アメリカペンクラブが実施した一九九〇年の調査で、米国内の翻訳のほとんどが買取形式で行われていることがわかった。つまり、翻訳者は固定の金額しか受けとれず、ロイヤルティや副次権料（雑誌連載やペーパーバック版を出すための使用料、映画制作会社から支払われる使用料など）の取り分がないのだ。翻訳者にもこうした収入の一部が支払われている事例は比較的少なく、そのような場合でも翻訳者の取り分はハードカバー版のロイヤルティであれば一から五パーセントほど、副次権料であれば十から五十パーセント程度の金額にとどまる。[3] イギリスの翻訳者の契約内容も似たようなものだ。[4] イギリスでは収益の不平等は公貸権でも見受けられ、報酬の配分が、著者が七十パーセントなのに対し翻訳者は三十パーセントしかない。

著作権法は翻訳者に経済的に不利にはたらくため、翻訳者が翻訳プロジェクトに投資するインセンティブはない。しかし今日、英語で発行されている文芸誌の多くをみれば、翻訳者は実際のところ投資する意欲があることがわかる。単行本化の約束どころか、原稿料でさえ出てもわずかで、出ないこともあるのに、外国の文化やテキストへの愛着から、多数の翻訳者が頻繁に海外の詩やフィクション、ノンフィクションの訳を文芸誌に寄稿している。著者のみが翻訳の権利を与えられているため、ふつうは著者（もしくは代理人である出版社）の側が、ライセンスを販売して外国語の市場で売りださんと翻訳プロジェクトを開始する。つまり代理人や出版社が海外の出版社に直接連絡をとり、そして海外の出版社が翻訳者に翻訳を依頼するという流れになる。著作権法は、現状を変えたい翻訳者が十分な交渉力を得るのを妨げている。例外は、世間から認知され、出版社から何度も依頼を受けている一部の翻訳者のみだ。しかしこの例外の場合でさえ、出版の実態をみると翻訳者は従属的な立場にある。一九五〇年代からイタリア小説の英訳者として第一線で活躍しているウィリアム・ウィーヴァーは、六十以上の訳書を出版しているが、すべて出版社からの依頼だったと言う。[5] つまり現在の著作権法は、翻訳者ではなく出版社が中心となって翻訳プロジェクトが動くようになっている。

結果として、国内だけではなく海外でも出版社が文化発展の流れをつくる。投資に対する収益を最大化しようと、出版社は外国でも流通しそうな国内作品を積極的に刊行することが多いわけだが、特定の文化にこだわることでその他の翻訳を否定し、複雑にしたいとまでは思っていない。一方、特定の海外市場に絞って翻訳ライセンスを売る判断をすることもある。法学者ポール・ゴールドスタインは「フランス語とドイツ語の市場を独占できるのなら、英語の出版社はフランス語やドイツ語の読者にも好まれる作品の翻訳に投資しようとするだろう」という仮定を描いている。[6] 翻訳権を購入した出版社は、同様の理由で、国内の文化的価値観に受け入れられやすい海外作品に注力しようとする。過去の傾向や嗜好にあわせて特定の読者層をねらい、新しい層を開拓するリスクを避ける。たとえば、とある翻訳書がベストセラーとなった場合、翻訳者は似た特徴のある作品を訳そうと思うだろう。ウンベルト・エーコ作『薔薇の名前』(一九八三)のウィーヴァー訳が大成功を収めた直後も、多くのアメリカの出版社がエーコを彷彿させる歴史小説の翻訳権獲得に必死となった。[7] 同じく一九八〇年代からつづいている傾向として、タイアップされる海外作品の翻訳にも力が入る。映画化や舞台化が世間の注目を得ることはまちがいなく、収益増加が見こめるからだ。出版社は異文化交流の流れを決めるだけでなく、国内文化における翻訳者の活動の幅も決めてしまうのだ。

翻訳はこうした現状を維持させる法制度の目的や運用の根本的な矛盾を浮き彫りにし、不信感を生む。というのも、翻訳者が翻訳に投資する意欲をそぐことで、著作権法は自らがかかげる創意の促進と褒賞という「伝統的な目的」から逸脱しているからだ。[8] 著作権は翻訳の創造性――翻訳プロジェクトの立ちあげや方法論の発明――をうばうだけでなく、外国作品の革新的な翻訳により生まれる文学全般の創造性もうばっているのだ。この問題は、第二次世界大戦後つねに翻訳の出版が比較的少なかったアメリカとイギリスで顕著だ。

著作権の歴史をひもとくと、昔の翻訳者はいまの翻訳者が抱える法的制限を受けていないことがわかる。過去何世紀にもわたり、著作権法が著者の権限を――ときには矛盾をはらみながらも――発展させていくなかで、翻訳はむしろ優遇されていた。ときには、翻訳テキストに対する翻訳者の著作権が認められただけでなく、原著者や雇用主よりも優先されるような判決もあった。そして皮肉なことに、著者の著作権を保護する判例においても、翻訳物については翻訳者により有利となるような別の定義が示されていることもあった。

いまと異なる過去の状況は、現在翻訳が置かれている法的立場に異議を唱えるうえで有用であろう。過去の状況と比べることで、著作権が著者に独占されていくようになったのは、著者性――創作性に重きをおき翻訳者の作品をないがしろにする――というロマン主義にもとづいた概念に依拠し、この概念の出現と並行して遷移しているのだとわかる。一方で、翻訳者が著者の一種としてとらえられ、創作性の概念が多様な執筆活動を包括するために見直されていく、別の著者性の概念もこうしたロマン主義的な概念から生まれた。ここで著作権の系譜をつまびらかにすることで、現在の著作権法がもつ文化的先入観を問いただし、翻訳者と翻訳活動にとってより有益となる法改正の機運を高めたい。

現況

現在の著作権法は、翻訳の定義があいまいだ。著者は翻訳者とは別で、かつ著者のほうが翻訳者よりも優遇される。そして著作権は著者のためだけにある。著者は原作の形式の創造者であるわけだが、著作権がカバーするのはその形式のみであり、形式をとおして表現される概念や情報は含まれない。著者の著作権は、作品の複製や印刷物だけではなく、二次的著作物や翻案にも及ぶ。このカテゴリーは明らかに翻訳を含んでいるが、ほかにも舞台・映画・抄録・ミュージカルといった派生作品も含まれる。一方で、原作者の権利は残す形であるものの、二次的著作物の著作権は制作者に与えられる。[9] つまり、翻訳者は著者として認められているわけだ。近年の解説書によれば、翻訳とは新しい表現の媒体であり、外国テキストと言語や文章が異なる別形式であるため、翻訳者は翻訳物の著者であると言える。[10] しかし、言語的・文学的な媒体の違いだけでは真に著者としての創作性を翻訳者に与えるには不十分なのは明らかで、原作者の翻訳物に対する権利はまったく制限されていない。著作権法の二次的著作物に関する言及は、主原則と矛盾してしまっている。著者性は創作的な表現によって構成されるものであるため、法が保護するのはその表現形式のみであってアイデアは保護しない。[11] 現法では、二次的著作物の制作者は著作者であると同時に、著作者ではないのだ。

この矛盾が示すのは、著作権法は翻訳などの二次的著作物がもたらしうる損害に対して、なにがしか別のものを保護しているということだ。そしてその「なにがしか」は、いまもなお文学研究で重要な前提となっている、個人主義的な著者性の概念を含んでいると考えられる。ロマン主義に端を発するこの概念では、著者は自身の考えや思いを作品の中で自由に表現しているため、作品とは創作的で不可視な自己表現との前提に立つ（つまり、著者をとおして作品に影響を与えるであろう言語学的・文化的・社会的要素は、著者のアイデンティティや創作性を複雑にしてしまうため、作品に介入していない）。[12] したがって、翻訳とは表現の二番煎じでしかないということになる。外国（フォーリン）のテキストのみが、創作性も真正性もあわせもち、著者の心理や意思を正確に反映しているのに対し、翻訳はつねに模倣であり真性ではない、もしくは単純に偽物としてあつかわれる。著作権法は二次的著作物に対しても著者の絶対的な権利を確保している。なぜなら、文学的形式は著者特有の個性を表現するものとの前提に立っているからだ。翻訳のように、意図的に作品形式に変更を加えていても関係ない。

この点は、文芸翻訳をめぐるグローヴプレス社対グリーンリーフ出版の判例[13]でも明らかだ。本件の判決は、著者性の基準としての創作性の定義をうやむやにしている。グローヴプレスは、グリーンリーフに対し、無断で出版されたジャン・ジュネ作『泥棒日記』のバーナード・フレヒトマン英訳（一九五四）の差し止めを求めていた。裁判所は、グリーンリーフがジュネのフランス語テキストの著作権を侵害しているとの見解を示した。

グリーンリーフは、翻訳者であるフレヒトマンの言葉をコピーしただけでなく、ジャン・ジュネがつくったオリジナルの自伝的物語の内容や言葉の意味もコピーしたのは明らかだ。ジュネの創作物は小説のプロット、場面、登場人物や会話のすべて、つまりは形式とパターンが含まれる。グリーンリーフがコピーしたのはそのうちの二つ、言葉と物語だ。[14]

この判決は、ジュネの著者性をフランス語テキストの特定の形式構成（「形式とパターン」）とひもづけたが、形式がどういう意味なのか、整合性がとれておらずわかりづらい。文学形式の要素（「プロット、場面、登場人物や会話」）が引用されているが、あくまでも著作権は原作であるジャン・ジュネの「自伝的物語の内容や言葉の意味」に対し付与されている。物語の内容や意味といったアイデアが表現される前に、その表現媒体であるプロットなどの要素のほうが立ち消えてしまった形だ。ここでいう「言葉」はフランス語でなく英語であり、ジュネではなくフレヒトマンが「つくった」もしくは選んだものだ。英語で紡ぎだされているにもかかわらず、「ストーリー」はフランス人作者が書いたものでありその人生にもとづいているので「オリジナル」だと述べた。裁判官はジュネの作品の正確なジャンルがわからなかったらしく、自伝と書いている箇所もあれば「小説」と書いている箇所もある。これは、著者性の基準がけっきょくのところ形式にあるのではなく、テーマや意味にあるからだ。裁判官は、フレヒトマンの翻訳はフランス語テキストの意義、すなわち原作者の意図を、複製したものだと断じた。

著作権法では、作品の複製も二次的著作物の制作も、著者が行使しうる権利として別に例示しているにもかかわらず、ロマン主義的な著者性の概念は、両者の違いを無視している。翻訳者は原作の形式と内容が同一のコピーを生産するため、無許可での翻訳は著者の著作権侵害になる。外国のテキストが翻訳先の文化の中でも読みやすくなるよう、その文化特有のさまざまな言語的・文学的要素を取りいれ、外国の原作者が選ぶどころか予想すらしていないものをつけ加えていたとしても、翻訳は独立したテキストとして認めてもらえない。外国の著者の創作性は、このような相違も越えていくものと考えられているため、翻訳は外国のテキストと実質的に同一とみられる。著作権法が保護する著者性の概念は、物質的な形式に埋めこまれているわけではなく、むしろ非物質的で神がかり的な個性であり、文化特性にしばられず、さまざまな形式やメディアに浸透していくのだ。

この概念が顕著に示された法は、著作者人格権もしくは人格権だろう。十九世紀のフランス、ドイツや北欧諸国の法制度で発展し、文学的及び美術的著作物の保護に関するベルヌ条約の一九二八年ローマ改正で国際的地位を得た。[15] 著作者人格権のもとでは、著者と作品のアイデンティティは倫理的な観点で語られ、作品は著者の人間性を具現化したものとして扱われる。ローマ改正に関して一九三四年に発表された評釈では、この概念のもととなっている法的思考について次のように述べている。

金銭的権利および世襲権を超えて、著者は非常に強い権力を有しており、その権力を侵害されると著者は傷つくのだと私たちは理解している。出版とは著者の人格を拡張する現象であるために、著者のもろい部分も拡張し傷つきやすくなるのだと考えられる。[16]

著作者人格権は著者にさまざまな権利――著者として認知される権利、作品の初めての出版を操作する権利、作品がゆがめられ著者の名誉が傷つけられた場合に反論する権利など――を与えている。翻訳のような二次的著作物は、ブリュッセル改正（一九四八）よりベルヌ条約に含まれているこの反論する権利にもとづく法的措置を招きかねない。原則として、歪曲に対する法的保護のおかげで著者は翻訳のあらゆるプロセスに対し強大な権力を持つ。外国語版でも統一されるべき作品の要素とは何か、著者が独自の考えをもつことを許してしまう。

興味深いことに、イギリスの法律では、著者の「著作者人格権」は認めているものの、翻訳については歪曲を訴える対象から除外しており特異である。[17] イギリスの法律が翻訳を対象から除外しているのは、翻訳が外国の著者の人格をゆがめずに伝えている前提にあるからだろうか？　それとも、翻訳者という別の著作者人格が加わり翻訳に表れるため、この著作者人格を保護できるよう、国内の出版社と外国の著者とのあいだで交渉が必要と考えているからだろうか？ 法学者ライオネル・ベントリーは、「立法府が翻訳全般を除外したのは、翻訳の質を決めるのは難しいうえに主観的となってしまうことを認めたから」ではないかとしている。[18]

理由がどうであれ、著作者人格権が翻訳者の権利を制限する一方で、現在の翻訳の法的定義がもたらす矛盾を放置しているのは明らかだろう。著作権法は、翻訳は外国テキストの形式を十分に変容させているため、翻訳の著作権は翻訳者にあると認めている。しかし翻訳に対しても外国の著者の著作者人格権（統一性の保護）を付与するためには、翻訳者の著者性の原則を否定せざるをえない。翻訳者（と翻訳の出版社）が経済的不利益をこうむるのは明らかだ。ベントリーが述べているように、「著者の承認を得る必要があるために［……］、使用者はすでに結構な投資をしているにもかかわらず、著者に再度、交渉の余地を与えなければならない」[19]。

さらに、国内法と国際法の著作権の間だけでなく、知的創作物の保護の統一性を推進するために設けられたはずの国際条約のなかでも、矛盾は生じている。ベルヌ条約はパリ改正（一九七一）まで翻訳テキストに対する翻訳者の著作権を認めていなかった。しかし認めるようになってからも、著者の二次的著作物に対する独占的ライセンス権は変更されなかった。該当する項には、「文学的又は美術的著作物の翻訳、翻案、編曲等による改作物は、その原作物の著作者の権利を害することなく、原著作物として保護される」とある。[20] 幾度も「原著作物」とくりかえされていることから、万国著作権法における著者性の概念の揺れがみてとれる。翻訳の原著作物としての自主性は、原作者と翻訳者を区別しないと強固にならない。しかし、翻訳者に法的保護を与える根拠となる創作性は、「その著作物を翻訳し又はその翻訳を許諾する排他的権利を享有する」[21]外国の原作者の創作性とは明らかに異なる。ユネスコは、ナイロビで開催された総会にて、翻訳者の地位改善のための勧告を採択している（一九七六年十一月二十二日）。この勧告のなかでさえ、ベルヌ条約の文言をくりかえし使用しており、翻訳者はあいかわらず原作者の従属的立場にいる。[22]

矛盾まみれの「独自な著者性」

翻訳のあいまいな法的立場は、著者の著作権が法律として制定される前からつづいていた。チューダー朝およびスチュアート朝のイングランドでは、著作権は出版の権利であって、しかも著者ではなく書籍出版業組合に所属する印刷業者もしくは書籍販売業者が有するものだった。書籍出版業組合とは、王制が設立したギルドのひとつで、出版業界の統制と宗教的・政治的観点から疑わしい書籍の検閲を目的とした団体だった。[23]書籍出版業者は著作権を永久的に占有していた。とはいえ、出版社も著者の所有権は認めており、作品の複製印刷や改訂の許可料を著者に支払っていた。また、ある出版業者の帳簿の記帳内容（一六一一年十二月九日付）をみると、出版業者は著者の翻訳権も認めていたと考えられる。

サミュエル・マハム　ロウンズ長官様の承認のもと『神学論争・上巻――和解不能のローマ　神学博士ジョセフ・ホール著』なる書籍一点の著作が認められた。

著者の許可を得られれば、マハム氏の著作として同作の英語版出版が認められた。[24]

このような珍しい例外はあったものの、当時の文壇および出版業界の慣習として、翻訳と著者性の境界線は明確でないことが多かった。著者性は、海外だけでなく国内のテキストの創作的利用と考えられ、[25]翻訳者も原作者も著作権を出版業者にゆずりわたしていた。有名な一例をあげると、トマス・ワイアットのソネットは、他の作品の模倣であったり、一部はペトラルカなどの特定のイタリア詩人の翻訳であったりするが、初めて詩が『トテル詩選集』（一五五七）に収載出版された際、ワイアットは翻訳者ではなく著者として名前が掲載された。

ロマン主義的な、創作性をともなう著者性の概念は、著作権の歴史のなかでも比較的最近になってあらわれたものだ。この概念に関する初期の英語文献はエドワード・ヤングの『創作覚書』（一七五九）をはじめとした評論だったが、著作権法にこの概念がみられるようになるのは、十九世紀なかばになってからだった。[26]一八五四年に貴族院で争われたジフレイズ対ブージーの判例[27]では、判事のひとりが、著作権は「曖昧模糊たる思想で、所有するにも形がありません」と意見し、表現媒体と表現されているアイデアを区別しようとしたが――失敗している。「本件の訴えはアイデアではなく、言葉の並びに対してであり［……］この言葉の並びは明らかにアイデンティティと永続性があります」と判事は口火を切った。しかし、彼の言う「アイデンティティ」とは、実のところ曖昧模糊とした思想のことであると、すぐに判明する。なぜなら、作品は著者の人相にたとえられるからだ。

卓越した頭脳が選んだ言葉の数々が特異であるだけではありません。日常生活の中では、一つの事実に対する二つの説明がまったく同じ言葉で語られることはないのです。したがって閣下方の質問に対する回答も、二つの回答がまったく同じ言葉で返ってくることはございません。一人の人間が選ぶ言葉の並びは、彼の容貌と同じぐらい特異なのです。[28]

著作権は表現の媒体に対して授けられるものだが、その媒体も目にみえない著者の人格表現――「卓越した頭脳」による「特異」なもの――により形づくられている。人格といった抽象概念に重きをおくと、必然的に形式はうやむやになる。結果として、著者の著作権は「言葉の並び」のあらゆる変更――たとえ有意義な変更であっても――にまで拡張された。著作者人格権が裁判所でよく聞かれるようになったころ、翻訳のような二次的著作物の作成に対する著者の権利を与える法制定も進んだ。初めて著作者人格権保護をうたう法律となったアン法が一七一〇年に制定されたにもかかわらず、イギリス法は一八五二年まで、著者に独占的翻訳権を与えなかった。[29] アメリカ法に至っては一八七〇年まで待たねばならなかった。[30]

法律がこの権利を認めるのに時間を要したのは、対立する別の著者性の概念が十九世紀なかごろまで有力だったからだ。この対立する概念では、著作権は著者に与えられていた。作品は人格を表象するものではなく、労働の生産物であるからだ。作品は概念や感情を表現するものではなく、精神的にも肉体的にも時間と労力をつぎ込んだ成果だと考えられていた。著作者人格権の確立において画期的だった一七六九年のミラー対テイラーの判例で、[31]ある判事は「著者が自らの創意と労働に対し金銭的利益を得るのは当然のことです」と述べた。著者らが作品に対する金銭的権利を享受していた実態から、著作権はコモン・ローとして認められた。この判決は、ジョン・ロックの私的所有論から、著者の権利を自然のものととらえていた。ロックの『統治二論』(一六九〇)後編で、ロックは以下のように述べている。

> 人は誰でも、自分自身の身体に対する固有権(プロパティ)をもつ。これについては、本人以外の誰もいかなる権利をもたない。彼の身体の労働と手の働きとは、彼に固有のものであると言ってよい。したがって、自然が供給し、自然が残しておいたものから彼が取り出すものは何であれ、彼はそれに自分の労働を混合し、それに彼自身のものである何ものかを加えたのであって、そのことにより、それを彼自身の所有物とするのである。[32]

この文章が提示するように、著者性を労働投資としてとらえる概念は、ロマン主義的な人格の概念――著者は自然や他者から完全に独立しているとする考え方――と同じぐらい個人主義的で、著作行為は著者に無償で割りあてられた天然資源と考えていた。また、著者性を定義する要素である労働も、人格と同じように無形である。著者の労働により作品に対する権利は自然に発生する、その作品もまた自然に生まれたものだというとき、権利も作品も、特定の文化の影響や社会の制限を超越してしまう。さまざまな判例や法制定をとおして著者の著作権は法的保護を要すると認められたのは、個人の労働が自然ではなく、変化する文化や社会の状況に応じて、法的に個人と生産物の関係が形成されていったからだ。ミラー対テイラーの判例では、ロックのリベラルな私的所有論をくみ入れ、それまで出版業界が果たしてきた著作権市場としての役割をくつがえして、著者が著作権を出版販売業者にゆずることができるとの考えを提示した。「著者の権利は、十八世紀に生まれた州の利益、コモン・ローの知的所有権、商業競争の間の複雑な関係をつなぐ細い糸でしかなかった」[33]のだ。ロックの所有的個人主義と同様に、ロマン主義の個人表現論も、著者の権利を物質的にとらえることを否定している。

著者性の概念を労働とひもづけるのは、その考え方のリベラルさよりも、著作権法を現在では二次的著作物と呼んでいるものにまで拡張している点で興味深い。アン法が制定されて間もないころに著作者の権利を定義した判例の数々では、翻訳は原作を創造した著者の著作権を侵害するものではなく、独立した作品であると断じていた。重要な判例のひとつに、バーネット対チェットウッドがある。[34]神学者トマス・バーネットの遺言執行者は、被告に対しバーネットがラテン語で執筆した『考古哲学論』(一六九二)の英訳を許可なく出版することを禁止させたかった。そして神学の学術書である本書の、イヴと蛇の対話の翻訳が著者を辱める内容だと訴えた。[35]裁判所は原告の訴訟を認めたが、判決はバーネットの著作権を保護するために法適用するものでもなければ、バーネットの名誉を守るために人格権を明確に認めるものでもなかった。判事は著作権を解釈するよりも、交渉主義的な検閲に興味を示したようだ。

大法官はこのように述べた。翻訳者がどれほど注意と努力を傾けたとしても、翻訳は原作の複製と同じでない可能性があり、翻訳をそうした理由で禁じるべきではない。一方で、本書の場合、翻訳者は研究の一環で本書を読み、本書には違和感のある内容があることに気づいていた。作者は、影響力がなく習得者であれば内容について十分な判断ができるであろう、ラテン語という言語で執筆することにより、この内容を一般市民から秘匿することを望んだ。作者が英語での印刷出版は禁止すべきと考えていたことをふまえ、裁判所はすべての書籍に対する監督権を有していることから、本書を含め宗教や倫理に対し意見を述べている書籍の印刷出版に即刻制限をかけることが可能である。

判決は「作者が〔……〕考えていたこと」を支持する結果となったが、翻訳については著者の著作権の範疇外と法的に定義する内容でもあった。著者性は作品を生産するための労働をともなうという点について被告弁護人の意見に賛成しつつも、大法官は「原作の複製」と翻訳は異なるものと位置づけ、翻訳者は作者であり複製者でないとした。ミラー対テイラーの判例では、判事らは翻訳と複製の違いをさらに明確化した。判事らは、著者が永久的に著作権をもつものと認めながらも、うちひとりは「正しい複製と、翻訳と、簡約版はすべて異なるものであるのは明らかだ。所有物という観点では、いずれも新しい作品と考えられる」と述べた。ほかの判事は、書籍の購入者は「書籍を改善、模倣、翻訳したいと思うかもしれない、その行為に対しどのような感情を抱くかは別として。しかし、購入者は同じ作品を出版する権利を購入したわけではない」と述べた。[36] 著作権の歴史の初めごろ、著者は作品の複製の権利しか与えられておらず、作品にもとづいた二次的著作物の創造については権利を有さなかった。むしろ、翻訳は翻訳者の労働の成果物であるため、二次的ではなくオリジナル、もしくは「新しい」と考えられた。ワイアット対バーナード（一八一四）の判例では、「翻訳は、オリジナルであれば［……］〔翻訳でない〕作品と区別されるべきではない」とし、「翻訳者もしくは翻訳者の雇用主は、ほかの翻訳をコピーしておりオリジナルでないと認められた場合をのぞき、翻訳に対する著作権をもつ」との判決が出た。[37] 創作性は言葉の精密な選択と配列を指すものと考えられ、ほかの作品を模倣する意図の有無は関係なかった。

著者性を労働投資ととらえる概念は、著作権の根拠を形式にもとめる動きを強め、翻訳者の翻訳に対する権利を支持した。バーネット対チェットウッドの判例では、被告弁護人が、アン法は創造性の促進と知識の普及を意図したものであり、作品の内容（「意味」）ではなく形式しか保護しないのであれば、翻訳者が内容を新しい形式で創造する翻訳は、著者の著作権から除外されるべきだと述べた。弁護人は、翻訳は「禁止されるよりも促進されるべき行為と考える」と締めくくった。[38] この意見には、二段階の前提がある。まず、原作のアイデアは出版にともない公の知るところとなる。したがって著者が所有できるのは表現内容を最初に伝えた媒体だけだ。その一方で、形式をつくるという翻訳者の労働は、自らの「言語能力」を使用して「独自のスタイルや表現」を創造するものであり、翻訳者は原作のアイデアを普及する翻訳の所有者となる。[39] ドナルドソン対ベケット（一七七四）の判決も似たような前提が下敷になっている。この重要な判例はアン法を支持しつつ、ミラー対テイラーの判例で著者に与えられた永久的な権利を廃止した。裁判の中でキャムデン卿は「科学と学習はその本質からして公的権利であり、空気や水のように無償で一般に普及すべきだ」[40]と述べた。キャムデンは、著者のアイデアにせよ形式にせよ、永続的権利を与えることはむしろ二次的著作物として内容を普及させる妨げになると考えたのだ。また、著作権が表現されている「感情や言葉」に付与されるなら、「だれも翻訳や簡約ができなくなるだろう」と指摘し、アン法の目的にそぐわないことを示した。[41]

この考えはアメリカのストウ対トマスの判例[42]で極端な形で引き継がれた。裁判所は、ハリエット・ビーチャー・ストウの小説『アンクル・トムの小屋』(一八五二)のドイツ語訳の無許可出版は、ストウの英語テキストに対する著作権を侵害するものでないと判断した。バーネット対チェットウッドやミラー対テイラーといった先例を引用し、判事は翻訳者の行為が意図的な介入をともなう点を認めた。「他の言語をまとった概念を、同じ文章構成では表せないだろう」、なぜなら「よい作品翻訳にしようとすると、原作を執筆するよりもさらなる学習、才能と判断を要することもある」からだと述べた。[43]判事はストウの権利を小説で使用されている実際の言語に限定した。翻訳についても統制の権利を与えてしまうと、ストウの考えの普及に影響が出てしまい、著作権は法的に「科学の進歩や有益な芸術を促進させる」ためのものという憲法の概念と矛盾するからだ。[44]この判決は二次的著作物に反映される文化的創造性の促進──たとえ不平等であっても──をねらいつつ、著作権侵害を無許可の再複製に限定した。

ストウ氏の作品を出版することで、彼女の才能と想像の結晶はホメロスやセルバンテスの作品と同様に公有財産となるのだ。彼女の考えや発明は模倣者、劇作家や二流詩人に使用されたり悪用されたりしてしまうかもしれない。いまもなお残るのは作品の著作権――印刷、再版、販売する独占権――であり、ストウ氏の権利もしくは所有物を侵害し、印刷・出版・輸入・販売を許可なく行ったとして有罪となるのは、「作品の複製」に対してのみだ。翻訳は、広義に解釈すれば作者の考えや意見の記述もしくは写しと呼べるかもしれないが、どう考えても作品の複製とは呼べないだろう。[45]

ストウ対トマスの判例は、翻訳者に翻訳に対する独占的著作権を与えるものであり、著者が原作に対して与えられる著作権とは区別した。つまり、原則として翻訳者は翻訳プロセスのすべて――翻訳する外国テキストの選定から翻訳方法の策定、翻訳の出版許可まで――をコントロールできるということだ。

しかし、ストウ対トマスの判例は先例として認められることはなかった。著作権の歴史において、本例は異例である。なぜなら、翻訳者を形式作成という労働の結果として作者として認める向きもあった一方で、同時期に、ロマン主義的な著者性の概念が法体系を支配するようになったため、翻訳者は現在同様にあいまいな法的立場へと追いやられてしまった。この傾向はバーン対スタチスト社の判例[46]で顕著だ。本例は翻訳者の権利を認めたイギリスの判例としてしばしば引用されているが、実際のところ非常に限定的な権利しか認めていない。裁判所は、新聞社が翻訳者の許可なく翻訳を出版し、翻訳者の著作権を侵したと断じた。近年制定された法律に照らしあわせると、翻訳者は翻訳に対する著作権を有するとの原告弁護人の解釈に、判事は同意した。

当該翻訳は一九一一年著作権法第一条第一項によるところの「創作性を有する文芸作品」に該当する。他者の作品を単に複写しただけのものではないため、当該作品は「創作性」を有する。考えの独創性は不要である。当該作品が、新たな能力と労働をともなう新たな成果物であるという点のみで十分である。つまり当該翻訳は、この意味において「創作性」を有する作品であり、かつ「文芸」作品である。［……］原告は作品の「著者」であり、当該作品の著作権の所有者である。

翻訳者にとって有利な内容――著者性は労働投資にもとづき、創作性は形式に与えられる――はいずれも、一九一一年の著作権法で急に認められたものだ。しかし同法は翻訳を「純粋たる複製」と位置づけ、著者の「作品の生産、再生産、公演、翻訳出版」に対する独占権を保護している。[◆47]バーン対スタチスト社の判例では、結局のところ翻訳者と新聞社の両方が外国の著者から翻訳権を購入していることがわかった。しかし、新聞社は翻訳者にも翻訳の再版許可を得ることをないがしろにしていた。本例では翻訳者を著者として明らかに認めているが、だからといって翻訳に対する外国の著者の著作権を超越したり制限したりすることはなかった。本法は、間接的に著者性を労働よりもつかみどころのない何かとしてとらえているのだ。つまり著者性という抽象概念は、形式の変化をともなう翻訳者の作業は否定し、あくまでも外国の著者の概念、意図、人格を指すのだ。

翻訳者の著者性の根拠

著作権の歴史をひもとくと、翻訳者にとって有利な翻訳の定義もないわけではない。しかし、そうした定義はふりむかれなくなり、今日において法的影響力に欠ける。したがって、有力なロマン主義的な著者性の概念をくつがえし、法制改革にむけて有効なものとするには、定義を深く再考しなければならない。再考するにあたり、著作権法の基本概念である、著者性を定義する形式とは何かという点から始める必要がある。

初期の判例では、言語的・文学的形式を不可視なコミュニケーションの形としてとらえていた。意味は言語にうめこまれた不変の要素という前提があり、さまざまなコンテキストにより変化する、不安定な言葉の関係性から生まれるものという認識はない。したがって、服を用いた比喩――著者は言葉に意味を着せ、翻訳者は外国テキストの意味を、服を着せかえることで伝えようとしている――が何度も判例の中で登場する。著作権法では、この形式の概念はバーネット対チェットウッドで初めて登場したが、登場すると同時に疑問に付された。被告弁護人は、以下の理由から翻訳は「別個の書籍ともいえる」と論じた。

> 翻訳者は意味を独自のスタイルや表現で飾り付け、少なくとも原作とは異なる形式にする、つまり形式が存在を与える（フォルマ・ダット・エッセ・レイ）。◆[48]

最後のラテン語の格言は、中世の哲学研究で主流だったアリストテレスの基本原理からきている。近い言いまわしを挙げるなら、「形式がものの存在をもたらす」という意味だ。弁護人はこの基本原理を引用することで、翻訳の外国テキストからの独立性を示したかったようだ。翻訳は形式の創造であり、したがって翻訳はもとになった原作とは別に存在する独立した物質と考えた。しかし、この格言は、翻訳が外国テキストを異なる言語に効果的につくりかえているとも解釈でき、翻訳者がつくる別形式は、異なる意味を擁する別個のテキストの存在をもたらすとも考えられる。もし「形式が物の存在をもたらす」のであれば、形式と内容は容易に分けられないし、形式が変化してしまうと内容を変えずに保持することもできない。

翻訳者の新しい「スタイルや表現」は、すなわち新しい「意味」をつくりだすのだ。

この判決では、バーネットのラテン語論文の意味が英語に翻訳されることで変化していると記述されているので、前述した形式の認識を支持するものだ。原告弁護人は翻訳を誤りとパロディの合いの子だと述べ、「著者の意味と言葉を間違ってとらえているうえ、不条理でばかげた形で表現されている」[49]と論じた。大法官は翻訳がもたらす変化を社会的な観点からとらえた。『考古哲学論』に認められる「違和感のある内容」は、ラテン語であれば「習得され」るため無害であるが、英語の場合は「低俗」で有害になりうると大法官は指摘した。ラテン語と英語のテキストの意味の違いは、それぞれの執筆者が異なる読者層に対してつくりあげた形式の違いにあるということになる。読者層への言及により、著者性は個人によるのではなく集団により定義されることがわかる。作品の形式は著者の「独自のスタイルや表現」のみに由来するのではなく、実のところ特定の社会集団とのかかわりの中で生まれるものであり、著者はその集団の特定の文化的価値をふまえて形式をつくっているのだ。

集合的な著者性の概念は、翻訳と原作の両方に適用される。バーン対スタチスト社で取りあげられたテキストは、ブラジルの州知事が州議会にむけておこなったポルトガル語のスピーチと、ロンドンを拠点とし強い影響力を持つ『フィナンシャル・タイムズ』紙に「広告」として掲載された、原告による英訳である。[50] それぞれのテキストが書かれた社会的状況が異なっていたため、当然のことながらテキストは異なる形式で書かれ、読者に異なる意味を伝えた。州知事のスピーチは政治的で、「財政について取りあげていた州議会に対するメッセージ」であったのに対し、バーンによる翻訳は商業的で、投資を考えている投資家にむけて情報を提供するものだった。[51] それぞれのテキストの社会的役割は形式に組みこまれていた。それぞれの作者は、特定の読者層のために必然的に特定の言葉づかいを選んだだけでなく、社会的コンテキストに合わせ、異なる文章やレトリックの構造を選んだ。著者性の集合的特性は、バーンが自身の翻訳について述べた内容について触れた、以下の判事の指摘により明らかになる。

バーン氏は元のスピーチの三分の一の長さに省略している。また、バーン氏は重要性の低い箇所を削除することで短くしている。適切な段落に分け、段落に適した見出しもつけ足した。『フィナンシャル・タイムズ』が文章のスタイルに高度な基準を設定しており、彼の翻訳もその基準に合わせたものだと聞いている。[52]

バーンの翻訳に期待されていた商業的役割は、州知事のスピーチと同様の財務情報を伝えるだけでなく、情報を国内の文化価値に同化させ、新しい英語のスタイル「基準」にあわせて書き直し、新たに新聞特有の形式（「段落」や「見出し」）に編集し、イギリスの投資家から見た妥当性の感覚にあわせて再解釈している（「重要性の低い箇所」の削除）。

バーン対スタチスト社の判例は、作品の形式が読者との関係性で構成された集合的なものというだけでなく、派生的であることも示した。作品の形式は、著者の人格や天然資源を用いた生産労働によるものでもなく、既存の文化資源に由来していることも示された。ブラジルの州知事のスピーチは政治的発言として記述されたのに対し、バーンの翻訳は商業的ジャーナリズムの様式で書かれた。どれほど特定の目的や状況にあわせて練られていようとも、スタイルがテキストの構成に先立ち、テキストの意味を決定づけているのだ。著作権を付与できる作品の形式は、作品自体に由来しているのではなく、ユニークな二次使用によるものだと言える。つまり、文化内に既存の材料——特定の言語を定義づける語彙や構文ではなく、その言語のさまざまな文化的言説の中で蓄積された構成やテーマ（文芸、口述、政治、商業など）——を綿密に選び、配置し、練りあげたものなのだ。これらの資源は生ものでも天然でもなく、つねに過去例の蓄積が文化として刻まれており、著者は発信したい特定の文化的構成員にあわせて形式をつくりあげる。

とはいえ、翻訳の集合的著者性は、原作の集合的著者性と重要な点で異なる。いかなる作品も他の作品を多かれ少なかれ流用しているものだが、翻訳は外国テキストとその他の国内の文化資源の両方から同時に流用している。翻訳と外国テキストの関係は模倣的かつ解釈的で、正確性に支配され、解釈の方法は歴史や文化によって異なる。翻訳と国内の文化の関係は模倣的かつコミュニケーションをともなうもので、特定の文化・時点の読者に伝えるために文化資源の模倣に支配される。外国テキストの解釈と伝えたい読者の存在の両方が、翻訳の作業を決定づける（もっとも、どちらかがより重要になることもあるかもしれないが）。想定される読者層が翻訳者の解釈を決定づけるかもしれないし、逆に翻訳者の解釈により読者層が変わってくるかもしれない。

現代翻訳は、演劇や映画といった二次的著作物と異なり、原作により密接にしばられている。ロマン主義的な著者性の概念がその一因だろう。この概念が支配的なため、翻訳者と出版社は外国テキストへの服従が体に染みついてしまい、解釈をゆがめたり損ねたりしかねない革新的な翻訳法の開発に積極的でない。舞台版もしくは映画版は、小説のプロット、登場人物、台詞から大きく外れることがある。それに対し翻訳は、原作のそういった要素を編集や削除なく模倣しているものと期待される。

しかし翻訳と外国テキストの密接な関係性は、両テキストが同一であることを意味するわけではなく、翻訳が著者性を有する別個の作品であることを否定するわけでもない。著者性が集合的ならば、そして作品がその文化背景と関わりあって派生したものであるならば、異なる意図や状況をともなう翻訳と外国テキストは別個のプロジェクトと考えられる。小説が書かれた国での文学界における重要性は、異なる言語と文学界で流通する想定でつくられた翻訳版の重要性と同じにはなりえない。ベストセラーが翻訳先の外国で同じように成功しない理由も、これである程度説明がつく。

こうした作品の重要性の違いは、外国テキストと翻訳の両方に同じ著者名が印刷されることにより、落差が狭まったり、解消されたりするわけではない。外国テキストの読者にとって、著者の名前はその国の言語や文化慣習とひもづいた特定のアイデンティティをもつ。翻訳が提示する、いくらか同化されたアイデンティティとは異なるわけだ。極端かつわかりやすい例をあげよう。イスラム原理主義者たちは、イギリスの作家サルマン・ラシュディの小説『悪魔の詩』（一九八八）はコーランを冒涜するものだとして、彼の死を求めた。以降、「サルマン・ラシュディ」という名が放つ意味は、読者がこの作家に対して感じている文化的価値だけでなく、流通する言語によっても異なる。ラシュディの名前にひもづくアイデンティティは、作品が英語とアラビア語訳のどちらで出版されているかによっても異なるだろう。

著作権法は、翻訳を決定づける複雑な関係を認識できずにいる。ロックの説く労働にせよロマン主義の人格にせよ、個人主義的な著者性の概念にとらわれてきたせいだ。これらの概念は二次的著作物の法的立場を追いやり、原作自体もある程度派生的である点を隠してしまっている。翻訳と外国テキストを区別できるような形式の正確な定義を、集合的な著者性の概念から導きだせる。形式の集合的かつ派生的な側面は、言語や文化の違いから生まれるものであり、翻訳者が著作権所有を訴える根拠となるだけでなく、外国の著者の、翻訳に対する権利を制限する主張の根拠にもなりうる。

救済策

現在の著作権法は、外国の著者の権利を制限するための論拠に欠ける。各国の中でもイギリスやアメリカの法典は、「共同著作物」の存在を認めつつ、その前提となる著者性の概念は集合的ではなく個人主義的で、ながらく文芸批評を支配してきた有機的統一性の考えに即している。[53] したがって、共同著作物は分け目なく統一されたものとみなされる。つまり「各著作者」の「寄与」は「区分されない」状態にあるもの、もしくは「分離できないまたは相互に依存する部分からなる単一物に統合」されたものとみなされる。[54] 翻訳のような派生的形式の場合、翻訳者と外国の著者の寄与の度合いは明確に区別できる。

翻訳は外国テキストの言語的・文学的価値を模倣しているわけだが、模倣といっても異なる文化伝統の中で息づいた異なる言語を使って鋳造された形だ。その結果、外国の著者が作成した形式の一部を置きかえつつ、全体としては修正することで、形式作成に寄与する。外国の著者が翻訳の登場人物形成に寄与したと言えるかもしれないが、会話や記述をとおして描かれる登場人物たちの性質は——翻訳作業をとおして国内の「よけいなもの」が解放され——翻訳された言語や文化の価値により否応なく変化する。寄与の度合いが明瞭でないという考え方は、やはり、言語的・文学的形式をとおしてあたかも直接ひとりの人間とコミュニケーションが可能、という個人主義的な前提にもとづいている。コミュニケーションは文化的素材や社会的コンテキストにより集合的に決定される、という考え方とは大きく異なる。

共同著作物の定義に、翻訳のような派生形式を含めることは難しい。なぜなら、共同著作物の定義によれば、翻訳についても「執筆時点で」作者らが協働する「意図」があることを求めるからだ。[55] 共同著作物は、長きにわたり協力関係にある二人の人間により制作されている、という前提にある。今日の翻訳プロジェクトの実情はまったく考慮されていない。現状の慣習では、外国テキストが国際的ベストセラー作家によるもので世界中の出版社が即座に興味を示すといった場合を除き、外国テキストの出版から翻訳まで数年かかる可能性が高い。翻訳プロジェクトを進めるにあたり、多岐にわたるさまざまな難易度のタスクをこなさなければならないのだが、どれも非常に時間がかかる。国内出版社が翻訳を出す外国テキストを選定するところから始まり、海外の著者もしくは出版社との翻訳権の交渉、翻訳者の手配、翻訳の編集などを行う。したがって翻訳出版はチームプロジェクトであり、各段階でさまざまな人間が協力しあって進めていく。外国の著者の協力もむろん重要ではあるが、結局のところプロジェクトのもととなる外国テキストの執筆に限られる。翻訳を共同著作物としてとらえるのが難しいのは、外国の著者と翻訳者が作業する時間軸が異なるというだけではなく、協業する意図が欠けている点にある。外国の著者は特定の言語・文化の構成員にむけて作品を書くわけだが、通常は翻訳版の読者を想定できていない。翻訳者は国内の構成員にむけて執筆するので、翻訳先の言語や文化と照らしあわせて読みやすいことが求められる。これは、外国のテキストを執筆した外国の著者の意図よりも優先される。

最近の判例や法解釈では、翻訳を外国テキストの「フェアユース（公正利用）」としてとらえ、外国の著者の二次的著作物に対する独占的著作権の対象から外す可能性を提示している。著作物の使用は「批評、解説、ニュース報道、教授（教室における使用のために複数のコピーを作成する行為を含む）、研究または調査等」に供する場合は公正であると定義されている。[56] 文芸翻訳や産業翻訳といったさまざまな翻訳も、この利用にあてはまる。文芸翻訳の場合、翻訳はつねに外国テキストの解釈の一種、国内の読者が受けとる意義を定義する批評もしくは解説と考えられる。

翻訳をフェアユースとしてとらえる議論は、キャンベル対アカフ・ローズ・ミュージック社（一九九四）の裁判で深まった。アメリカ最高裁判所は、ツー・ライヴ・クルーのラップ作品『プリティ・ウーマン』は、パロディ元のロックバラードであるロイ・オービソンの『オー・プリティ・ウーマン』のフェアユースであるとの見解を示した。[57] 裁判所は、パロディを「表面上はユーモラスな形式をとった批評のようなもの」とし、「過去の作品に光をあてることにより公益が得られる可能性があり、新しい作品を生むプロセスにもなりうる」と述べた。[58] 翻訳と同様に、パロディは原作を模倣し書き直す作業を要する。また、翻訳と外国テキストとの模倣的関係性により、パロディの様相を呈することもある。たとえば、バーネット対チェットウッドでとりあげられた英訳は、バーネットのラテン語論文の「不条理でばかげた」バージョンと説明されている。翻訳は、より一般化するならば、判事の言う「表面上はユーモラスな形式をとった批評のようなもの」の一種、巧妙な模倣という形をとった外国テキストの解説の一種と考えられる。

しかし、外国の著者の独占的な著作権に例外をつくることになるので、翻訳をフェアユースとしてとらえるには他にも考慮しなければならない点が多数ある。最近の数々の判例により、もっとも重要なのは「使用の目的および性質（使用が商業性を有するかを含む）」「著作権のある著作物全体との関連における使用された部分の量および実質性」だと明らかになった。[59]

翻訳は、異なる文化のために異なる言語で書かれていることから、外国テキストの書かれた言語と文化の潜在的市場を脅かすことはない。むしろ、作品がさまざまな言語に訳され、海外で価値が認められるようになれば、母国での文学的・商業的価値を高めるだろう。翻訳者が使用する外国テキストの量は限定的で、フェアユースの範囲内と考えられる。今日では、翻訳は外国テキストの全文を訳すことが期待される。テキストを部分的に変えたり削除したりした場合は、もはや翻訳としては認められず、翻案や抄訳といった異なる種類の派生形式として扱われる。さらに重要なのは、翻訳で行われている執筆作業の特殊性により、外国テキストの複写や模倣とは明確に区別できる点だ。翻訳は、テキストを一字一句変えずに複写するわけではない。どちらかというと翻訳は原作とは模倣関係にあり、目標言語（ターゲット・ランゲージ）に近づけんがために、翻訳は必然的に外国テキストから逸脱してしまう。現代翻訳は外国テキストの全文を模倣するよう求められるが、独立したテキストと認識できるぐらいに言語的・文学的性質は十分に異なる。

無許可の翻訳がフェアユースの条項に反すると判断される可能性としては、著作物に対する翻訳者の使用の目的と性質が考えられる。翻訳者が翻訳する外国テキストを選ぶのは文化的な理由――場合によっては「教授」的な理由――であることはまちがいない。翻訳は、幅広い科学や技術分野の知識を豊かにするのみならず、ディシプリンや職業の発展に決定的な影響を与えうる。翻訳により、文化や社会の変化の障害もしくは促進剤となる政治的議題に、貢献することもできる。[60] と同時に、翻訳者は利益を得るために翻訳をしていることから、動機として重大な商業的利権がある。商業的利権のためにこそ、著作権法は文化的・教育的作品の創造を促進するよりかは保護するように制定されている。しかし、フェアユースの条項は、一見矛盾するようだが、翻訳のような二次的著作物の作者は他の作者たちと商業的動機を共有してはならないとの前提に立つため、著作権法の体系と相性が悪い。

翻訳プロジェクトで競合する利害関係を調整するもっとも有効的な方法は、翻訳者・出版社・原作者が実際にどのように交渉しているのか、避けられない文化の越境にどう対応していくのか考慮するやり方だろう。ここで考慮しなければならない最重要課題は時間だ。著者もしくは出版社が初版出版後すぐに翻訳権を売り出さないかぎり、翻訳プロジェクトは翻訳先の文化が起点となるため、開始までに確実に数年はかかってしまう。この間に、当初は翻訳先文化で低かった作品価値が、翻訳者もしくは出版社の努力――特に国内の文化的構成員に対する翻訳・出版の方策や、市場の特定・開拓――によって高まる。一方で、翻訳は、ある文化のある時点につくられているという事実がある。つまり国内に新たなトレンドや文化的構成員が台頭して市場が消えてしまうと、翻訳の文化的・商業的価値はなくなってしまう。新訳に投資しなければ、出版社は増刷をしなくなる。

こうした状況を考えると、外国の著者の著作権と翻訳者の著作権の両方に制限をかける必要があると思われる。外国の著者の翻訳に対する権利を、一定期間――たとえば五年間――に限定すれば、翻訳者や出版社は翻訳への投資を増やしたいと思うようになる。外国テキストが五年の間に翻訳されなければ、最初に翻訳した翻訳者もしくは出版社が翻訳に対する著作権だけではなく、現法が定めているように、外国テキストに対する独占的翻訳権も享受できる。しかし翻訳が古くなると読まれなくなってしまう事態を考えると、翻訳者の独占的権利は著作権の保護期間満了まででではなく、翻訳が絶版になる前までの期間に限定されるべきだ。このような制限により、外国の著者の権利に対価を支払う苦労から解放され、出版社はより多くの翻訳を出版し流通させたいと思うようになるだろう。翻訳者も、外国の著者からの法的報復や、コスト意識が高く作品知識に欠けた国内出版社からの拒絶を恐れる必要がなくなる。そうすれば、国内の文化価値により合致すると思う翻訳プロジェクトをたちあげ、外国の言語や文化の知識を増やし活かしたいと考えるようになるだろう。絶版に関する条項を設けると、翻訳と出版が刺激され、イノベーションを期待できる。[61] 国内の既存の読者層をねらうにしても、外国作品のための新たな読者層を掘りおこすにしても、じっくりねらいを定めねばならないからだ。

現在の著作権法は、外国の著者の独占権と同等な、もしくは制限するような、翻訳者の著者性を認める余地がない。しかし、ある程度の制限を可能とする根拠も示している。著者性の集合的概念により、翻訳者は原作者と同じ法的地位につく。また、著作権は綿密な形式的特徴に対し与えられるため、翻訳も外国テキストを創造するのと同様のプロセスをへて創造されていると示せる。この創造のプロセスにより、異なる言語的・文化的コンテキストにおける十分な独自性が生まれ、翻訳は外国テキストから独立したものと考えられる。著者性の集合的な特徴が広く認められないことには、翻訳者が不利な——もしくは単に搾取される——契約に押しつぶされる状況がつづいてしまう。知的財産の個人主義的な考えは、著者と出版社が利する偽善的な虚構を支え、その金銭欲をもっともらしく正当化させるだけだ。世界中の出版社は、第二次世界大戦後の経済的・政治的発展にともないできあがった、不平等な異文化交流の流れを変えず支持しつづけるだろう。翻訳が世界で流通する量、異文化間交渉において方略的でかけがえのない翻訳の価値を考えると、早急に翻訳の法的地位の明確化と改善に取りくむ必要がある。

註

◆1 Benjamin Kaplan, *An Unhurried View of Copyright*, New York and London: Columbia University Press. 1967. ; Mark Rose, *Authors and Owners: The Invention of Copyright*, Cambridge: Harvard University Press. 1993.

◆2 イギリスとアメリカについては、それぞれ以下の法典を参照。包括的なまとめについては文献を参照。Copyright, Designs and Patents Act 1988 (c. 48), sections 2(1), 11(1) and (2), 16(1)(e), 21(3)(a)(i). 17 US Code, sections 101, 106(2), 201(a) and (b) (1976). Lionel Bently, "Copyright and Translations in the English-speaking World," *Translatio*: 12. 1993. pp. 491–559.

◆3 Edmund Keeley, "The Commerce of Translation," *PEN American Center Newsletter*: 73. 1990. pp. 10–12.

◆4 Michael Glenny, "Professional Prospects," *Times Literary Supplement*, 14 October 1983. p. 1118.

◆5 電話によるインタビュー（一九九四年九月二十四日）

◆6 Paul Goldstein, "Derivative Rights and Derivative Works in Copyright," *Journal of the Copyright Society of the U.S.A.*: 30. 1983. p. 227.

◆7 Edwin McDowell, "Publishing: Notes from Frankfurt," *New York Times*, 21 October 1983. p. C32.

◆8 Bently, "Copyright and Translations in the English-speaking World," p. 495.

◆9 CDPA 1988, sections 1(1)(a), 16(1)(e), 21(3)(a)(i). ; 17 US Code, sections 102(a) and (b), 103(a), 106(2) (1976).

◆10 以下の文献を参照。E. P. Skone James, John F. Mummery, Jonathan E. Rayner James, and Kevin M. Garnett, *Copinger and Skone James on Copyright*, 13th edition, London: Sweet and Maxwell. 1991. pp. 3–34. Donald S. Chisum and Michael A. Jacobs, *Understanding Intellectual Property Law*, New York and Oakland: Matthew Bender. 1992. p. 4C(1)(c).

◆11 この矛盾は他国の法制度でも見受けられる。カナダとフランスについてはそれぞれ以下の文献を参照。William J. Braithwaite, "Derivative Works in Canadian Copyright Law," *Osgoode Hall Law Journal*: 20. 1982. p. 204. Jacques Derrida, "Des Tours de Babel," in Joseph Graham ed., *Difference in Translation*, Ithaca, New York: Cornell University Press. 1985. pp. 196–199. ジャック・デリダ「バベルの塔」高橋允昭訳『他者の言語――デリダの日本講演』高橋允昭編訳、法政大学出版局、二〇一一年、四五–五〇頁。

◆12 この概念の文学史と経済・法の歴史については、それぞれ以下を参照。Meyer Howard Abrams, *The Mirror and the Lamp: Romantic Theory and the Critical Tradition*, New York and Oxford: Oxford University Press. 1953. M・H・エイブラムズ『鏡とランプ――ロマン主義理論と批評の伝統』水之江有一訳、研究社、一九七六年。Martha Woodmansee, "The Genius and the Copyright: Economic and Legal Conditions of the Emergence of the 'Author'," *Eighteenth-Century Studies*: 14. 1984. pp. 425–448. David Saunders, *Authorship and Copyright*, London and New York: Routledge. 1992. Rose, *Authors and Owners*.

◆13 Grove Press, Inc. v. Greenleaf Publishing Co. 247 F. Supp. 518; EDNY 1965.

◆14 ibid. 524–525.

◆15 詳細は以下文献の第三章を参照。Saunders, *Authorship and Copyright*.

◆16 Saunders, *Authorship and Copyright*, p. 31.

◆17 CDPA 1988, section 80(2) (a) (i).

◆18 Bently, "Copyright and Translations in the English-speaking World," p. 514.

◆19 ibid. p. 513.

◆20 Berne Convention for the Protection of Literary and Artistic Works. 2(3). クロード・マズイエ『文学的及び美術的著作物の保護に関するベルヌ条約（パリ規定、１９７１年）逐条解説』黒川徳太郎訳、著作権資料協会、一九七九年、二二頁。

◆21 ibid. article 8.

◆22 “Recommendation on the Legal Protection of Translators and Translations and the Practical Means to improve the Status of Translators,” *Records of the General Conference, 19th session, Nairobi, 26 October to 30 November 1976, v. 1: Resolutions*. Annex I, p. 40. article II. 3.

◆23 Lyman Ray Patterson, *Copyright in Historical Perspective*, Nashville: Vanderbilt University Press. 1968. chap. 4.

◆24 Edward Arber, *A Transcript of the Register of the Company of Stationers of London: 1554–1640*, vol. 3, London and Birmingham: Privately printed. 1875–94. p. 473.

◆25 Thomas M. Greene, *The Light in Troy: Imitation and Discovery in Renaissance Poetry*, New Haven: Yale University Press. 1982.

◆26 Jane C. Ginsburg, “Creation and Commercial Value: Copyright Protection of Works of Information,” *Columbia Law Review*: 90. 1990. pp. 1873–88.

◆27 Jeffreys v. Boosey. 4 HLC 815, 869; 10 Eng. Rep. 681.

◆28 ibid.

◆29 Copyright Act, 15 & 16 Vict., c.12.

◆30 Act of 8 July, ch. 230, s. 86, 16 Stat. 198.

◆31 Millar v. Taylor. 4 Burr. 2303; 98 Eng. Rep. 201; KB.

◆32 John Locke, *Two Treatises of Government*, P. Lassslet ed., Cambridge: Cambridge University Press. 1960. pp. 305–306. ジョン・ロック『完訳　統治二論』加藤節訳、岩波書店、二〇一〇年、三二六頁〔傍点は加藤訳より〕。

◆33 Susan Stewart, *Crimes of Writing: Problems in the Containment of Representation*, New York and Oxford: Oxford University Press. 1991. p. 15. アン法の社会的状況については以下を参照。 Rose, *Authors and Owners*, chap. 3. Saunders, *Authorship and Copyright*, chap. 2.

◆34 Burnett v. Chetwood. 2 Mer. 441; 35 Eng. Rep. 1008 (1720).

◆35 詳細は以下を参照。 Rose, *Authors and Owners*, pp. 49–51.

◆36 98 Eng. Rep. 203, 205.

◆37 Wyatt v. Barnard. 3 Ves. & B. 77; 35 Eng. Rep. 408; Ch.

◆38 Burnett v. Chetwood. 2 Mer. 441; 35 Eng. Rep. 1008 (1009).

◆39 ibid.

◆40 Stephen Parks ed., *The Literary Property Debate: Six Tracts, 1764–1774*, New York: Garland. 1975. p. 53.

◆41 ibid. p. 52.

◆42 Stowe v. Thomas. 23 Fed. Cas. 201 (No. 13514) (CCEDPa 1853).

◆43 ibid. 208.

◆44 US Constitution, article I, section 8, clause 8 (1790).

◆45 Stowe v. Thomas. 23 Fed. Cas. 201 (No. 13514) (CCEDPa 1853). 208.

◆46 Byrne v. Statist Co. 1 KB 622 (1914).

◆47 Copyright Act 1911. 1 & 2 Geo. 5, c. 46, 1(2)(b).

◆48 Burnett v. Chetwood. 2 Mer. 441; 35 Eng. Rep. 1008 (1009).

◆49 ibid.

◆50 Byrne v. Statist Co. 1 KB 622 (624).

◆51 ibid. 623.

◆52 ibid. 624.

◆53 Lawrence Venuti, "The Ideology of the Individual in Anglo-American Criticism: The Example of Coleridge and Eliot," *Boundary: 2* (14). 1985–86. pp. 161–193.

◆54 CDPA 1988, section 10(1)「外国著作権法令集（53）――英国編」大山幸房、今村哲也訳、著作権情報センター、二〇一六年、六頁。<https://www.cric.or.jp/db/world/england/england2.pdf> 二〇二一年七月二十三日閲覧。17 US Code, sections 101, 201 (a)「外国著作権法令集（56）――アメリカ編」山本隆司訳、著作権情報センター、二〇一八年、六頁。<https://www.cric.or.jp/db/world/america/america201809.pdf> 二〇二一年七月二十三日閲覧。

◆55 HR Rep. No. 1476, 94th Cong., 2nd Sess. 103, 120.「断続的協業」については以下を参照。Peter Jaszi, "On the Author Effect: Contemporary Copyright and Collective Creativity," in M. Woodmansee and P. Jaszi eds., *The Construction of Authorship: Textual Appropriation in Law and Literature*, Durham, N.C.: Duke University Press. 1994. pp. 40, 50–55.

◆56 17 US Code, section 107.「外国著作権法令集（56）――アメリカ編」一八頁。イギリスでは同様の概念として「フェアディーリング」が提唱されている。以下を参照。CDPA 1988, sections 29(1), 30(1) and (2).「外国著作権法令集（53）――英国編」一九一二二頁。

◆57 Campbell v. Acuff Rose Music, Inc. 114 S.Ct. 1164. 判決についての議論は以下文献を参照。Linda Greenhouse, "Ruling on Rap Song, High Court Frees Parody from Copyright Law," *New York Times*, 8 March 1994, pp. Al, A18.

◆58 Campbell v. Acuff Rose Music, Inc. 114 S.Ct. 1171.

◆59 17 US Code, section 107(1), (3), and (4).「外国著作権法令集（56）――アメリカ編」一八頁。

◆60 具体例については以下を参照。Michael Cronin, *Translating Ireland: Translation, Languages, Cultures*, Cork: Cork University Press. 1996. Sherry Simon, *Gender in Translation: Cultural Identity and the Politics of Transmission*, London and New York: Routledge. 1996.

◆61 なお、この提案は、イギリスの一八五二年著作権法にある、外国の著者の翻訳権を三年間に限定した内容を発展させたものである。一九一一年にこの制限は撤廃された。本件に関する法改正は以下を参照。Bently, "Copyright and Translations in the English-speaking World," pp. 501–505.

第四章

文化的アイデンティティの形成

The formation of cultural identities

翻訳は、しばしば疑惑の目がむけられる。程度の差はあれ、外国語テキストを同化し、国内（ドメスティック）の一定の層にむけた言語的・文化的価値観を刻みこまずにはいられないからである。翻訳の生産・流通・受容の各段階において、この刻印のプロセスはすすんでいく。それはまさに、どのテキストを訳すかという選択の段階からはじまるのだが、必然的にほかのテキストや文学は排除され、国内の興味関心の一部に応えることになるのだ。それをいやおうなく引き継ぐのが、外国語テキストを国内のどの方言や言説で書きかえるかという翻訳ストラテジーの適用であって、必然的に国内のある価値観を採用し、ほかのものを排除することになる。刻印は、翻訳がさまざまなかたちをとって、出版され、評価され、読まれ、教えられることによってさらに複雑化していき、文化や政治におよぼす影響力も、制度上のコンテキストや社会的な立場ごとにさまざまに変化する。

このような影響力のなかでももっとも重要なものが——そしてスキャンダルの発生源となる可能性をもっとも秘めているのが——文化的アイデンティティの形成である。翻訳は外国文化のイメージを生みだすうえで途方もない力を発揮する。外国語テキストの選択と翻訳ストラテジーの適用は、とりわけ外国文学の国内における正典（キャノン）の確立に力がある。正典は国内の文学観に対応したものになるため、おのずと排除されるものと認可されるもの、主流と非主流があることになり、外国での現状からは乖離したものになる。訳されるテキストは（その中で意義づけられていた）文学史から切りはなされてしまうので、外国文学は歴史性を欠いたものになりがちだ。そして外国語テキストは現在主流の国内文学にあわせるかたちで文体やテーマを書きなおされることも多く、国内でその時点よりも前にはやった文体やテーマに回帰しようとする、より歴史化された翻訳言説には大いに不利である。

翻訳パターンが確立されるようになると、外国文化のステレオタイプをがっちりと築きあげてしまい、国内的な話題にかかわりのない価値観や議論、対立を排除する。ステレオタイプをつくるさいに、翻訳は特定の民族、人種、国家のグループを持ちあげたり腐したりする。これは、文化的な差異を尊重するか、自民族中心主義や人種差別、愛国主義を奉じて相手を憎悪するかのちがいである。長い目で見れば翻訳は、外交における文化基盤を確立し、国家間の同盟や対立、覇権を調整するため、地政学的観点からも重要なのである。

だが翻訳は通常、ごく一部の文化的構成員のためになされるため、アイデンティティ形成のプロセスを駆動させてしまうのだが、これが諸刃の剣なのだ。翻訳は外国語テキストと文化の国内表象をつくりあげると同時に、国内の主体（ドメスティック・サブジェクト）、知のスタンスもつくりあげる。それは、国内の一部の社会集団のコードや正典、関心やアジェンダを吹きこまれたイデオロギー的な立場でもある。教会や、国、学校のなかで流通することで、翻訳は翻訳する側の言語における価値のヒエラルキーを維持し、修正する力をもつ。なにを訳すか、そしてどういった翻訳ストラテジーを用いるか吟味すれば、国内文化における文学正典、概念のパラダイム、研究手法、臨床技術、商習慣を変えたり、固めたりといったことも可能になる。翻訳のおよぼす力が保守的なものになるか、革新的なものになるかはなにからなにまで、翻訳者が適用する言説ストラテジーだけでなく、受容におけるさまざまなファクター（たとえば、本のページデザインやカバーアート、広告のコピー、書評者の意見など）や、文化的・社会的制度のなかで、翻訳をどう使うのか――いかに読み、教えるか――といったこと次第である。こういったファクターは翻訳が生みだすインパクトを媒介する。具体的には、国内の主体にどんなスタンスをとればいいのか誘導し、どんな読み方をすればいいのか教え、特定の文化の価値観や構成員に親しませ、制度上の限界を補強したり、乗りこえたりする。

時代がばらばらな――過去と現在――翻訳プロジェクトをいくつかチェックすることで、この考察をさらにすすめたいと思う。それぞれのプロジェクトは、翻訳におけるアイデンティティ形成のプロセスや、その多岐にわたる影響をきわめて明快に見せてくれる。目的は、翻訳がいかに文化的アイデンティティを形成し、それをある程度均質で一貫したものに維持するのかの考察だけではない。ある時代における文化的抵抗、革新、変化の余地を、翻訳がいかに生みだすのかを考えることにもある。翻訳は外国語テキストの言語的・文化的差異に対処すべく召しだされるのだが、国内文化の異種性（ヘテロジェニイティ）を促進したり、抑制したりも巧みなのだ。

翻訳のアイデンティティ形成の力は、つねに文化・政治制度を揺るがすものでもある。なぜなら、その社会的な権威の地盤がゆるんでいることを暴いてしまうからだ。権威あるテキストや制度的実践にもともと価値があるから、その表象に真実味があったり、そのエージェントが主観的に見て信用できたりするわけではなく、それを決めるのは、テキストが翻訳され、出版され、受容されるさいの偶然の事情である。翻訳に頼っている制度の権威は、スキャンダルで揺らぎやすい。通例、制度はテキスト解釈を管理し、正典とそうでないものの判定などをしているのだが、コントロールしきれない不測の事態を翻訳が生みだしてしまうからだ。[1] 翻訳は外国語テキストの可能性を引き出し、多様な読者へとひらく。制度的なものだろうとそうでなかろうと、結果もたらされるのは、思いがけない無秩序と、偶然の出会いの両方かもしれない。

外国文化の表象

一九六二年、古典学者のジョン・ジョーンズは、ギリシャ悲劇の解釈の主流に挑戦する研究を発表した。ジョーンズいわく、その主流とは、アカデミックな文芸批評で確言されているだけではなく、アリストテレスの『詩学』の翻訳と詳注版に銘記されているものでもあった。ジョーンズの意見では、「私たちが親しんできた『詩学』とは、近代古典学と、ロマン主義の双方に由来するものだ」。[2] 自己決定こそが人間の力だという個人主義のロマン主義的な捉え方に導かれるがまま、近代の学者はアリストテレスによる悲劇の概念を型にはめ、その力点をアクションからヒーローと聴衆の感情的な反応に移してしまったのだ。ジョーンズが感じていたのは、この個人主義的な読解は、「アリストテレスの用語の重心が状況にあるのであって、人物にはない」いこと――すなわち古代ギリシャ文化では、人間の主観は社会的に決定されると考えられており、それは「行動として描写され」、「類型」と「立場」に応じた「真実によって（はっきりとした区別のもと）認識された」という事実をあいまいにするものだった。[3] ジョーンズの研究は、その不慣れな「専門用語」と「言葉づかいのあいまいさ」を批判されはしたが、刊行時には好意的に評され、二十年の間は古典学において莫大な権威を博した。[4] 一九七七年までには、アリストテレスの『詩学』とギリシャ悲劇の性格描写の問題において「新たな定説」が確立されていた。長らく主流となっていた主人公中心のアプローチは克服され、主導的立場の学者たちは内容に賛同し、さらに押しすすめる著作を発表していった。[5]

ジョーンズの研究はアリストテレスの論述の定訳を批判したこともあって、学説をうまく修正できたのだった。ジョーンズは、アカデミックな訳者が、語彙をいろいろとあてがうことで個人主義的な解釈をギリシャ語テキストに押しつけていると目ざとく指摘したのだ。ジョーンズは、イングラム・バイウォーターの一九〇九年の英訳から、アリストテレスがhamartia――悲劇の登場人物による判断の誤り――について議論している一節を引用する。ジョーンズは英訳を検分し、「相違点」やギリシャ語からのずれをつきとめ、翻訳者のイデオロギーであるロマン主義的個人主義のはたらきを明らかにする。

> バイウォーターの英訳とギリシャ語原文とのあいだには三つの「相違点」がある。ギリシャ語で「善き男たち」が「善き男」にされている。ギリシャ語で「悪い男たち」が「悪い男」にされている。ギリシャ語で「運命の変転」とされているところが、「主人公の運命の変転」とされている。第一と第二の変更は、一見したほど些細なことではない。なぜなら、二点の変更は合わせて、アリストテレスが念頭に置いていたのが一貫して一人の、中心的な人物のように思わせるが、実際には話の対象が複数から単数にずらされてしまっているのである。この二つの変更が、三つ目の変更点を導いてしまう。第三のものは、その意味するところの大きさからして、ゆゆしきものである。[……]

運命の変転が「中庸の人間」のhamartiaによってもたらされるべきというアリストテレスの要求があるからといって、その人間を悲劇の主人公だと称していいわけではない。その人物を主人公と呼ぶためには、架空の劇の中心に据えるしかないのだが——だから、アリストテレスが実際そうしていると断言し、その論述に主人公を押しつける論者が後をたたないのだ。[6]

ジョーンズは慎重にも、バイウォーター訳の相違点をミスではないとしておいた。だが、「アリストテレスの明々白々な意図を、さらに平易にする」訳を計算ずくで選んだ、と主張した。[7] しかし意味を平易にするとは、ギリシャ語テキストを現代的なコンセプトに同化させるアナクロニズムである。そのコンセプトこそ、「秘密の、内奥の、意義深い——意識の唯一なる焦点から発せられるものとして、行為を解釈するという、いまやすっかり定着した習慣」なのである。[8] 同じロマン主義の刻印は、ギリシャ語の単語mellein の学術的な解釈にも見ることができる。ジョーンズはこの動詞には、「なにかをするところだ」、「なにかをしかけている」、「なにかをするつもりだ」のようないくつかの意味があると指摘する。バイウォーターとジェラルド・エルス（一九五七）がしたのは、アリストテレスによる悲劇の行為論に、意志と内省を忍ばせることで、心理的な説明をあたえることだった（「殺すつもり」「裏切るつもり」「致命的な怪我を思い浮かべて」）。[9]

ジョーンズのケースがしめすのは、「正確に訳すこと」という厳密な基準があるにもかかわらず、学術翻訳ですら外国の（フォーリン）文化やテキストの明らかに内むきの（ドメスティック）表象をつくりあげてしまうということだ。こうして生みだされた表象は、程度の差こそあれ学術機関や制度の権威をまとわされて、アカデミックなデイシプリンにおいて主流である概念パラダイムを再生産したり、修正したりもする。翻訳はディシプリンの変革を引きおこしうる。なぜなら、翻訳がつくりだす表象はけっして一枚岩なんかではなく、互いに矛盾することもしばしばな、国内（ドメスティック）と外国（フォーリン）、過去と現在の、ふぞろいな文化的素材のよせあつめなのだ。ゆえに、ジョーンズはバイウォーターの翻訳の「相違点」（と彼が呼ぶもの）を暴けたのだ。それは、ギリシャ語テキストに開いた裂け目であって、近代的な個人主義的イデオロギーが干渉した証拠だった。

だが、主流に対抗する表象があらわれることによって、ディシプリンも変わる。アリストテレスの『詩学』とギリシャ悲劇の、見過ごされ歪められてきた面に、ジョーンズが光をあてたことはまちがいない。だがジョーンズ自身翻訳することでつくりあげた内むき（ドメスティック）の表象は、（当時の主流の学説より説得力はあったにせよ）やはりいくぶんはアナクロニスティックなものだった。評者たちが言うように、意思決定をおこなう主体というジョーンズのコンセプトのおおもとには「実存主義者的な思考法」があり、そのおかげでジョーンズは古典学の個人主義に疑問を投げかけつつも、学際的（インターディシプリン）な読み（心理学的ではなく、「社会学的」かつ「人類学的」な）を深めることができたのだ。◆10 いくつかの点で、定説に対するジョーンズの批判は、ニーチェのような、実存主義の出現に影響をおよぼした哲学者の思考法にそっくりなのだ。ニーチェの『道徳の系譜学』では、自律した主体という概念は、「「行為者」とは行為の背後に想像でつけ足したものにすぎない」として、「言葉の誘惑」のせいにされた。◆11 それと同じように、ジョーンズが指摘したのは、主人公中心のギリシャ悲劇へのアプローチにひそむ文法構造だった。

行為する状態とは、つねに形容詞的にならざるをえない。他方、行為は修飾語をとる。それは、行為を引きおこす個人について、私たちが知りたいことを教えてくれるのだ。［……］行為する者の「うち」のあり方を。[12]

ジョーンズの研究は古典学に新たな定説を確立した。実証的なテキスト読解と批判的な議論という点で学術規範にかなうものであり、また第二次世界大戦後の実存主義の興隆を反映したものでもあったからだ。権威ある英訳に対するジョーンズの批判は、自身の手による英訳とともに、ディシプリンの垣根を越えて、国内と外国の文化的価値観を輸入することで、ディシプリンに変革をもたらした。とりわけ、ハイデガーやサルトルのような独仏の哲学者が構想し、翻訳によって流通するようになった意思決定する主体という概念がはたした役割は大きかったのである。

このように、学術翻訳が外国の文化やテキストの内むきの表象をつくりだす場合には、翻訳を囲いこんでいる制度自体を変えてしまうこともある。なぜなら、ディシプリンの境界には透過性があるからだ。厳密な条件や手つづき、テーマや方法論ごとのヒエラルキー分けで定義されていても、アカデミックなディシプリンがさしたる困難もなしにそういったものを再生産できるわけではない。アカデミアの内外からの、他分野・他ディシプリンによるコンセプトの侵入を受けやすいからだ。境界があってなしのごとくのため、文化的価値観のあいだのやりとりもさまざまなかたちをとる。ジョーンズの場合のようにディシプリンのあいだを流通することもあれば、出版産業が刊行する翻訳の質・量に学術が影響をあたえることで、ある制度から別の制度へと文化が変わることもある。ここでは、ある文化の構成員が、国内文化のほかの構成員にむけて外国文学の表象をコントロールしてしまう。国内のある価値観を特権化することで他を排除し、外国文学の正典を確立するのだ。その正典は特定の国内の関心にかなうものであるがため、必然的になにかを欠いたものにならざるをえない。

この点、日本近代文学の英訳を例にとってみよう。日本文学者エドワード・ファウラーによる論文（一九九二）が論じているように、グローヴプレス、アルフレッド・クノッフ、ニューディレクションズといったアメリカの出版社は、一九五〇年代から六〇年代にかけて、日本の長編小説や短編小説集の英訳を数多く刊行した。その文学的価値のみならず、商業的価値に関心をしめしたがゆえである。とはいえその選択肢は非常にかぎられたもので、比較的少数の作家にしぼられていた。谷崎潤一郎、川端康成、三島由紀夫といったところが主だった顔ぶれだ。一九八〇年代末の時点で、詩人、翻訳家のある書評者は、こんな感想を述べている。

［川端の小説］『雪国』こそが、おそらくは平均的な西洋の読者が典型的な「日本」として思い浮かべる姿である。つまり捉えがたく、謎につつまれ、茫漠としている。◆13

別の、より自省的な書評者も同じ文化的なイメージを提出しているのだが、その人物は日本のコミカルな小説（コミック・ノベル）の英訳に出会って、胸に手を当ててこう問うている。

デリカシー、寡黙さ、捉えがたさ、胸をしめつける憂鬱（日本人特有と決めこんでいた特性だ）とは、思ったほど［日本の］小説の特徴ではないのではないか？◆14

ファウラーいわく、アメリカの出版社が確立した日本文学の英訳の正典は、日本文学を代表するようなものでないどころか、はっきりとしたステレオタイプにもとづくものであり、このステレオタイプこそ、ざっと四十年のあいだ読者の期待を方向づけてきたものだ。そのうえ、この正典が生みだした文化のステレオタイプは英語を越えて広がりをもった。日本文学が英訳されると、間を置かず英訳からほかのヨーロッパ言語にも訳されるのが慣例だったからだ。事実上、「日本の小説にかんしては、英語圏の読者の好みが、西洋全体の好みを多かれ少なかれ決めてきた」[15]。

正典が形成されるうえで興味深い点はいくつもあるが、その中に、上述の英語圏の読者の好みとは、ごく一部の読者層の好みだという事実がある。主として、商業出版社と協同する日本文学を大学で教える専門家たちの好みなのだ。谷崎、川端、三島の英訳は、ハワード・ヒベット、ドナルド・キーン、アイヴァン・モリス、エドワード・サイデンステッカーといった大学教授たちが、日本語テキストを英語で出版する編集者に助言をあたえて刊行したものだ[16]。指摘されているのは、その訳文は均一であって、「お上品な文学趣味と、それに見合ったお上品な文才をもった現代のアメリカの大学教授が言ったり書いたりしなさそうな」言葉は避けられているということだ[17]。こうしたアカデミックな翻訳者とその編集者の関心はさまざまだが（文学、民俗、経済）、いずれも第二次世界大戦のころ日本と出会ったことが、その形成に決定的な役割をはたした。そして彼らが確立した正典は、失われた過去というノスタルジックなイメージを生みだしたのだ。翻訳された小説の多くは日本の伝統文化に触れており、なかには戦争や西洋化のせいで社会が混乱していることを嘆く小説もあった。日本は「差し迫った脅威である好戦的な強国という、戦前のイメージとは正反対の、エキゾティックで、美化された、真の意味での「異国(フォーリン)」として描かれた。[18]

正典にあらわされたノスタルジアは明確にアメリカ的なもので、日本の読者にはかならずしも共有されてはいなかった。たとえばキーンは、英語圏では批評家としても翻訳家としても相当な権威であって、谷崎の日本での微温的な受容のされ方に、文学・政治の両方で異を唱えている。「彼［谷崎］は、全くのつまらない文章は、一行たりとも書くことができなかったように思われる」とキーンは感じ、一九四〇年代初期、戦時中に政府によって発禁処分をうけた長編『細雪』を特に絶賛する。

戦争にかき乱される前の日本をゆったりと書いている文章の調子が、時局下にふさわしい勇ましい、戦意を鼓舞するような文学を奨励していた検閲官にはたまらなかったのだろう。[19]

ゆえに、正典が投影するノスタルジックなイメージは、さらに大きな、地政学的な広がりをもっていた。この［翻訳に選ばれた小説の］美化された国は、当時日本が、太平洋戦争の宿敵から冷戦時代の一心同体の盟邦にほとんど一夜にして変貌した時期にあって、まさに正しいイメージをあたえてくれるものだった。[20]

日本小説の英訳版による正典は、アメリカの対日外交政策（そこにはソヴィエト連邦の東方拡大主義も織りこまれていた）を文化面から内むき（ドメスティック）にサポートする役割をはたした。

この事例が示すのは、翻訳プロジェクトが特定の文化的構成員（ここでは大学の専門家と文芸出版社のエリートたち）の関心を反映したものだとしても、結果として生まれる外国文化のイメージは国内ではなお主流の座を占め、国内文化で社会的地位を問わず多数の読者にむかえられることもあるという事実だ。学術界と出版産業の提携は幅広いコンセンサスをえるうえで非常に効果がある。両者とも国内文化において、非正典のテキストをわきに追いやるに十分な力をもつ文化的な権威だからである。戦後のアカデミックな正典に合わない日本の小説は――たとえば滑稽だったり、より同時代の、西洋化された日本を描いていたり――英訳されないか、されたとしても英語文学の周辺に追いやられ、小さな、専門的な出版社（講談社インターナショナル、チャールズ・イー・タトル出版）から出版され、配本も限られたものだった。[21]

さらに、一九七〇年代、八〇年代つうじて正典はたいして変わっていない。英訳の量は全般に減少し、英語で読める日本小説の幅を広げようという努力ははらわれなくなっていった。英訳される言語のヒエラルキーで、日本語はフランス語、ドイツ語、ロシア語、スペイン語、イタリア語についで第六位につけている。[22] おそらく、さらに特筆すべきことは、日米の文化交流を促進するプログラム制度を長らく支配していたのは「大学教授や企業の重役（後者は出版社や書籍販売業がほとんどを占める）の専門家集団」であり、「その原体験は第二次世界大戦によって形成されていた」ということである。[23] 結果として、英訳を打診される日本語テキストは、確立された正典の基準をただ補強するようなものでしかなく、戦時中が話の中心になるものや、「「ハイカルチャー」と日本の知的・社会的エリートの経験にたいする関心」

を反映したものも見受けられる。[24]

上記の例からも、翻訳プロジェクトは外国文化の国内表象に変化をもたらしうるということがわかる。影響力が非常に強い文化的構成員の正典を改訂する場合だけではなく、別の社会状況におかれたほかの構成員が翻訳を生みだしたり、それに反応したりする場合にもそうなるのだ。一九八〇年代の終わりには、日本文学のアカデミックな正典は、若い世代の英語圏の作家や読者の疑義にさらされるようになる。太平洋戦争後に生まれ、アメリカのグローバルな覇権のもとに育った彼らは、「鬱屈とした倦怠感につつまれている日本小説があまりに多い」ことに疑いの目をむけ、ほかの形式やテーマの作品にも、以前の世代よりも寛容だった。なかには西洋化という日本文化に掘られた深い堀を衆目にさらすコミカルな語りの作品もふくまれていた。[25]

アンソロジーは正典の改革に一役買うことがあるようだ。ルフェーヴルが論じているように、外国文学の翻訳で「ある程度初期の正典が確立されると」、「新たなアンソロジーはその出来立ての正典を受けとめたうえで、くつがえそうとするか、拡大しようとする」[26]。たとえば一九九一年に、一九五七年生まれのアメリカ人ジャーナリストで、子どものころから日本に住んでいたアルフレッド・バーンバウムが『モンキー・ブレイン・スシ』というアンソロジーを編んだことがある。センセーショナルなタイトルがしめしているように、バーンバウムはアカデミックな正典に挑戦し、最新の日本小説を英語圏のより広い読者層に届けようとした。バーンバウムの序文は谷崎、川端、三島のような「古い食生活の主食」を意図的に避け、「アメリカナイズされた戦後日本に生まれ育った」作家と「ほとんどの人々が実際に読んでいる」本をひいきしたことがはっきりと書かれている。[27] アカデミックな正典を確立した過去のアンソロジー（たとえばキーンのグローヴプレスの選集［一九五六］[28]）とは異なり、バーンバウムのアンソロジーは東京に本社をおく出版社である講談社の小さなアメリカ支社から刊行され、編集者も、その三名の協力者も学術機関に所属していなかったのだ。初期の兆候として、『モンキー・ブレイン・スシ』やヘレン・ミツィオスの『新しい日本の声』のようなアンソロジーが一般むけに日本小説の正典を着実に変革したことがあった。こうした本はペーパーバック版も発売されただけでなく、きっかけとなって若い日本作家の英訳が出版され、批評を集め、商業的にも成功をおさめた。

おそらく、この変化をもっともよくあらわしているのが、ミツィオスのアンソロジーに抜粋が掲載された吉本ばななの『キッチン』（一九九三）だろう。吉本はアカデミックな正典を生みだす重要な出版社のひとつ、グローヴプレスから刊行されたが、大学人の専門家のアドバイスを受けたわけではなかった。編集者はイタリア語訳をつうじて本作を知った。英語をつうじて日本小説がヨーロッパ文化に拡散していた時代からの変化だ[29]。『キッチン』には二作が収録されており、一編が中編小説、もう一編が短編小説である。描かれる日本人の登場人物は、若く、極端なまでに西洋化されており、こうした特徴が魅力的なものとして、書評ではくり返しとりあげられている。興味深いのは、表題作を、アカデミックな正典が強調する日本小説の特徴に引きつけて論じる書評者も数名いたことだ。『ニューヨーク・タイムズ』で書評家のミチコ・カクタニはこう書いている。

ミズ・ヨシモトの小説は、気まぐれな風俗喜劇ではなく、喪失と悲しみと家族愛をめぐる奇妙にリリカルな物語なのだと知れる[30]。

『キッチン』の誕生と受容をめぐるさまざまな要因についての論文で、研究者のジェイミー・ハーカーはその成功の原因を日本小説を読む「ミドルブラウ」読者を創出したことにもとめている。この読者層は、一昔前に翻訳するテキストを選定していた大学人の専門家とはまったく異なっていた（とはいえ、エリートが数十年にわたって牛耳っていた根強い影響になお逆行するものであっただろう）。ハーカーの意見では、『キッチン』英訳の魅力とは次のようなものだ。

> この作家は、「難解でおもしろくない」という日本文学のイメージを、朗らかで、ほんのりエロティックで、哲学的だがわかりやすい題材で爆破した。アメリカのポップカルチャーをさりげなく引用することで、英語圏の読者に親近感をあたえた。親しみやすいが、なお「東洋的（オリエンタル）」な訳文。巧みなパッケージングとマーケティング。英訳『キッチン』の成功は、究極的には「日本らしさ」という文化的紋切り型をうまく使いつつも、くずしたことにあるのだ。◆31

英訳日本小説のニューウェーブのおかげで、正典変革のムーブメントがつづくようになれば、それもまた日本文化のステレオタイプとして固まってしまうのかもしれない――特に、英訳される言語ランキングにおける日本語の順位が低いままで、英語でいろいろ日本文学を読めなければそうなるだろう。もちろんこのステレオタイプは、エキゾティック化も美化もされていないという点で先行するものとはちがうだろう。地政学的な意味合いも、第二次世界大戦中に形成されたものとはまったく異なるものになりそうだ。新しい小説が、高度にアメリカナイズされた日本文化の（若くて、エネルギーに満ちあふれた）イメージを投影しているのは、グローバル経済における日本の挑戦を恐れるアメリカの心理に暗に応えているとも言える。つまり、見慣れたものがあるのでほっとするし、少なからず自己満足させてくれるからだ。言いかえれば、アメリカ文化が日本の若い戦後世代を席巻したおかげで、経済成長が成しとげられたと受けとめることが可能になるのだ。ゆえに、正典を改訂したアンソロジーの序文で、バーンバウムはアメリカ人読者にこう告げるのだ――「貿易黒字にもかかわらず、日本人は西洋語からの輸入に熱心だった」[32]。実際、吉本の中編小説のタイトルは日本語化した英語であり、Kitchinと音訳されている[33]。新しい小説によって生まれた同時代日本文化のイメージもまた、失われた過去の痕跡を引きずっているかもしれない。とはいえ、その過去は日本的なものではなく、アメリカ的なものだ。一九四〇年代中盤から一九六〇年代後半にかけた、アメリカの覇権が国内でも国外でも真の意味で脅かされてはいなかった時代への憧憬なのだ。

国内の主体の創造

前述のケースでは、翻訳プロジェクトが外国文化の国内独自の表象を生みだすだけでなく、そういったプロジェクトが特定の文化的構成員を対象としているため、同時に国内のアイデンティティの形成にも関与することになる。ジョーンズによる、実存主義に触発されたアリストテレスの英訳が、主流の学説にとってかわると、制度に組みこまれて権威を獲得し、古典学者という職業の資質を問うほどのものにまでなった。アリストテレスとギリシャ悲劇の専門家はジョーンズの研究に精通していることを、教育でも、論文でも実演してみせる必要があった。そのためジョーンズの名前は、悲劇というジャンルや、ある悲劇作者についてのもののような、入門的な概説でもあげられている。[34] ジョーンズはホメロスの詩のようなほかの古典文学の研究にも影響をあたえている。[35] 同様に、英訳における戦後日本小説の正典は、エリート的な外国文学に投資した出版社とそれに関心をもった読者の双方の好みを形づくった。谷崎・川端・三島の文学に通じていることが、アカデミックな権威を背景にして、鑑識眼と博識を兼ね備えた文学趣味の証となったのである。

もちろん、こうした翻訳プロジェクトを実行した文化的エージェントは、専門家としての資質の確立や、文学趣味の創造のような国内の影響を計画するどころか、予期したわけですらなかったろう。彼らは研究者であり、翻訳家であり、出版人であって、その直接の関心は特にそれぞれのディシプリンや活動にかなうかどうかにあった。つまりは学術知識や、美的価値、商業的成功である。翻訳の歴史をふりかえれば、外国語テキストをとりこむことでまさに国内の文化的アイデンティティを形成しようとしたプロジェクトもあった。そういったケースでは、翻訳は新しい文芸運動を後押しすることをねらった、純粋に文学的なものになる傾向があった。文学におけるある種の言説と結ぶことで、作家の主体をつくりあげるのだ。

たとえば詩人のエズラ・パウンドは翻訳のことを、モダニストの詩的価値観（たとえば言語的な正確さのような）を涵養する手段としてとらえていた。一九一八年に、パウンドは「詩の新たな流行」の「簡単な総括および回顧」を発表した。そこでパウンドはモダニスト詩人を目ざす人むけに自己形成のレシピを提示した[36]。パウンドは言う。

翻訳も同様にいい訓練になる。もしあなたが書き換えようとすると、原作の内容が「よろめく」ことに気づくならば。翻訳される詩の意味は「よろめく」ことはできない[37]。

パウンドのようなモダニストは、その詩的言語の糧になるような外国語を翻訳した。パウンドはこうも言っている。

〔アルノー・〕ダニエルやカヴァルカンティの芸術には、ヴィクトリア時代のものにはない精密さがある[38]。

パウンドはモダニスト詩人＝翻訳家として自己形成するうえで、自分が評価した詩を英訳したりもしたのだが、その際ヴィクトリア朝の訳者と腕を競った。模倣しつつも、訳語の選択を変えることでのりこえようとしたのだ。グイード・カヴァルカンティの詩の英訳への序文で、パウンドは次のように認めている。

これらの翻訳と、トスカーナの詩の知識に関しては、ロセッティが私の父であり母であるが、すべてを一度に見ることのできる人間はいない[39]。

パウンドのケースがしめすのは、翻訳が作家のアイデンティティの構築の役に立つだけでなく、その構築は言説上のものであると同時に心理的なものでもあるということだ。そのため執筆活動の中で、精神分析的な意味づけもなされる。パウンドの翻訳が演出するのは、ある種オイディプス的なライバル関係だ。そこでパウンドはダンテ・ゲイブリエル・ロセッティがかつて英訳した詩を再訳することで、このヴィクトリア朝詩人の正典としての地位と、カヴァルカンティの理想化された女性像に挑戦したのだ。[40]その過程で、パウンドは自分をモダニストであると同時に男性だと定義した。パウンドは自分の翻訳はロセッティからは「逃げてしまった」もの――とりわけ「〔イタリア語の〕ロブステッツァ、つまりは男らしさ」――を補うように感じていた。[41]つまり、異国の詩に表現された女性像をつかまえる腕前は、詩の父よりも自分のほうが上だとしたのだ。

翻訳は国内の文学的な言説の創造に寄与しうるという性質もあって、野心的な文化プロジェクト――特に国内の言語と文学の発展――に駆りだされた。そしてそのようなプロジェクトはつねに、特定の社会集団、階級や民族に合わせた文化的アイデンティティの形成をもたらしてきた。十八世紀・十九世紀のドイツでは、翻訳はドイツ語文学を発展させるための手段として理論化され、実践されていた。一八一三年、哲学者のフリードリヒ・シュライアーマハーが聴衆のドイツ人学者相手に指摘したのは、「言語のうちにある美しいもの、力強いもの、これらのある部分は翻訳をつうじてはじめて展開され〔……〕引き出されるのだ」ということだった。[42]シュライアーマハーは翻訳をブルジョワの文化的エリート――主として古典テキストに根ざした高度に洗練されたドイツ文学を愛好する専門家層――のために役立てた。だがシュライアーマハーやゲーテやシュレーゲル兄弟のようなその同時代人たちは、自分たちマイノリティの価値観がドイツの国民文化を決定すると考え、さまざまな大衆的なジャンルやテキストを排除した。排除されたのは主として感傷的リアリズム、ゴシック物語、騎士道ロマンス、教訓的伝記といった、ドイツ語読者の大部分が好んでいたものだった。[43]

一八二七年、ゲーテは「命脈の尽きた国民文学は異なるものによって再生される」と述べた。さらに、国内の主体が翻訳によって形成される反射のようなメカニズムを説明しさえする。

どのような文学も、異なるものの参加を通じて再生されぬかぎり、ついには自分自身に退屈(アンニュイ)を感じてしまう。反映や反射の起こす奇跡を目の当たりにして喜びを感ずることのない学者がいるだろうか。人はみな精神の領域においてそうした反映が意味するところを無意識にであれ体験してきたのであって、ひとたび注意を向けるや、その反映にどれほどの自己形成(ビルドゥング)を負ってきたかただちに理解されるだろう。[44]

翻訳は「反映」や自己認識のプロセスを可能にすることによって、国内の主体を形成する。読者が、己の姿を翻訳のなかに見つけたとき、はじめて外国語テキストは判読可能なものになる。自己像の発見は、まさに目の前にある外国語テキストを訳出する動機になり、言説ストラテジーをつうじて訳文の中に刻印されている、国内の価値観を認めることによってなされるのである。自己認識とは、国内の文化規範やリソースを認識することであり、それこそが自己を構成し、国内の主体として定義しているものなのだ。このプロセスは基本的にナルシスティックなものだ。読者は翻訳が映しだす理念に自分を重ねる。通例その理念とは、国内文化で権威の座にあり、ほかの文化的構成員のものよりも優位にある価値観である。しかし、その価値観が（上昇傾向にあるとはいえ）マージナルと言っていいもので、主流の座を脅かすべく動員される場合もある。ゲーテの時代には、ナポレオン戦争によってフランスの支配がプロイセンにまでおよぶ恐れがあった。そのため、さしせまった理念とは明確なドイツ文学文化という愛国的なコンセプトであり、外国語テキストの正典の翻訳によって裏書きされるべきものだったが、まだ実現にはいたっていなかった。アントワーヌ・ベルマンはゲーテの思考を次のように書きとめている。

> 外国文学とはこのように、国民文学それぞれの内部に発生するさまざまな対立の調停役となり、また自分独りだけでは抱きようのない自己イメージを各国民文学に提供するものである。◆[45]

だが、こう付け加えてもいいかもしれない——それにもかかわらず、「各国民文学」は欲望するのである。ゆえに、読者の自己認識は誤認でもある。国内むけの刻印が外国語テキストだと、主流である国内の価値観が読者自身の価値観だと、一部の人間の価値観が国内文化のすべての人間の価値観だとまちがってとられてしまうのだ。先の引用でゲーテは「学者」という語を出しているが、これが思いおこさせるのは、翻訳をもとめたこの愛国的なアジェンダによってつくられる主体も、特定の社会集団に帰属しなくてはならないということだ。ここではそれは、国民文学の調停役を買ってでるほど文化的な権威をもったマイノリティだったというわけだ。

ゆえに翻訳は、読者を国内における知のスタンスに位置づけるのだが、それもまたイデオロギー的なものであって、一部の社会集団の利益をほかよりも優先する価値観・信念・表象のあつまりである。翻訳が教会・国家・学校といった制度に囲われているケースでは、翻訳が引きおこすこのアイデンティティ形成のプロセスは、なにが真実で、善いことで、可能なのかという感覚を用意することで、社会的再生産に潜在的に影響をあたえる。◆[46] 制度内でなんらかの役割や機能をはたすイデオロギー的な資格を国内の主体に授けることで、翻訳は既存の社会関係の維持に手を貸すかもしれない。技術翻訳――たとえば、法律文書や科学の教科書のような――を読めば、一定水準の専門知識を獲得し、維持することができる。だが翻訳はそのような資格を改訂し、それによって制度上の役割や機能を修正することで、社会変革を引きおこすこともある。

初期キリスト教会における、聖書翻訳をめぐる論争を見てみよう。七十人訳（セプテュアギュンタ）は、紀元前三世紀にヘレニズム的ユダヤ教徒によって訳された旧約聖書のギリシャ語訳であり、およそ六世紀をへたあとですら盤石の権威を誇っていた。七十人訳はあらゆる神学・解釈学の議論の拠り所であり、ヘブライ語テキストのかわりに、ローマ帝国後期にキリスト教信徒のあいだで広く用いられたラテン語訳のもとになった。ヒッポの司教アウグスティヌスは、旧約聖書をヘブライ語からじかに訳すというヒエロニュムスの翻訳プロジェクトが、教会の一枚岩のイデオロギーと組織の基盤を揺るがすのではないかという恐れをいだいた。四〇三年、ヒエロニュムスにあてた手紙で、アウグストゥスはこう説明した。

あなたの翻訳が多くの教会によって頻繁に読まれるようになりはじめると、ラテン教会とギリシア教会とが不調和に陥るから、とても面倒なことが起こるでしょう。[47]

次いでアウグスティヌスは、初期キリスト教のアイデンティティが七十人訳とそれをもとにしたラテン語訳に深く根ざしていることをしめすある事件を説明した。つまりヘブライ語から訳出したヒエロニュムス訳をとりいれれば、キリスト教のアイデンティティは危機に陥り、最終的には信徒が離反して教会組織が混乱してしまう。

というのはわたしたちのある兄弟司教が、自分の管理する教会であなたの翻訳が朗読されるように決めたとき、預言者ヨハネの一節についてのあなたの翻訳が大きな混乱を引き起こしましたから。なぜなら、その翻訳はすべての人の感受性と記憶に根づいており、長い年月の間継続的に繰り返されてきたものとは異なっていたからです。とても大きな混乱が民衆の間に起こりました。とりわけギリシア人たちが告発し、虚偽の讒訴を叫びだして、（オエアの町で確かに起こったのですが）司教がユダヤ人たちの証言をもとめるようにしつこく強いられました。しかし彼らは無知のゆえにか、それとも悪意のゆえにか、ギリシア語とラテン語のテキストが所有し、かつ語っていたものは、ヘブル語の写本にもあると答えました。その結果はどうなのでしょう。大きな危険の後で民衆なしに残りたくなかったので、不正確であったかのようにその人はそれを是正するように強いられました。ですから同様に、あなたも幾つかの点でかつて誤り得たのであると、とわたしたちには思われるのです。[48]

オエア町でつかわれていた七十人訳をもとにしたラテン語訳は、自分こそが正統派だというキリスト教徒の認識を維持する役目をはたし、そのアイデンティティを形成していた。教会の信徒は、自分がキリスト教徒だという認識の基礎に、教会という制度に認可された翻訳をおいていたが、それは「感受性と記憶に根づいた」ものだった。ヘブライ語からのヒエロニュムスの訳が引きおこした騒動からわかるのは、制度が存続するためには、アイデンティティ形成のプロセスもそれなりに安定したものでなくてはならないということだ。そしてそのプロセスを引きおこすのは、たんに特定の翻訳ではなく、そのくり返しの使用――「長い年月の間継続的にくり返されてきたもの」――なのだ。他方、制度の方でも正確な翻訳の基準をかかげることで、アイデンティティ形成のプロセスの安定を保証するということもよくわかる。信徒――特にギリシャ人――は、その訳文が権威あるギリシャ語訳である七十人訳と一貫しているという理由で、旧約聖書のラテン語訳を「正しい」ものと裁定したのだ。

　だが翻訳のような文化的活動は、社会変革をうながすこともある。一分の隙もない主体や制度なんて存在しないし、国内文化で流通する多様なイデオロギーに触れずにいるのも不可能だからだ。アイデンティティとは取り返しのつかないほど固定されたものでなく、むしろ関係性で決まるものである。それは無数の営為や制度の結節点なのだ。たがいにまったく異種的（ヘテロジエニイティ）なものが結びつくことで変化の可能性が生まれる。[49] ヒエロニュムスがヘブライ語テキストに戻るよう主張したのは、その文化的アイデンティティがキリスト教徒であると同時にラテン的であり、高度に洗練された文学趣味をもっていたからである。ローマで教育を受けたヒエロニュムスは、「外国語への感性を重く見る文化の一員であり」、ゆえにヘブライ語聖書のように「自分自身のものではない言語で書かれた作品の美点を鑑賞する能力があった」[50]。ラテン文芸文化の多言語性がキリスト教信仰と結びつき、ヒエロニュムスはヘブライ語を研究することになり、権威あるギリシャ語訳・ギリシャ語版に誤りがあるという発見に導かれた。ヒエロニュムスがアウグスティヌスに説明したように、そのラテン語訳には、「七十人訳がヘブライ語テキストの内容を補足した」箇所か「テオドティオンの版からオリゲネスが加えたもの」をしめす記号がふくまれていた[51]。ヒエロニュムスは素性からして複雑な文化で育ったため、七十人訳に疑問をいだくようになった。七十人訳の権威は、それを通じて神と交信できるという信仰と、使徒たちがその使用を認めていたこともあって、教父たちのあいだでは安泰だった。しかしテキストの一貫性と教義の信憑性に関心をもっていたヒエロニュムスにとっては、七十人訳は不十分だった。異教徒のパトロンの価値観が反映した削除や補足の瑕疵があるだけでなく、後続の版になるにつれ異文が積み重なって損なわれていたのだ[52]。

ヒエロニュムスの訳は最終的には七十人訳にとってかわり、中世およびそれ以降も標準的なラテン語訳聖書となり、「信仰のみならず西欧の言語と文学に計り知れないほどの影響」をあたえたとされる[53]。この成功は、ヒエロニュムスの言説ストラテジーと、その序文や書簡によるところが大きい。そこでヒエロニュムスは自分の訳を擁護したのだ。その翻訳言説は、ヒエロニュムスの文化的多様性をあかすものだ。一方でヒエロニュムスは、単純な並列文を複雑に引きのばした完全文になおし、定型的にくり返される単語や句をエレガントに言いかえることで、ヘブライ語テキストの特質をラテン語化してしまった[54]。他方で、「もとのヘブライ語よりも、メシアや、ほかのキリスト教的な含意をはるかにはっきりとさせることで、数多くの箇所」を書きかえてしまい、ユダヤ的なテーマをキリスト教化した[55]。このような言説ストラテジーを採用することで、ヒエロニュムスの翻訳は、自分のようにラテン語文芸文化で教育をうけたキリスト教徒にアピールしたのだ。

ヒエロニュムスはそのうえで、アウグスティヌスのような、ヘブライ語テキストに戻ることで教会の基盤がゆらぐことを恐れるキリスト教関係者の異議を予期して、自分の翻訳を擁護したのだ。七十人訳に対してはきわめて辛辣だったものの、ヒエロニュムスは殊勝にも、自分のラテン語訳を代替品ではなく、補助的なものとした。それはあくまでも、ほかのラテン語訳と同じく、権威あるギリシャ語訳を解釈するよすがであって、そして「本当の聖書を知らないくせに、というユダヤ人の揶揄や非難からキリスト教徒を守る」ためのものであった。[56] こうしてヒエロニュムスの訳は、教会組織を支えるものとして提示された。具体的には、神学的・解釈学的議論や、キリスト教徒の文化的権威に疑念を投げかける敵対する宗教団体（シナゴーグ）との論争の助けとなるものだったのだ。

初期キリスト教の論争をひもとけば、翻訳が社会制度の機能を変える力をもつことは明らかだ。なぜなら訳すとは定義からして、外国語テキストを同化することだからだ。つまり、翻訳作品が依拠せざるをえない文化的規範とリソースは、そのテキストが元々の文化で流通していた環境とは根本的に異なる。[57] ゆえに、アウグスティヌスの手紙が報告していたように、正確さの基準（特に七十人訳に忠実かどうか）がキリスト教会内部で定められ、適用されていたのにもかかわらず、オエア町の司教は、ヒエロニュムス訳がヘブライ語テキストを正しく訳しているかを評価するために、ユダヤ人に情報提供を頼らざるをえなかったのである。さらに、ヒエロニュムスが七十人訳から逸脱したのは前例を踏襲したものであった。ユダヤ人によって、旧約聖書のより忠実なギリシャ語訳がつくられ、シナゴーグでつかわれていたのだ。[58] 翻訳者の使命とは、外国語テキストを国内のことばでわかるようにすることである。そのため翻訳を用いる制度や組織は、異質な、ときに相容れないことすらある文化の情報の混入をもゆるしてしまう。こうした情報のせいで、権威あるテキストにケチがついたり、どの訳文が正確かを決める一般的な基準が修正を迫られることもあるだろう。おそらく、翻訳が形成する国内のアイデンティティが異質(フォーリン)なものの紛糾を避けられるとすれば、制度や組織が外国語テキストの言語的・文化的差異をぬぐいさり、やわらげるよう翻訳行為を厳格に律する場合にかぎられるのだ。

翻訳の倫理

このように翻訳が社会に対して広範な影響力をもち、文化的アイデンティティの形成において社会的再生産や変化に寄与するのなら、その影響を評価し、よいのか悪いのか、結果として生まれるアイデンティティが倫理にかなうのか問うことは大切そうだ。ここでいまいちど、アントワーヌ・ベルマンからはじめてみるのは悪くないだろう。その思考は、早すぎる死の直前に興味深い転換をとげていた。

ベルマンは翻訳の倫理というその考えの基礎を、翻訳されたテキストの中にこめられた国内文化と外国文化の関係におく。[59] 悪しき翻訳は、外国文化にたいする国内の自民族中心主義を形成してしまう。

誤れる翻訳と私が呼ぶのは、一般に伝達可能性を隠れ蓑として外国語作品の外来性を系統的に否定してしまうような翻訳のことである。[60]

よき翻訳とは、この自民族中心主義的な否定の制限を目指す。それは「開け、対話、混血、脱中心的運動」を段階的におこない、それによって国内の言語・文化に外国語テキストの異質性（フォーリンネス）を記録するのである。[61] ベルマンの倫理的判断は、翻訳プロセスに適用される言説ストラテジーにかかっている。問題は完全に同化してしまうのか、それとも異化の傾向をとりこむのか――言いかえれば、外国語テキストの「操作」を隠すという「ごまかし」に頼るのか、「翻訳する言語を拡大し、強化し、豊かにする」「一致」を「提供」することで「敬意」をはらうのかということである。[62]

　言説ストラテジーの話は別にしても、翻訳にあたって外国語テキストを選定するという行為自体も、それで国内における外国文学の正典や、外国文化のステレオタイプを変えようとするのなら、異質さ（フォーリンネス）の表明になるということは強調しておいたほうがいいだろう。そして、ベルマンが認識していたように、きわめて同化的なアプローチをとる翻訳家ですら（例としてあげられているのは、十七世紀の有名な古典の翻訳家ペロー・ダブランクール）、「省略や補足、装飾を隠さず、序文や注で率直に打ちあければ」、非倫理的として単純に非難できない。[63] 反対に、大胆な同化翻訳――つまり翻訳者が「原文のテキスト構造に多かれ少なかれほぼ一致」させるという目的やストラテジーをもって、「原文に拠った作品」をつくりだしたという事実――をまぎれもない功績として称賛しなくてはならない。[64]

　翻訳の倫理が、忠実さという概念におさまるようなものではないのはまちがいない。翻訳が構成する外国語テキストの解釈が、おかれた時代や文化的状況次第で変わるだけでなく、なにが正確かという規範自体も当の国内文化で洗いなおされて適用されるので、いかに表面上は忠実で、語学的には正しいものであっても、基本的に自民族中心主義なものなのだ。そうした規範にこめられた倫理的価値は、官公庁・公務員・研究者・出版社・書評家によって確立されるため、概して職業的なものか、制度的なものである。その後、翻訳者によって内面化されるが、翻訳者がとる態度も是認から躊躇、疑念と修正までさまざまである。翻訳プロジェクトを評価するためには、言説ストラテジー、その制度的背景、社会における機能と影響を考慮しなくてはならない。

学術であれ宗教であれ、商業であれ政治であれ、制度は同一性という翻訳倫理を好む。つまり、制度を波風たてずに維持するために、既存の言説や正典、解釈や教育、広告キャンペーンや典礼を、認可・批准するような翻訳である。だが、翻訳がスキャンダラスなのは、国内の状況はどうであれ、異なる価値や慣習をつくりだすことができるからだ。これは翻訳が、根本的な同化――外国語テキストを国内文化のことばで書きかえるという仕事のおおもと――を逃れられないという話ではない。ポイントはむしろ翻訳者が、翻訳がもつ自民族中心主義的な流れを変え、翻訳プロジェクトがどうしても使わずにはいられない国内のことばを脱中心化することができるという点にある。これこそが、国内文化を変革しうる差異の倫理である。

すでに検討したプロジェクトでは、アイデンティティの形成は、国内のイデオロギーや制度にくりかえし基礎づけられることで達成されていた。このことがしめすのは、翻訳プロジェクトはどれも、外国文化のほかのありうべき表象だけでなく、国内の主体のほかのありうべきかたちも排除することで、自民族中心主義的に可能性を狭めてしまうということだ。だが、プロジェクトのあいだに線引きをすることはできる。たとえば、英語圏における日本小説の正典は、訳者と制度のネットワークによって約三十年も維持されていた。それが日本語テキストを実際に異質なものとして表象し、英語圏に広い読者層をつくったとしても、その異質さという特権的なコンセプトははっきりとアメリカの、アカデミックなものだった。それはエキゾティックな戦前の日本へのアメリカ国内のノスタルジアを反映する一方で、ステレオタイプには回収されないテキストを周辺に追いやったのだ。差異の論理に追随する翻訳プロジェクトは、エキゾティックなものとアメリカナイズされたものの双方（ほかの排除された形式やテーマのなかから）を参照可能にする。テキストをある程度同化してしまうのは避けられないが、同時に以前は無視されていた部分を取りもどすことで、日本文学史の多様性を表現もする。取りもどしたところでたしかに、自分の偏愛を内むきに再構築したものかもしれないが、それでもなお、いかに限定されているとはいえ、以前排除したものを補おうというこころみではある。日本小説の最近の翻訳——とりわけ吉本ばななのアメリカナイズされた小説——は、そういった取りもどしである。

翻訳につきものの自民族中心主義的なムーブメントを抑制するため、プロジェクトは国内文化で主流の座を占める文化的構成員以外の興味関心を配慮しなくてはならない。翻訳プロジェクトは外国語テキストが生まれた場所の文化を考慮し、国内のさまざまな構成員に対応しなくてはならない。ジョーンズのアリストテレスの翻訳は、アカデミアを牛耳っていた英訳を真の意味で脱中心化した。なぜならそのプロジェクトは、英語の学術界にはなかった外国文化の価値観にひらかれていたからだ。古典ギリシャ語テキストの特性が、英米の近代的なイデオロギーである個人主義に抑圧されていたのだが、哲学の研究論文や文学テキストで広まっていた近代的な大陸哲学の実存主義に視座をとることで見えるようになった。ゆえに主流の国内イデオロギーや制度が、外国文化の一部しか提示せず、ほかの国内文化の構成員を周辺に追いやるとしても、差異の倫理を動機にした翻訳プロジェクトはその再生産を変えるのだ。このようなプロジェクトの訳者は、クリスティアーネ・ノードのような翻訳理論家が発展させた「忠実さ」という概念に背く。[65] 訳者が背くつもりの国内の文化的規範こそ、翻訳によるアイデンティティ形成のプロセスを統御しているものだ。そのために訳者は外国語テキストとの出会いにおいて、そういった規範がなにを可能にし、制限するのか、なにを認可し、排除するのかといったことに注意をむけるのだ。

　翻訳プロジェクトが自民族中心主義的なムーブメントを抑制しようとしても、最終的に新たな定説を確立してしまうことはありうる話だ。それもまた排他的なものになるかもしれない。そうならば、後発のプロジェクトに取ってかわられる隙があるかもしれない。そして後発のプロジェクトが、また別の構成員のために外国語テキストを再発見する。ウィリアム・ティンダルが一五二五年に刊行した新約聖書の英訳は、カトリック教会におけるヒエロニュムスのラテン語訳の権威に挑戦していた。そしてこの挑戦こそ英国国教会という異なる宗教アイデンティティの形成にとって不可欠なものだった。トマス・モアはティンダルがギリシャ語テキストに戻ることによって引きおこされたイデオロギー的脱中心化を即座に感知した。モアの考えは次のようなものだったという。

> ［ティンダルは］「教会 church」という語を「会衆 congregation」に変えた［ギリシャ語では ecclesia］。なぜなら、ティンダルはかつて church だったそれを疑義に付すつもりなのだ。そして私たちが信じ、従うべき church とは、キリストを堅信し、あまねくキリスト教徒の王国たる、みなが知るあの教会（ボディ）ではないというルターの異端をしめしたのだ。[66]

翻訳の差異の倫理は、国内文化で主流の座にある文化的アイデンティティを変革する。しかし多くの場合、その変革はのちに別の定説の台頭や自民族中心主義を招いてしまう。一五三九年に、翻訳家のリチャード・タヴァナーは、「英国国教会の開始にあたって、公的な国教会のプロパガンダ機関で」、ティンダル訳の聖書に微妙な修正を加えたが、より大衆的で、教条的ではない、異なるイデオロギー的な立場がうかがえるものだった。タヴァナーは、ティンダルの儀式的な「破門する excommunicate」のかわりにシンプルな「呪われた cursed」をつかい、ティンダルのいかにも聖職者じみた「神の会衆に禍があった there was a plague in the congregation of the lord」のかわりに親しみやすい「多くの人間が殺された moche people were slayne」にし、一般になじみがあって、わかりやすい言葉を選んでいた。[67] この手の修正点は、ティンダルとの神学的なちがいをしめすのにはおそらく十分だろうが、ヘンリー八世の玉璽書記官でもあったタヴァナーは、制度改革を起こす意図などほぼなかった。「呪われた cursed」のような修正が『欽定訳聖書』（一六一一年）にはいったとしても、変革はおきなかった。

自民族中心主義を戒め、矛先を変える翻訳実践は、国内のイデオロギーや制度を転覆させる可能性が高い。それもまた文化的アイデンティティをつくりだすが、それは批判上やむにやまれないもので、国内文化とその異質な他者との関係をつねに評価し、絶えず変化するその評価にもとづいてのみ翻訳プロジェクトを進行させる。このアイデンティティこそが、たんに国内と国外のふたつの文化にまたがっているというだけでなく、国内読者のあいだに走る文化の境界を越えるという点で、真の意味で文化横断的なものになるだろう。[68] そして国内文化だけでなく外国文化の伝統（そこには翻訳の伝統もふくまれる）

をも意識したという点で、歴史的なものにもなるだろう。ベルマンはこう書いている。「歴史意識［良心］をもたない翻訳者」は、「自分の考える翻訳行為のイメージと、その瞬間の「社会的言説」をつたえるイメージに囚われ」たままだ、と。[69]

だが翻訳者が、良心をもって差異の倫理を追求することは可能なのだろうか？　そのような倫理にもとづいて、国内のイデオロギーを脱中心化したり、国内の制度を揺るがしたりしたとして、訳文がわかってもらえなくなったり、文化的な周辺に追いやられたりするリスクはどの程度だろうか？　自分の翻訳が読むにたえないとして読者に投げだされずに、翻訳者は国内の規範から批評的な距離をとることができるだろうか？

吉本ばななの『キッチン』は、（少なくとも文芸翻訳においては）こうした疑問に答えるよすがになる。この英訳はさまざまな読者層に届けられ、英語圏における日本近代文学の正典を変えることに成功した。だが吉本ばななは、アメリカ文化の価値観を問いなおすことには失敗したとして攻撃されている。批評家のマサオ・ミヨシは吉本の小説を、ほかの日本の「批評的に鋭敏で、歴史的知性を持った」女性作家の作品とはちがい、[70]アメリカナイズされた日本の幼稚な礼賛だと切りすてた。対照的に、谷崎の小説は切実だ。ミヨシは『細雪』についてこう書いている。

もしこの作品が戦争に対する興味を明らかに欠いていることが作者の［日本軍国主義への］抵抗のしるしだとするなら、それが戦後の年月に対して無関心であるのも、占領軍に押しつけられた改革に対する批判を暗示しているのかもしれない。[71]

この観点からは（アメリカの翻訳傾向を批判するファウラーの主張に依拠して）私が論じたのとはちがって、吉本のかわりに谷崎を訳すことこそが倫理上なすべきことになる。

この一件から看取されるのは、翻訳者が国内文化の規範から外れるという点については、よりニュアンスをくんで考える必要があるということだ。ミヨシの主張がファウラーの主張とちがうのは、ミヨシが経済や政治におけるアメリカのグローバルな覇権を批判したテキストに着眼したのに対し、ファウラーはアメリカ文化内における価値観を色分けした点にある。どちらの思考経路も、今日倫理的に正しい翻訳をおこなうために重要ではあるが、通常、翻訳プロジェクトが進められるさいには国内の外国文学の正典はすでに確立しており、それゆえ差異の倫理でこうした正典にあたらねばならないということを理解しているのはファウラーのほうだ。別の言い方をすれば、翻訳のための文化的抵抗というアジェンダは、すべからく具体的な文化的なかたちをとらねばならず、その時点での正典や主流からは逸脱した外国語テキストや翻訳手法を選ばなければならないのである。そしてこのような逸脱は、吉本のような作家――特に『キッチン』の、メーガン・バックスによる英訳――にはっきりとうかがうことができる。

バックスの英訳はかなり読みやすいが、翻訳ストラテジーは異化的である。テキストにアメリカの価値観をそれとなく刷りこむ、淀みなく流暢な訳文を紡いでいくという手法をバックスは採らない。かわりに、バックスはきわめて異質な言語を用いてアメリカナイズされた日本とコミュニケーションしている。だが同時にそれは、アメリカ文化と日本文化のちがいを英語読者に際立たせもした。訳文はおおむね現在の標準英語の用法に則っているが、ほかの言いまわしや文体も混ざっている。語彙と構文の両面で、（主にアメリカの）口語用法の色彩が豊かである。たとえば、cut the crap（「そんなばかな」）、home-ec（「家庭科室」）（家政学 Home Economics の意味）、I'm kind of in a hurry（「急ぎですから」）、I perked up（「気をとり直して」）、I would sort of tortuously make my way（「ああ、あそこにたどり着いて」）、night owl（「超夜型」）、okay（「はあ」）、slipped through the cracks（「手落ち」）、smart ass（「へらず口」）、three sheets to the wind（「酔うはずだ」）、woozy（「ちょっとくらっとする」）といったところだ。[72] また語り手の「みかげ」は一種この世のものではないようなロマンティシズムに陥りがちなのだが、そういった箇所ではかすかに古めかしく、堅苦しい表現が頻出する。冒頭でみかげは、詩にあるような古典調の語彙のreverieと口語のdead worn outとを組み合わせて、I'm dead worn out, in a reverie（「本当に疲れ果てた時、私はよくうっとりと」）と言う。[73] 同様に、みかげと雄一が出会うと（二人が出会うことで語りが加速するのだが）、雄一はみかげの言葉を——ハイテク・スラングからハリウッド映画の愛のささやきに、さらには形而上的な神学へと——ジャンルとリファレンスを移ろわせるのだ。

His smile was so bright as he stood in my doorway that I zoomed in for a closeup on his pupils. I couldn't take my eyes off him. I think I heard a spirit call my name.
（彼は笑った。あんまり晴れやかに笑うので見慣れた玄関に立つその人の、瞳がぐんと近く見えて、目が離せなかった。ふいに名前を呼ばれたせいもあると思う。[74]）

それだけでなくテキストには、イタリック体にされた日本語が多々散りばめられている。katsudon（「カツ丼」）、ramen（「ラーメン」）、soba（「そば」）、udon（「うどん」）、wasabi（「わさび」）など主に食べ物であるが、衣服 obi（「帯」）や住居関係 tatami mat（「畳」）など、日本文化のほかの面をあらわす単語もある。[75]

バックスによる、このような異種混交（ヘテロジェニイティ）された翻訳言説が、登場人物がアメリカナイズされた日本人だということをしめしているのはまちがいない。日本語のテキストが、アメリカのポップカルチャー――マンガ（『ピーナッツ』のライナス）、テレビ番組（「奥さまは魔女」）、遊園地（ディズニーランド）、チェーン・レストラン（デニーズ）――へのおびただしい言及で強調したのと同じポイントを、翻訳の言語そのものが強調しているのである。[76]しかしこの言説には、標準英語からの逸脱が頻出し、英語圏の読者には違和感をあたえる。この言説効果は英語においてのみ発揮されるものであり、はっきりアメリカ的な余韻を残すので、テキストが翻訳であることに読者はたびたび気づかされるのだ。『キッチン』に見られる第一の倫理的な行動とは、戦後英語圏における同ジャンルの日本文学の正典とは真っ向から対立するような小説を翻訳すると決めたことだった。しかし第二は、主流の言語規範から逸脱する、異化された翻訳言説をつくりあげたことにある。そのおかげで、翻訳はあくまで翻訳にすぎず、国内の解釈や関心の跡が刻まれているので、外国語テキストと混同するべきではないと気づかせてくれるのだ。

こうした効果については、ミヨシは考えもしなかった。もっぱら、日本語テキストと日本での受容のされ方に傾注していたからである。本作品に描かれたアメリカナイズされた日本は、バックスの異化翻訳を読むアメリカ人読者にとっては、別の文化的・政治的意義を持っている。翻訳という論点を無視することの限界が一番よくわかるのが、ミヨシが引用する吉本の文章だ。そこでミヨシは吉本には「様式もなければ平衡も、イメジャリーもない」ことをしめそうするのだ。[77]ミヨシは英語読者に対して自分の論点を明らかにするため、『キッチン』を「翻訳」する必要があったのだが、英語への転換によって生じるちがいは、ミヨシにとっては事実上存在しなかった。ミヨシが翻訳した一節をバックスの英訳と並べてみると、バックス訳の異化的な傾向がはっきりと浮かびあがってくる。

〔ミヨシ訳〕
I placed the bedding in a quiet well-lit kitchen, drawing silently soft sleepiness that comes with saturated sadness not relieved by tears. I fell asleep wrapped in a blanket like Linus.[78]

〔バックス訳〕
Steeped in a sadness so great I could barely cry, shuffling softly in gentle drowsiness, I pulled my futon into the deathly silent, gleaming kitchen. Wrapped in a blanket, like Linus, I slept.
（涙があんまり出ない飽和した悲しみにともなう、柔らかな眠けをそっとひきずっていって、しんと光る台所にふとんを敷いた。ライナスのように毛布にくるまって眠る。[79]）

バックス訳の方が、明らかに感情に訴えるものがある。文章は、みかげの特徴であるロマンティックな詩情（微妙に隠喩のような「悲しみに浸されて steeped in a sadness」）ではじまる典型的なもので、なかなか着地しない構文は、流暢に流れるが形式ばっていて、やや古風とさえ言え、全体としては複雑だ。語彙面では、翻訳者が日本語の「布団 futon」をそのまま取りいれるせいではじめに大きく変化し、その後アメリカ文化（「ライナス Linus」）に言及することでふたたび変化する。このポップカルチャーへの親しみは、文の中の場所もあってやや異化効果を生んでいるが、第一文でよりフォーマルな構文が使われているのと似た効果である。バックス訳のこうした異種混交性とくらべると、ミヨシ訳は相当同化を前面に押しだした訳文であり、日本語テキストは標準英語に同化させられ、ミヨシ自身の目にすら透明か、翻訳していないように思えるほど耳ざわりのいいものになっている。ミヨシの批判を呼んだ日本語の特徴は、英語ではすっかり変えられてしまっている。だが、ミヨシが評価するような批評的洞察を喚起するのは、バックス訳の英語のほうだけなのだ。翻訳がもたらす言語的・文化的な差異は、（国内では芸術的価値はさほどなく、政治的には反動的かもしれない）外国語テキストに、国外では逆の価値を伝えさせることもあるのだ。

場所と読者層は、決定的に重要だ。吉本の小説の英訳は、主流の正典とはちがうか、逸脱したものだ。なぜならこの翻訳は、正典を確立したアメリカ文化のエリートの手によるものでなければ、そのような人々を対象にしたものでもないからである。反対に、吉本の英訳が成功したのは、若くて教育のある、だがかならずしもアカデミックとはかぎらない、ミドルブラウの広い読者層にアピールした結果である。吉本の小説におけるアメリカナイズというテーマをとりあげ、それが第二次世界大戦以降のアメリカの文化的帝国主義の証拠であるとするミヨシは、たしかに正しい。しかしミヨシは、英語文化圏のかなり狭い読者層に対してアピールするような、高度に文学的な語りを求めているように映る。ミヨシが吉本の作品が翻訳するに価しないと述べることで、アメリカのより大きな読者層が、海外でのアメリカ文化のインパクトを正しく評価できなくなるかもしれない。私の結論はこうだ。現時点で吉本ばななを翻訳するのは、英語圏の翻訳者がとりうる行為としては、価値あるものである。それは、重要な差異をアメリカ文化にもたらす倫理的な行為である。

吉本の例がしめしているのは、結局、翻訳とは自民族中心主義に歯止めをかけるものではあるが、かならずしも難解さに陥ったり、マージナルな文化に追いやられる危険を冒さなくてもよいということだ。翻訳プロジェクトは国内の規範から離れ、外国語テキストの異質性をシグナルとして発し、言語的・文化的な差異に対してより開かれた読者層を生みだすことも可能なのである——しかも自家中毒を起こすような、あまりに極端な文体実験にうったえずにである。鍵となるのは、翻訳者が国内の規範とそれを囲いこんでいる制度的慣行に柔軟に接すること、そうしたものと完全に自分を重ねることにためらいがあること、加えて、エリート／ポップをふくむ多様な文化的構成員に語りかけようとする覚悟である。翻訳が外国と国内の文化だけでなく、国内の読者層まで股にかけようとする場合、翻訳という営みは、文化的な変容を引きおこす可能性を秘めたなテキストをかならず生みだすのだ。

註

◆1 Frank Kermode, "Institutional Control of Interpretation," in *The Art of Telling: Essays on Fiction*, Cambridge: Harvard University Press. 1983.

◆2 John Jones, *On Aristotle and Greek Tragedy*, London: Chatto and Windus. 1962. p. 12.

◆3 ibid. pp. 16, 55.

◆4 G. H. Gellie, Review of J. Jones, *On Aristotle and Greek Tragedy*, *Journal of the Australasian Language and Literature Association* 20: 1963. p. 354. ; Anne Pippin Burnett, Review of J. Jones, *On Aristotle and Greek Tragedy*, *Classical Philology*, 58: 1963. p. 177.

◆5 Oliver Taplin, *The Stagecraft of Aeschylus: The Dramatic Use of Exits and Entrances in Greek Tragedy*, Oxford: Clarendon Press. 1977. p. 312. ; Simon Goldhill, Reading Greek Tragedy, Cambridge: Cambridge University Press. 1986. pp. 170–171.

◆6 Jones, *On Aristotle and Greek Tragedy*, pp. 19–20.

◆7 ibid. p. 20.

◆8 ibid. p. 33.

◆9 ibid. p. 49.

◆10 Helen Bacon, Review of J. Jones, *On Aristotle and Greek Tragedy*, *Classical World* 57 1963. p. 56. ; Burnett, Review of J. Jones, *On Aristotle and Greek Tragedy*, pp. 176–177. ; Donald William Lucas, Review of J. Jones, *On Aristotle and Greek Tragedy*, *Classical Review* 13: 1963. p. 272.

◆11 Friedrich Nietzsche, *On the Genealogy of Morals*, W. Kaufmann and R.J. Hollingdale trans., New York: Random House. 1967. p. 45. ニーチェ『道徳の系譜学』中山元訳、光文社古典新訳文庫、二〇〇九年、七三–七四頁。

◆12 Jones, *On Aristotle and Greek Tragedy*, p. 33.

◆13 Carolyn Kizer, "Donald Keene and Japanese Fiction, Part II," *Delos*, 1 (3): 1988. pp. 73–94.

◆14 Brad Leithauser, "An Ear for the Unspoken," *New Yorker*, 6 March 1989. p. 105.

◆15 Edward Fowler, "Rendering Words, Traversing Cultures: On the Art and Politics of Translating Modern Japanese Fiction," *Journal of Japanese Studies* 18: 1992. pp. 15–16.

◆16 ibid. p. 12 n. 25.

◆17 Roy Andrew Miller, *Nihongo: In Defence of Japanese*, London: Athlone Press. 1986. p. 219.

◆18 Fowler, "Rendering Words, Traversing Cultures," p. 3. 強調はファウラー。

◆19 Donald Keene, *Dawn to the West: Japanese Literature of the Modern Era*, New York: Holt, Rinehart and Winston. 1984. I pp. 721, 774. ドナルド・キーン『日本文学史　近代・現代篇三』徳岡孝夫訳、中公文庫、二〇一一年、二二六、三一四頁。

◆20 Fowler, “Rendering Words, Traversing Cultures,” p. 6.

◆21 ibid. pp. 14–17.

◆22 Lawrence Venuti, *The Translator’s Invisibility: A History of Translation*, London and New York: Routledge. 1995. p. 13. ; Chandler B. Grannis, “Book Title Output and Average Prices: 1992 Preliminary Figures” and “U.S. Book Exports and Imports, 1990–1991,” in C. Barr ed., *The Bowker Annual*, 1993. p. 502.

◆23 Fowler, “Rendering Words, Traversing Cultures,” p. 25.

◆24 ibid. p. 27.

◆25 Leithauser, “An Ear for the Unspoken,” p. 110.

◆26 André Lefevere, *Translation, Rewriting, and the Manipulation of Literary Fame*, London and New York: Routledge. 1992. pp. 126–127.

◆27 Alfred Birnbaum ed., *Monkey Brain Sushi: New Tastes in Japanese Fiction*, Tokyo and New York: Kodansha International. 1991. p. 1. 類似した翻訳プロジェクトに次のものがある。 Helen Mitsios ed., *New Japanese Voices: The Best Contemporary Fiction from Japan*, New York: Atlantic Monthly Press. 1991.

◆28 Donald Keene ed., *Modem Japanese Literature: An Anthology*, New York: Grove Press. 1956.

◆29 Jaime Harker, “‘You Can’t Sell Culture’: *Kitchen* and Middlebrow Translation Strategies,” unpublished manuscript. 1994. p. 4.

◆30 Michiko Kakutani, “Very Japanese, Very American and Very Popular,” *New York Times*, 12 January 1993. p. C15.

◆31 Harker, “‘You Can’t Sell Culture’,” pp. 1–2.

◆32 Birnbaum ed., *Monkey Brain Sushi*, p. 2.

◆33 Elizabeth Hanson, “Hold the Tofu,” *New York Times Book Review*, 17 January 1993. p. 18.

◆34 たとえば、以下の文献。 Richard G. Buxton, *Sophocles*, New Surveys in the Classics No. 16, Oxford: Clarendon Press. 1984.

◆35 James M. Redfield, *Nature and Culture in the Iliad: The Tragedy of Hector*, Chicago: University of Chicago Press. 1975. pp. 24–26.

◆36 Ezra Pound, *Literary Essays*, T.S. Eliot ed., New York: New Directions. 1954. p. 3.

◆37 ibid. p. 7. エズラ・パウンド「イマジズム」『エズラ・パウンド詩集』新倉俊一編訳、小沢書店、一九九三年、一三二頁。

◆38 ibid. p. 11.

◆39 David Anderson ed., *Pound’s Cavalcanti: An Edition of the Translations, Notes, and Essays*, Princeton: Princeton University Press. 1983. p.

14.

◆40 Venuti, *The Translator's Invisibility*, p. 197.

◆41 Anderson ed., *Pound's Cavalcanti*, p. 243.

◆42 André Lefevere ed. and trans., *Translation/History/Culture: A Sourcebook*, London and New York: Routledge. 1992. p. 165. フリードリヒ・シュライアーマハー「翻訳のさまざまな方法について（ベルリン王立科学アカデミー講義　一八一三年六月二四日）」三ツ木道夫編訳『思想としての翻訳――ゲーテからベンヤミン、ブロッホまで』白水社、二〇〇八年、六九頁より、一部改変を施して引用。

◆43 Venuti, *The Translator's Invisibility*, pp. 105–110.

◆44 Antoine Berman, *The Experience of the Foreign: Culture and Translation in Romantic Germany*, S. Heyvaert trans., Albany: State University of New York Press. 1992. p. 65. アントワーヌ・ベルマン『他者という試練――ロマン主義ドイツの文化と翻訳』藤田省一訳、みすず書房、二〇〇八年、一三五―一三六頁から一部改変を施して引用。

◆45 ibid. p. 65. 同書、一三五頁。

◆46 こうした考え方は次の書物に拠っている。Louis Althusser, "Ideology and Ideological State Apparatuses," in *Lenin and Philosophy and Other Essays*, B. Brewster trans., New York: Monthly Review Press. 1971. ルイ・アルチュセール『再生産について――イデオロギーと国家のイデオロギー諸装置　上・下』西川長夫・伊吹浩一・大中一彌・今野晃・山家歩訳、平凡社ライブラリー、二〇一〇年。Göran Therborn, *The Ideology of Power and the Power of Ideology*, London: Verso. 1980.；Ernesto Laclau and Chantal Mouffe. *Hegemony and Socialist Strategy: Toward a Radical Democratic Politics*, W. Moore and P. Cammack trans., London: Verso. 1985. エルネスト・ラクラウ、シャンタル・ムフ『民主主義の革命――ヘゲモニーとポスト・マルクス主義』西永亮・千葉眞訳、ちくま学芸文庫、二〇一二年。

◆47 Carolinne White ed. and trans., *The Correspondence between Jerome and Augustine of Hippo*, Lewiston, N.Y.: Edwin Mellen Press. 1990. p. 92. アウグスティヌス『アウグスティヌス著作集〈別巻1〉書簡集1』金子晴勇訳、教文館、二〇一三年、一四八頁。

◆48 ibid. pp. 92–93. 同書、一四九頁。

◆49 Laclau and Mouffe. *Hegemony and Socialist Strategy*, pp. 105–114. ラクラウ、ムフ『民主主義の革命』二六八―二八六頁。

◆50 Adam Kamesar, *Jerome, Greek Scholarship, and the Hebrew Bible: A Study of the Quaestiones Hebraicae in Genesim*, Oxford: Clarendon Press.

1993. pp. 43, 48–19.

◆51 White ed. and trans., *The Correspondence between Jerome and Augustine of Hippo*, p. 133.

◆52 Kamesar, *Jerome, Greek Scholarship, and the Hebrew Bible*, pp. 59–69.

◆53 John N. D. Kelly, *Jerome: His Life, Writings, and Controversies*, New York: Harper and Row. 1975. p. 162.

◆54 Hedley Frederick Davis Sparks, "Jerome as Biblical Scholar," in P. Ackroyd and C.F. Evans eds, *Cambridge History of the Bible*, vol. 1, Cambridge: Cambridge University Press. 1970. pp. 524–526.

◆55 Kelly, *Jerome*, p. 162.

◆56 Kamesar, *Jerome, Greek Scholarship, and the Hebrew Bible*, p. 59.

◆57 cf. Clem Robyns, "Translation and Discursive Identity," *Poetics Today* 15: 1994. p. 407.

◆58 White ed. and trans., *The Correspondence between Jerome and Augustine of Hippo*, p. 137.

◆59 そのような関係の分類の例として、以下の文献を参照のこと。Robyns, "Translation and Discursive Identity," p. 407.

◆60 Berman, *The Experience of the Foreign*, p. 5. ベルマン『他者という試練』一六頁。

◆61 ibid. p. 4. 同書、一五頁。

◆62 Antoine Berman, *Pour une critique des traductions: John Donne*, Paris: Gallimard. 1995. pp. 92–94.

◆63 ibid. p. 94.

◆64 ibid. p. 92.

◆65 Christiane Nord, "Scopos, Loyalty, and Translational Conventions," *Target* 3(1): 1991. pp. 91–109.

◆66 Lefevere ed. and trans., *Translation/History/Culture*, p. 71.

◆67 Vivienne Westbrook, "Richard Taverner Revising Tyndale," *Reformation*, 2: 1997. p. 195.

◆68 cf. Anthony Pym, "Why Translation Conventions Should Be Intercultural Rather Than Culture-Specific: An Alternative Basic-Link Model," *Paralleles* 15: 1993. pp. 60–68.

◆69 Berman, *Pour une critique des traductions*, p. 61.

◆70 Masao Miyoshi, *Off Center: Power and Culture Relations between Japan and the United States*, Cambridge: Harvard University Press. 1991. pp. 212, 236. マサオ・ミヨシ『オフ・センター——日米摩擦の権力・文化構造』佐復秀樹訳、平凡社、一九九六年、三一

四頁。

◆71 ibid. p. 114. 同書、一七七頁。

◆72 Banana Yoshimoto, *Kitchen*, M. Backus trans., New York: Grove Press. 1993. pp. 4, 6, 19, 29, 42, 47, 63, 70, 92, 103. 吉本ばなな『キッチン』新潮文庫、二〇〇二年、一二、二九、四二、六〇、六八、八七、八八、九五、一二五、一三九頁〔ここでは英訳に対して、日本語の原文を（　）に入れるかたちでしめした〕。

◆73 ibid. p. 4. 吉本『キッチン』九頁。

◆74 ibid. p. 6. 吉本『キッチン』一三頁。

◆75 ibid. pp. 40, 61, 78, 83, 89, 98, 100. 吉本『キッチン』四七、五七、八四、一〇七、一一三、一二〇、一三五頁。

◆76 ibid. pp. 5, 31, 90, 96. 吉本『キッチン』一〇、四五、一二二、一二九頁。

◆77 Miyoshi, *Off Center*, p. 236. ミヨシ『オフ・センター』三四七頁。

◆78 ibid. p. 236. 同書、三四七頁。

◆79 Yoshimoto, *Kitchen*, pp. 4–5. 吉本『キッチン』一〇頁。

第五章

文学の教育

The pedagogy of literature

以下の考察は、グローバルな文化経済において、現在英語翻訳がおかれている苦境に深く端を発している。第二次世界大戦以降、英語は世界でもっとも翻訳された言語の座を守りながら、もっとも翻訳しない言語でもあった。二十世紀末の現在、英米の出版社が刊行する翻訳書は各年の刊行物のだいたい二から四パーセント、点数にして一二〇〇から一六〇〇点を占めるが、諸外国では、規模の大小、東西にかかわらず、パーセンテージは顕著に高いものになる。日本では六パーセント（約二五〇〇点）、フランスでは十パーセント（四〇〇〇点）、ハンガリーでは十四パーセント（一二〇〇点）、ドイツでは十五パーセント（八〇〇〇点）である。[1] 一九九五年には、イタリアの出版社は四〇四二九点を刊行し、うち二十五パーセントが翻訳だった（一〇一四五点）。うち英語からの翻訳は六〇三一点で、ほかの起点言語（ソース）を圧倒している。[2] 一九九五年、アメリカの出版社は六二〇三九点の出版物を刊行し、その二・六五パーセントが十七言語からの翻訳であり（一六三九点）、うちもっとも翻訳された言語（フランス語とドイツ語）のものでも、五〇〇点を超えなかった。[3] このような翻訳パターンが非対称なおかげで、アメリカ合衆国とイギリスはたんに政治や経済だけではなく、（この場合特に）文化のうえでも世界的な覇権を享受している。

英語による国際的な支配は、英米文化圏で現在翻訳がおかれたマージナルな状況と表裏一体である。

英米文学は世界中で流通して、多数の海外出版社の資本を意のままにしているのに対し、外国文学の英訳はそれほど投資も、関心もあつめていない。翻訳は買いたたかれ、批評からは無視され、英語圏の読者には概して不可視の存在なのである。国外における英米文化の力は、国内の外国文化の流通をさまたげ、言語的・文化的差異とはなにかを考える機会を奪っている。もちろん、どんな言語であれ、異なる方言や言説、異なる文化的コードやその構成員を完全に排除することはできない。この事実は、現在の多様なイングリッシーズ、つまり英米の語法のちがいだけでなく、英語が話されている国の中に多様な言語文化が存在することからも裏づけられている。しかし、翻訳がマージナルな位置に追いやられれば、文化的ナルシシズムと独善に陥る危険があり、異質なもの（ザ・フォーリン）への無関心は英米文化をひたすら貧しくし、不均衡と搾取にもとづいた価値観と政策を促進してしまいかねない。

翻訳がおかれたマージナルな状況は、教育機関にもおよび、スキャンダラスな矛盾が露呈している。カリキュラムにしろ研究にしろ、翻訳を全面的にあてにしている一方で、教育でも出版でも、翻訳が翻訳されたものだということを削除し、テキストがもともと翻訳する側の言語で書かれたものであるかのようにあつかうという風潮が一般に見うけられるのだ。一九七〇年代以降、翻訳は、研究分野や、投資対象となる学術出版のジャンルとして今まで以上にはっきりと浮上し、クリエイティブライティング・ワークショップや修了プログラム、翻訳理論と翻訳批評のカリキュラム、文芸翻訳や翻訳研究を論じる叢書のようなかたちで制度化されてきた。このように認知度が増しているにもかかわらず、依然、翻訳が翻訳であるという事実は、翻訳文学を教えるうえで抑圧されている。私の目的は、この抑圧が提起する二つの問題について考察することだ。翻訳が翻訳であるという事実を抑圧する文化的・政治的なコストとはなんなのか？　つまり、それで可能になったり削減されたりする知識や営為とはなにか？　そして翻訳の問題——とりわけ、翻訳プロセスの最中に外国語テキストに刻印された国内の価値観の「よけいなもの」——に対処するために、どのような教育法を案出しうるのか？

教室での翻訳

大学で翻訳の使用が避けられないことを考えると、この抑圧は驚くほど広がっている。しかし、それがもっとも顕著なのが米国である。米国の学部生は、西洋文化の正典をあつかう「人文学」や「名著」の購読授業をとらなくてはならない。そのリーディング・リストは、古典語や現代語からの英訳が圧倒的多数を占める。このような一、二年生むけの授業以外にも、翻訳は学部・大学院を問わず、比較文学・哲学・歴史学・政治学・人類学・政治学といった、膨大なディシプリンのカリキュラムに欠かせない。外国語学部のなかには、第二次世界大戦後の入学者数の変動に対応して、外国文学の一部をもっぱら英訳で読むという授業をもうけたところもあった。しかし外国語学部が、外国語教育の方法としては、翻訳を冷遇してきたことを考えると、こういった授業で翻訳の問題があつかわれているかどうかは依然として疑問である。

過去二十年間以上にわたって、翻訳もまた、英米の文芸批評を根本的に変えた文化理論を発展させてきた。はるかに専門化された、説明能力の高い新たな方法論を導入し、社会・政治問題と文化を結びつけ、カルチュラルスタディーズのようなその種のインターディシプリンな風潮を生みだしてきた。こうしたコンセプト、議論、カリキュラムの改訂は多くの場合、翻訳の核心である言語的・文化的差異の問題と関係している。たとえば、文化表象における倫理的・人種的イデオロギーの問題だ。世界史における植民地主義と植民地化された文化を研究するポストコロニアリズム理論の発展。西欧文化の正典――特に「名著」購読授業に具現化されたもの――に挑む多文化主義の登場。しかし、教育でも研究でも、それらが翻訳に依存していることにはあまり触れられてこなかった。学術機関で教えられ、出版される解釈は、英訳者の翻訳言説に媒介されるため、しばしば外国語テキストとは隔たりがあるという事実にはほとんど注意がはらわれていない。

この抑圧の程度のほどは、MLA（米国現代語学文学協会）が刊行しているシリーズ『世界文学教育へのアプローチ』からうかがうことができる。一九八〇年にはじまり、現在五十巻を超えるシリーズには、古典から現代まで、外国語で書かれた作品もふくむ文学テキストの正典を教えるための書誌情報やテクニックが網羅されている。ここには米国とカナダで現在おこなわれている教育実践についても幅広く例がとられている。監修者はシリーズの序文で「各巻の準備のため、講師にたいする広範な調査をおこなった。おかげで、何人ものベテラン教員の哲学やアプローチ、思想や方法論を収録することができた」と述べている。外国語テキストから収録されたのは、ダンテの『神曲』（一九八二）、セルバンテスの『ドン・キホーテ』（一九八四）、カミュの『ペスト』（一九八五）、イプセンの『人形の家』（一九八四）、『イリアス』と『オデュッセイア』（一九八七）、ゲーテの『ファウスト』（一九八七）、ヴォルテールの『キャンディード』（一九八四）、旧約聖書（一九八九）、ガルシア・マルケスの『百年の孤独』（一九九〇）、モンテーニュの『エセー』（一九九四）といったところである。外国語テキストにあてられた巻には、「資料」と題された書誌のセクションがあり、主に実用面から翻訳についての議論が収録される決まりになっている——正確さ、いまの学生が手に入れやすいかどうか、書店で購入できるかどうか、調査対象となった教員のあいだでの人気といった内容だ。しかし「アプローチ」と題された教育法のセクションでは、エッセイの多くが教室での英訳の使用を言明しているのにもかかわらず、翻訳はめったに議論のトピックにあがることがない。

たとえば、ダンテの巻に収録された「ダンテの『神曲』を翻訳で教える」というエッセイでは、トロント大学で開講されている中世イタリア文学の学部むけ授業の様子が詳述されている。タイトルに反して、七頁のエッセイには翻訳についてコメントした段落はたったひとつしかない。二十世紀末にダンテを読む読者がぶつかる主な「問題」が文化的「距離」であることを指摘したうえで、講師はこうつづける。

授業では、学生とダンテのあいだにもうひとつ壁があります。言語です。『神曲』を翻訳で読むのですが、どれほどすぐれた翻訳でも、それはダンテではありえません。英語とイタリア語は根本的にちがいますから、どんな翻訳家でも、ダンテの韻文の流れと脚韻をつかまえようなどと望むべくもないのです。翻訳における危険はもうひとつあります。原文には、翻訳家が絶対に再現できないようなあいまいさがつねにあるのです。難解な箇所では、訳者はどうしてもひとつの解釈をえらばざるをえないのです。そういったわけで、『神曲』の翻訳はどれも、訳者の解釈が色濃くでているのです。ダンテのイタリア語にはあった解釈の選択肢がなくなり、おそらくは原文にはなかったあいまいさが生まれます。散文訳にしたところで、その手の歪曲は避けられません。文字づらを守ろうとして、精神を完膚なきまでに破壊してしまうのです。そういったわけで、私は韻文訳のほうが好きです。私見では、ダンテの詩は、若干の意味を犠牲にしたほうがましなのです。欠点がないわけではないのですが、私はドロシー・セイヤーズ訳の『神曲』をつかいます。[4]

ここで段落は終わっている。看取されるのは、翻訳というものが外国語テキストの言語的・文化的特徴を失いながらも、目標言語（ターゲット）の文化に別のものを加えるという営みだと、講師がかなりすすんだ理解をしているということだ。しかしドロシー・セイヤーズ訳がどういうものかという情報が省かれてしまっていることからもわかるとおり、この理解が体系的に、あるいは啓発的な方法で教室に持ちこまれているわけではない。講師は以下のように主張する。「この授業の目的はふたつあります。第一に、学生がダンテの詩的世界を中世文化の文脈で理解するのを助けることです。第二に、批評のてつづきそのものに意識的になることです」[5]。しかし、ここに欠けているように思われるのは、少なくともふたつの異なる批評のてつづきが同時に働いているという当然の意識だろう。セイヤーズ訳にあらわされた訳者による「解釈」と、講師による、「ダンテと私たちのあいだにある歴史的・文化的ギャップを埋め、詩を解釈するための批評的枠組を確立するための十の入門講義」のかたちをとった「ダンテの詩的世界」の再構成である。[6]

問題は、翻訳だろうが講義だろうが、この「ギャップ」を完全に「埋め」ることなどできないという点にある。だから、講師が学生とイタリア語テキストのあいだの「壁」をすべて取りのぞこうとしているのにもかかわらず、「単純化された、時代錯誤な読み方を避けるつもりなら、『神曲』は今まで以上に媒介を必要としている」と講師が信じているのはいくぶん矛盾ぶくみだ。[7] こうした媒介は、必然的にまたべつの壁を築いてしまうからである。ここには、ダンテの詩および中世イタリア文化の現代の学術的知見、「同テーマにおける最新の文学」と、「少なくとも北米の現代の批評」が反映されている。[8] この購読授業も、時代錯誤と「原文にはなかったあいまいさ」の「ゆがみ」を避けることはできない。なぜなら、授業でつかうセイヤーズのイギリス英語訳は、マス・マーケットむけのペーパーバックシリーズであるペンギン・クラシックスから一九四〇年代に刊行され、カナダの大学で一九七〇年代に教えられているものだからだ。

テキストが翻訳されたものであることを教えない講師の存在は、ジャック・デリダによる翻訳についての示唆に富んだ発言を裏づけてしまう。

つまりは、大学の政治的・制度的問題なのだ——伝統にのっとった教育がおしなべてそうであるように、いや、おそらくは教育というものがすべてそうであるように、徹底的な翻訳可能性、言語の消滅を理想としてかかげている。[9]

現行の教育では、言語のちがいで揺るがないコミュニケーションとして翻訳を無謬のものと想定する（そしてそれこそが教育を可能にしている）、あるいはデリダ（翻訳者）の言葉をかりれば、「転送可能な一義性、あるいは定式化可能な多義性という古典的モデルに支配されている」[10]。しかし、翻訳を「散種」

と――つまりは異なる言語に移したせいで異なる意味が解放されること――と見なせば、政治問題を提起してしまう。それは、講師の解釈を複雑にしている言語的・文化的条件を明らかにすることで、教室での権力の差配を問うものである。セイヤーの英訳がダンテのイタリア語原文になにをつけ加えたのかを研究すれば、自分の読みがイタリア語に忠実であり、必要十分だと教える講師の解釈がもつ権力が弱まってしまいかねない。講師が現代の学術動向を取りいれ、学生は英訳を読んでいてもそうなるのだ。講師のエッセイは、翻訳が予測不能な意味の散種であり、起点言語（ソース）と目標言語（ターゲット）とのあいだでの失われるものと得られるものには落差があると明らかにしてはいるが、あくまでも落差は克服され、自分の解釈は透明な英語訳にもとづいているというのが授業の前提なのだ。

ここで保持されているのは、講師の解釈の権威だけでなく、それを伝える言語――英語――の権威でもある。というのも、デリダが考察しているように、理想の翻訳可能性とは、大学に「国民言語（ナショナル・ランゲージ）を中和」せよとも目下命じる。[11] つまり、講師の言語は外国語テキストを表象するうえで不偏不党のものではなく、国民的（ナショナル）なもの――特に英語が話される国家に――だからである。教室における翻訳の抑圧は、英米文化圏の価値観が外国のテキストに不可避的に刻印されているという事実を隠してしまう。それどころか同時に英語を普遍的な真実を伝える透明な媒介としてあつかい、言語的愛国主義、文化的ナショナリズムさえ推進してしまうのだ。

同じことは人文学の授業ではさらに頻繁におこりがちである。授業では、正典である外国語テキストの翻訳が国内のアジェンダのもとリストアップされていることがある。たとえば「名著」を擁護する反動的な動きが一九八〇年代に起こったが、「名著」と英米の国民文化に連続性があることを想定する一方で、文化的・歴史的差異——翻訳によってもたらされたものもふくまれる——をしばしば無視するのである。物議をかもしたウィリアム・ベネットによる米国の人文学教育についてのレポートは、その典型だ。全米人文科学基金の書記長であるベネットは、保守派の政府に任命された人間として以下のように主張した。「われわれは西洋文明の一部であり、その所産である」がゆえ、ヨーロッパ文学と哲学の正典テキストは「アメリカの大学のカリキュラムの中核」でなくてはならない。たとえ、その「中核」の授業を受ける学生が、テキストの大半が書かれた西洋語が読めないとしてもそうすべきだという。[12]これに対して英文学者ジョン・ギロリーはこう指摘する。

海外の（いわゆる）「古典」の、自国の口語訳は、ありもしない文化的連続性を支える強力な屋台骨である。外国語テキストがたやすく参照できるようになれば、ナショナリスティックなアジェンダも追認されてしまうのだ。[13]

翻訳を教えるさいに、それが翻訳されたものであるという問題が閑却されると、外国の真実をあらわしているとして翻訳する側の言語や文化は過大評価されるが、実際は国内の一部のグループの知のスタンスや関心によりかかったイメージをつくりだしているにすぎない——ベネットの場合には、エリートによるアメリカ国民文化のイメージだ。

文学を翻訳で教えるさいに、テキストと解釈がおかれた境遇に学生の関心をむけてやることで、自己批判や排他的な文化イデオロギーへの批判を身につけさせることができる。たとえ意図的なものではないにせよ、翻訳はつねに、特定の時代の、特定の文化的構成員にむけたものになる。翻訳を無視することで、作品の思想や形式は歴史から遊離して宙づりになってしまい、言語的・文化的差異がどこかにいってしまう——その差異があるからこそ、そもそも翻訳の必要性が生じ、教室で解釈しなくてならなくなったはずなのだが。外国のテキストが誕生した時代を再現し、解釈の歴史的文脈を生みだそうとしても、歴史性の喪失を補うどころか、一層複雑に、悪化させてしまうのである。学生は自分の歴史的につくられてきた解釈が、のちの、異なる時点の文化的価値観にあわせた翻訳言説と批評の手法によって決定されたものではなく、テキストに内在するものだと見なすようになる。結果として学生は、テキストに単純にうまく当てはまる「正しい解釈」というコンセプトをいだきがちなのだが、実はそんなものはテキスト上の証拠と実証研究を選りわけ、寄せあつめてこちらからつくったものであるということや、ゆえにその解釈は言語的・文化的制約によって縁どられているということが無視されてしまうのだ（翻訳に依存していることもそうだ）。「テキストが翻訳されたものである」という認識を教室での解釈に持ちこんでやれば、学生に、その批評の試みなど限定的かつ暫定的なものでしかなく、移りかわる受容史や、特定の文化的状況、カリキュラム、特定の言語におけるものにすぎないのだと教えることができる。そして限界を知れば、外国語テキストを理解するほかの方法、自身のおかれた文化的状況について理解するほかの方法がないかと、さまざまな可能性を意識するようになる。

こうした教育法は当然ながら、授業・カリキュラム・正典・ディシプリンの再考を迫るものである。結局のところ、翻訳が必読文献になるのは通常、翻訳される外国語テキストの評価が高いからであって、翻訳自体に価値があるわけではない。もちろん、さまざまな基準に照らして、一部の翻訳が特に選ばれるということがあるのはまちがいないとしても、である。教室で翻訳の問題をあつかうということは、そのような評価を疑問に付すということでもある。なぜなら、そのためにはたんに外国語テキストと文化だけでなく、翻訳テキストと文化をも包含するような、二重の焦点がいるからである。つまり、講師は正典テキストを追いやって、正典翻訳というコンセプトにむきあわなくてはならない。シラバスを改訂し、授業時間の配分も変えなくてはならない。言語と時代を隔てるディシプリンの壁をこえる教材をつくらなければならない。ダンテだけでなく、ドロシー・セイヤーズを教えなくてはならない。ダンテのイタリア語の厳密な韻律だけでなく、セイヤーズの英語のヴィクトリア朝末期の詩情を、中世フィレンツェ文化だけでなく、第二次世界大戦前のオックスフォードの文芸文化を教えなくてはならない。[14] イタリア語と英語の一節を選んで詳しい説明をつけて並べれば、異なる文化・歴史状況だけでなく、二つのテキストのユニークな特徴に光をあてることができるだろう。さらに学生は、「名著（グレートブックス）」が「グレート」なのは翻訳がゆるすかぎりのものであること、それが正典なのはテキストがただすぐれているからではなく、（ほかを排除する）一部の文化的構成員の価値観にもとづいた受容のされ方のせいでもあることも学べるのだ。

文学の翻訳による教育は言語的・文化的差異を理解することに主眼をおくがゆえ、教育学者のヘンリー・ジルーが提唱する「境界教育学」というコンセプトの好例になっている。境界教育学は以下のように文化を定義する。

文化は一枚岩かつ不朽不変のものではなく、不均質な境界多数からなる移ろいゆく球体としてとらえられ、境界においては権力や特権がさまざまな関係をとり結ぶ中で異なる歴史・言語・経験・声が絡まりあっている。[15]

翻訳という問題を教育できれば、受容のされ方が異なれば外国のテキストの意義も変わるということだけでなく、ある時代の、国内文化で、どの受容のされ方が主流(ドミナント)であり、非主流(マージナル)なのかということもわかるようになる。意図せざるかたちではあるが、こうした教育法は多文化主義についての昨今の議論にかかわってくることになる。だからといってヨーロッパ文学の正典を捨てさるべきだと、主張するのではない。現在の文化がヨーロッパ文化に深く根ざしたものであると同時に、正典テキストの翻訳にべったり依存したものでありつづけるかぎり、そういった戦略がとられることはないだろう。多文化主義の典型とも言える現代アメリカ文学の研究では――たとえば、チカーナの作家グロリア・アンサルドゥーアを例にとろう――「スペイン系アメリカ文学・英国系アメリカ文学の正典のみならず［……］、ホイットマン、ホセ・バスコンセロス、セサル・バジエホ、マリオ・デ・アンドラーデ、ジーン・トゥーマー、ニコラス・ギリエン、アルフォンシーナ・ストルニ、ギンズバーグをふくむ新規に考案された背景」が必要になる。[16] 翻訳はアメリカの民族文学を理解するうえで不可欠であって、正典テキストを無思慮に締めだすことはむしろ困難になるだろう。

教育学が翻訳を論じるようになれば、正典テキストと排除された文化のテキストを単純に統合すること――別の言い方をすれば多文化主義的な正典――も同様に疑問に付すようになるだろう。多文化主義的な正典による公平さを達成しようとすれば、テキストを判別するはずの歴史的特異性をとりのぞいてしまい、ジルーが「偽りの平等と脱政治化されたコンセンサスという概念の地平」と呼んだものを生みだし、あまねく正典形成と教育機関に組みこまれている排除を無視することにつながるだろう。[17] むしろ翻訳を研究してわかるのは、異質なもののさまざまな受容のされ方——そこには正典・非正典にかかわらず外国語テキストの翻訳に適応される言説形式もふくまれる——を歴史化することで、文化的差異の尊重（多文化主義の教育学的目的）は、習得されうるということだ。

ゆえに翻訳文学の教育学は、ジルーが「境界教育学」のために考案した政治的アジェンダに適うのだ。ジルーは次のように言う。

> 仮に、境界教育学のコンセプトが批判的民主主義の原則に結びつくとして（そうにちがいないのだが）、教育者は、差異がさまざまな表象や実践をとおして形成される方法を理論的に把握しておかなくてはならない。そういったものこそが、アメリカ社会における非主流グループの声を名指しし、合法化し、疎外し、排除するからだ。[18]

ジルーがここで「アメリカ」と言って想定しているのは、多様な英語の問題であり、外国語や翻訳の問題ではない。ほかの多文化主義の擁護者と同じように、ジルーが考える境界とは、アメリカ文化の構成員のあいだに横たわる境界だけなのだ。しかし現在の翻訳の割合を見れば、英国や米国のような英語が話される国では、外国文化が実際に「非主流」だとわかる。より根本的には、翻訳は、国内文化の価値観が刻印された外国のテキストの表象をつくりあげるので、目標言語がなんであれ、ある程度は「非主流」の状況を生みだしてしまうという事実がある。あらゆる翻訳テキストで機能している同化を明るみにだし、その文化的・政治的意義を評価することで、翻訳文学の教育学は、ジルーの境界教育学同様に、「政治的・倫理的な言語を優先する差異の境界政治学の一部」として機能する。[◆19]学生が翻訳をたんなるコミュニケーションの道具ではなく、国内の用途に応じた外国語テキストの流用だと見なすようになれば、外国文化と出会ったとき、どう行動するのが適切か、問えるようになる。

しかし教室の中でこのアジェンダを達成しようとすれば、翻訳テキストの、文学作品として、芸術作品としての質を問い、言語と文体、方言と言説のレベルでの差異を見つけるしか手段がない。翻訳の問題を教えようとすれば、その文学特有の形式や表現に注意を払わなければならないが、他方でそうした性質はつねに歴史の中に位置づけられ、（彼らのために／彼らによって翻訳がなされる）文化的構成員の価値観が反映されているということも例証しなくてはならない。ここで、文化的差異への敬意の学習には、二重の工程が必要になる。まず外国のテーマに枠をはめている、翻訳する側のニュアンスというものが明確に存在しているのを認識すること。翻訳の中にある異質でないものを認識すること。外国のテキストが本来もたされていただろう意味を、避けがたく変えてしまうものの存在を認識すること。つぎに外国のテーマやテキストの意味が、国内文化の価値観を異化するのを受けいれること。外国のテーマやテキストの意味は、国内文化の階層構造、正典と非正典を暴くのである。

こうした教育学は、やがては外国語テキストとその翻訳のあいだの差異だけでなく、翻訳それ自体の内部に潜む差異も検証するようになるだろう。この作業のためには、目標言語においてのみ機能するテキストの効果、テキストを伝えようとする翻訳者の意に反して、翻訳プロセスで外国語テキストに加えられる目標言語の文法や語法のようなよけいなものに着目しなければならない。英訳につかわれる方言・語彙・文体にはさまざまあって、それぞれが英語の歴史の異なる時点に対応しているが、翻訳が透明な媒介として読まれたり、実際に外国のテキストと区別がつかないような場合には抑圧されてしまうのが常だ。翻訳の問題を教えるとは、翻訳のよけいなものを教えるということであって、翻訳の均質さを脅かしたり、透明な見かけを曇らせるような複数の、多時間的な形式に注意をうながすことである。

この教育学を例証するために、トレヴァー・ソーンダースによるプラトン『イオン』の最近の英訳をとりあげてみよう。このテキストは、学部から大学院までの各レベルで、また英文学科、比較文学科、哲学科、人文学といったさまざまな学科やプログラムで、シラバスに記載されていると思しきものだ。この短い対話劇の中で、ソクラテスが論じているのは、吟誦詩人(ラプソドス)のイオンがホメロスの詩を演じ、解釈していることだ。イオンはあたかもホメロスが知識ではなく、神聖な霊感を受けてその詩を書いたかのようにしているのだ。議論は基本的にソクラテスのほうが問いかけることですすんでいき、イオンが相当に皮肉られている。イオンは思いあがった、思慮も浅い人物として描かれていて、ソクラテスの話の筋道についていけないこともある。よけいなものをさがして英訳を読んでみると、すぐに気がつくのは、翻訳言説が全体として現在の標準方言を守っているなかで、皮肉を生む効果を出している部分は口語的な特徴——とりわけ英国の——があるということだ。こうした口語は単純に皮肉を強める効果をだしているだけではない。対話劇の議論に階級的な意義をもたせるものでもあるのだ。

イオンは口語的な慣用句を何度かつかう。うちひとつは結末近くで用いられるもので、うぬぼれや思慮の浅さがきわまった風に話す箇所である。

SOCRATES: Now then, are you, as a rhapsode, the best among the Greeks?

ION: By a long chalk, Socrates.

ソクラテス　ところで、君は、ギリシア人たちのうちで最もすぐれた吟唱詩人ではないか。

イオン　ええ、たしかにそうです、ソクラテス。[20]

By a long chalkは明らかに英国風の慣用句で、「かなりの程度」（『オックスフォード英語辞典』）を意味し、ギリシャ語のpolou geの訳だが、この句は標準方言に引きつけて訳すならvery much soだろう。[21]口語話法はイオンの語彙だけでなく、構文にもあらわれる。冒頭で、ソクラテスはホメロスとほかのギリシャ詩人の類似点を指摘することで、イオンのホメロスひとりへの傾倒は詩の知識にもとづいたものではないことをなんとかしめそうとしている。

SOCRATES: What of the other poets? Don't they talk about these same topics?

ION: Yes – but Socrates, they haven't composed like Homer has.

ソクラテス　では、他の詩人たちはどうなのだろうか。彼らも同じこれらのことについて語っているのではないか。

イオン　そうです、しかし、ソクラテス、彼らはホメロスと同じように詩作したのではありません。[22]

ギリシャ語原文onch homoios pepoiekasi kai Omerosとくらべると、asのかわりにlikeをつかうイオンの語法に対応するものがないため、翻訳者の手が入っていることがわかる。[23] not in the way that Homer has written poetryのような標準英語や、ベンジャミン・ジョウエットの意訳寄りの英訳のnot in the same way as Homerではなく、翻訳者は意図的に口語的な構文を選んだのだ。[24] もちろん、likeの接続詞的な用法は口語的なものであり、対話劇というギリシャ語原文のジャンルに適っていると見なすこともできる。しかし、それにもかかわらず、結果としてイオンは非標準英語を話すものという烙印を押されることになった。もしたんに社会的地位が低いということでなければ、おそらくは教育もあまり受けられなかったという意味かもしれない。のちにヘンリー・ファウラーの『現代英語用法辞典』のような規範的な文体教本に引用される『オックスフォード英語辞典』の記述によれば、この用法は「現在では一般に下品でだらしないと非難されている[25]」。

翻訳では、この口語がイオンの愚鈍さのシグナルになる。そしてソクラテスは皮肉をきかすさいにこういった語法を用いる。イオンを見下し、ラプソードとしてのプライドを煽りつつ、そのプライドが根拠のないものだということをほのめかす言葉をつかうのだ。通常、皮肉を利かすには短い文句で十分である。訳者は「要約して言えば en kephalaiai」のかわりに in a nutshell、「親しい〔イオンよ〕ophile kephale」のかわりに to conclude や my dear chap とソクラテスに言わせる。これは dear friend のような挨拶の表現だが、「頭 kephale」を用いることでこの話し相手に隠喩的に言及している。明らかに、ギリシャ語原文でイオンが機転がきかずにまごついていることへの目くばせだ。[26] こういった辛辣な表現とは別に、対話劇の冒頭には、英国の口語表現の特徴がはっきりでた長い一節がある。

I must confess, Ion, I've often envied you rhapsodes your art, which makes it *right and proper* for you to dress up and look as *grand* as you can. And how enviable also to have to immerse yourself in a great many good poets, especially Homer, the best and most inspired of them, and to have *to get up* his thought and not just his lines!

ところで、イオン、私はしばしば、君たち吟唱詩人をその技術のことで羨ましく思った。なぜなら、一つには、その身をいつも飾り立てて、できるだけ自分を美しく見せることが君たちの技術にいかにもぴったりしているということ、それから一つには、他のすぐれた、最も神的なホメロスとかかわって時を過ごし、その詩句ばかりでなく、その人の思想もすっかり学びつくさなければならないということ、これは羨むべきことだから。[27]

イタリック体にした言葉はどれも、誤訳だと断言するほどには意訳ではないが、ギリシャ語原文では口語的とは言えない箇所だ。たとえば、to get up は「徹底的に知る、暗記する ekmanthanein」を訳したものだ。[28] しかし翻訳者の選択が積み重なって、英国特有のくだけた感じがでている。こういった箇所でソクラテスがイオンを見下しているのは、対話劇の進行とともに明らかになる。ソクラテスが別の口調でも話すからだ。ギリシャ語テキストと同様に翻訳でも、ソクラテスの語彙にだけ哲学的な抽象概念があらわれ、イオンを何度も煙に巻く。

SOCRATES: It's obvious to everyone that you are unable to speak about Homer with skill and knowledge [*techne kai episteme*] – because if you were about to do it by virtue of a skill, you would be able to speak about all the other poets too. You see, I suppose, there exists an art of poetry as a whole [*alan*], doesn't there?
ION: Yes, there does.
SOCRATES: SO whatever other skill you take as a whole, the same method of inquiry [*tropos tes skepseos*] will apply to every one of them? Do you want to hear me explain the point I'm making, Ion?
ION: Yes, by Zeus, Socrates, I do.

ソクラテス　誰の目にも明らかなように、君はホメロスについて技術と知識によっては語ることはできないのだ。というのは、もし君が技術によって語ることができるとしたら、ホメロス以外の他すべての詩人たちについてもまた語ることができただろうから。なぜなら詩についての技術は、思うに、全体的なものだからね。そうではないか。
イオン　そうです。
ソクラテス　それでは、誰かが、他のどんな技術であろうと、それを全体として把握したときには、探求の同じ方法がすべての技術について適用されるのはないだろうか。私の言っていることがどんな意味なのか、いくらかでも私から聞く必要があるだろうか、イオン。

イオン　はい、ゼウスに誓って、ソクラテス、ありますとも。[29]

実際、翻訳で口語をつかえば、階級のコードを、ギリシャ語テキストのテーマであるヒエラルキーに刻みこむことになるのである。こうしたヒエラルキーのなかで特に目につくのは認識についての問題である。ソクラテスはイオンがパフォーマンスも解釈もするうえで知識も技術もなく、問題となっている哲学的なコンセプト（知識は体系的なものかつ専門化されたものであって、パフォーマンスや、ある分野やディシプリン内でのあらゆる営みの評価を可能にするものだという概念）を理解もできないということをしめそうとしている。ゆえにソクラテスの話では、イオンは判断の根拠をうまく説明できないまま最高だとしたホメロスだけでなく、ほかの詩人もみな、同じくらいうまく演じられなければおかしいということになる。こうした議論から読みとれるのは――あるいは明らかなのは――ソクラテスをイオンの上に置くことで、ギリシャ語テキストはパフォーマンスよりも哲学を、実践よりも理論を特権視しているという事実だ。

認識論的ヒエラルキーは政治的なふくみももっている。二か所で、イオンの出身はエフェソスだとされており、それを「アテナイ人」に「支配［archetai］され」ていると述べている。そしていくつかの時事的な事柄への言及から、イオンとソクラテスの会話がエフェソスがアテネの支配に反旗を翻すまえのことだとわかる。[30]結果として対話劇は、アテナイ人（ソクラテスその人）は被植民者よりも知的にすぐれ、イオンの無知がアテネの帝国主義を正当化するようなプロパガンダ的イメージを生んでいるように見えるのだ――愚鈍なエフェソス人はアテネのプラトンの哲学王の導きが必要だという。このイデオロギー的な重荷は英訳にも持ちこまれているが、言葉づかいが異なるせいでさらに複雑になっている。標準方言を話す人間は、教育も受け、哲学の抽象概念にも熟達している。口語的な口をきく人間はそれ以下の存在として描かれ、哲学の教養もなく、知的能力も低いことを露呈する――パフォーマーとしては非常に成功していたとしてもだ。

ゆえに、よけいなものはギリシャ語テキストと英語訳の双方に光をあてる。方言の差は、とりわけアイロニーの手段であるかぎり、プラトンの議論が生みだした文化的・政治的ヒエラルキーと、それが歴史上どれだけ特異なものなのか、意識するのに有用だ。しかし方言がとりわけ英語のよけいなものを構成するかぎり、英語の、英米文化における階層（ヒエラルキー）的な価値観をあらわにする同時代の、国内の価値観をもつくりだしてしまう。このよけいなものを教えることで、学生は翻訳が解釈を引きおこしているだけでなく、その解釈がギリシャ語テキストにおけるソクラテスとイオンのイメージを強めたり、問いただしたりするために用いられるということも理解する。たとえばイオンの方言は、飲みこみの悪さと教養のなさをしめすという意味では正しいもののように思える。あるいは文化的エリート主義のあらわれであり、階級支配の結果として、烙印を押されたかにも見える。そういった可能性をつうじて考えることで、学生は自分自身の解釈の限界について学べるのだ。この口語使用をプラトンの議論の証左ととるか、脱神話化ととるかいずれにしても、その読解はテキスト上の証拠と実証研究（たとえば、イオンが実際にある種の知識をもっているのかという問いにたいする答え）だけでなく、翻訳にもちこまれた文化的・政治的な価値観にもよるのだ。

翻訳のさいに生じるよけいなものを精査してやれば、翻訳というトピックを教えるうえでどうすれば生産的なのかもわかってくる。教室では、ごく短い一節を特に選んでおこなうことができ、外国語テキストと翻訳テキストの比較はかならずしもしなくてもいいだろう（そのような比較は非常に参考になるにしても）。そういったよけいなものは、翻訳そのものや、目標言語で発揮されるテキストのさまざまな効果からわかるので、教育上有用なのだ。このおかげで、翻訳を「翻訳」として――外国語テキストを伝達しながらも、同時に国内の価値観を刷りこむテキストとして――精読することができるようになる。ゆえに、この読解も歴史的なものである。翻訳のよけいなものが理解できるようになるのは、そのさまざまな言説・語彙・文体が国内文化のある特定の瞬間に結びつけられたときだけだ。教室では、翻訳の言説分析はカルチュラルヒストリーと組み合わせなくてはならない。よけいなものとは、現行標準的ではない言語形式が、標準用法で噴出したものであり、「過去と現在の言語的状況が刻み込まれている場所」なのだ。[31]

よけいなものがもつ時間的な側面がもっともドラマチックに露呈するのはおそらく、ひとつの外国語テキストの翻訳を複数ならべてみたときだろう。訳文をいくつか集めてやれば、それぞれの文化的状況でどんな翻訳の効果が可能だったのかわかるようになり、さらにはそうした効果のそれぞれを、受容のかたちとしてそれぞれの文化的構成員と結びつけて研究できるようになる。時代ごとに訳文のサンプルを集められれば、国内文化で正典の地位を獲得した翻訳を脱神話化するうえで、特に有用である。翻訳が多くの読者にとって外国語テキストのかわりになるとき――実質的にテキストに成りかわったり、読者にとってそうなったりするとき——よけいなものを教えてやることで、その翻訳が文化的な権威をもっているのは、たんに正確だからとか文体が巧みだからとかではなく、ある国内の価値観に訴えているからだとわかるようになる。

リッチモンド・ラティモア訳の『イリアス』（一九五一）を例にとってみよう。これは、出版以来もっともよくつかわれている英語版であり、英文科・古典科・比較文学科・歴史科・哲学科・人類学科の教員を対象にしたMLAの調査によれば、「回答者の四分の三以上が好んで使っている」[32]。ラティモア訳はギリシャ語テキストにきわめて近く、ホメロスの詩行にぴったりと寄り添っているほどですらあるのだが、英語テキストをある文化的な状況に結びつけるよけいなものを消してしまうほどではない。正確で、現代の英語話者にとってきわめて読みやすいという点では明らかに飛びぬけているのだが。

第一巻の鍵となる場面から以下の詩行について考えてみよう。トロイヤ戦争で捕虜にしたブリセイスはアキレウスの愛人だったが、ギリシャ軍の総大将、アガメムノンに引き渡される。

hos phato, Patroklos de philoi epepeitheth'h etairoi,
ek d'agage klisies Briseida kallipareion,
doke d'agein. to d'autis iten para neas Achaion.
he d'aekous'h ama toisi gune kien. autar Achilleus
dakrusas hetaron aphar ezeto nosphi liastheis,
thin'eph'alos polies, horoon ep'apeirona ponton.

polla de metri philei eresato chieras oregnus.
こういうと、パトロクロスは愛する戦友のいう通りに、頬美わしいブリセイスを陣屋の内から連れ出して引き渡し、二人の使者はアカイヤ人の船の陣地へ帰ってゆく。娘は後ろ髪をひかれる想いで使者に随って立ち去ったが――この時アキレウスは、はらはらと涙をこぼし、つと立ち上がって僚友たちから離れると、涯しなく拡がる海原を眺めつつ、灰色の海の渚に腰をおろした。両手を前に差し伸べて、母（なる女神）にかきくどくが如く祈りながら〔……〕[33]。

So he spoke, and Patroklos obeyed his beloved companion.
He led forth from the hut Briseis of the fair cheeks and gave her to be taken away; and they walked back beside the ships of the Achaians, and the woman all unwilling went with them still. But Achilleus weeping went and sat in sorrow apart from his companions beside the beach of the grey sea looking out on the infinite water. Many times stretching forth he called on his mother:[34]

ラティモア訳の言説は、「今日の普通の英語」と彼が呼ぶところの標準方言の、非常にシンプルな語彙に基礎をおいている。[35] ラティモア自身が述べていることだが、マシュー・アーノルドによる「ホメロスの翻訳について」（一八六〇）の教え――「ホメロスの訳者は、著者の四つの性質を心にとめておかねばならぬ。思考と表現において迅く、平明で、直截であり、本質において平明で、直截であり、そして高貴である」[36] にしたがったのだ。これぞ――アーノルドのことばによれば――「ギリシャ語を知り、詩を愛でる力をもった人間」によって成されたギリシャ語テキストの学者的な読みである。ジョウエットのようなヴィクトリア朝の古典学者を念頭においたものにせよ、この読みは今日にいたるまで主流になっており、ラティモアや、ロバート・フェイグルズによる英訳についても多くのことを教えてくれる。[37]ラティモアは学術的な翻訳をしたのだが、アーノルドが求めていた「英語における詩的言語」は修正する必要があると感じていた。なぜなら「一九五一年には、英語の詩的言語はな」く、古語風の詩的表現——「スペンサーか、欽定訳聖書風の言いまわし」——は、ホメロスの平明さには不釣り合いだったからだ。[38]

しかし上記の一節からもわかるように、ラティモアの言説には実際に古語風の言いまわしが見てとれる。語彙だったり（beloved、led forth）、構文だったり（weeping went のような倒置法）、韻律だったりがそうだ（ホメロスの六歩格をまねた、「無韻の六拍子の詩行」——これもアーノルドがすすめたものだった）。[39]こうした古語風の言いまわしは、ギリシャ語・ラテン語の名前や形容辞の直訳（of the fair cheeks）にとけこむことで、翻訳を詩的なものにし、詩を「高貴」に、格調高くしている。ラティモアとアーノルドとのもっともはっきりしたちがいは、古語を最小限にすることでよけいなものを抑えて、こうした性質を二十世紀中盤の英語読者の目になるべくつかないようにしている点である。詩行にわかれてはいるが、ラティモア訳は「現代の散文の言語」でかたどられている。つまりコミュニケーションとリファレンスの言語であり、リアリズムの言語であり、ぱっと読んですぐわかり、透明に見え、意味や現実、外国語テキストに開かれた窓になっている。ラティモア訳『イリアス』がひときわうまかったのは、アーノルドの学術的な読解を更新し、一九四〇年以降の英語の幅広い語彙を生かして、その読みを自然なもの、あるいは真実として確立したからだ。

つまり、ラティモアはギリシャ語テキストと読者を隔てる言語的・文化的差異に橋をかけるというよりは、国内で支配的(ドミナント)な価値観でそれを書きかえたのである。ここでほかの二つの訳文と並べることで、ラティモア訳を異化(デファミリアライズ)してみせることができるだろう。どちらも、（時代は早いが）非常に高い権威を誇った訳文である、ジョージ・チャップマン訳（一六〇八）とアレクサンダー・ポープ訳（一七一五）だ。歴史的距離は翻訳のよけいなもの——ギリシャ語テキストに訳が刻んだ英語文化の価値観——に光をあてるだろう。だが、先に引用したラティモア訳と同じ箇所の顕著なちがいにも注意を喚起する。

〔チャップマン訳〕

This speech usd, Patroclus did the rite
His friend commanded and brought forth Briseis from her tent,
Gave her the heralds, and away to th'Achive ships they went.
She, sad, and scarce for griefe could go. Her love all friends forsooke
And wept for anger. To the shore of th'old sea he betooke
Himselfe alone and, casting forth upon the purple sea
His wet eyes and his hands to heaven advancing, this sad plea
Made to his mother: ◆40

〔ポープ訳〕

Patroclus now th'unwilling Beauty brought;
She, in soft Sorrows, and in pensive Thought,
Past silent, as the Heralds held her Hand,
And oft look'd back, slow-moving o'er the Strand.
Not so his Loss the fierce Achilles bore;
But sad retiring to the sounding Shore,
O'er the wild Margin of the Deep he hung,
That kindred Deep, from whence his Mother sprung.
There, bath'd in Tears of Anger and Disdain,
Thus loud lamented to the stormy Main.[41]

たんに語彙面でのちがいにだけ着目したならば（引用部の内容は盛りだくさんだが、ほかの特徴はおく）、チャップマンとポープの訳が秘めたホメロスの詩のジェンダー表象に対する著しい不安が明らかになる。どちらの翻訳者にとっても、アキレスがすすり泣いたという事実は近代的な男性性の概念に回収するのが難しかったようで、ギリシャ語原文を編集しなくてはならなかっただけでなく、訳文を注釈で補う必要があった。チャップマンはすすり泣きを「濡れた目 wet eyes」にとどめ、ブリセイスとの別れにやはり「怒りですすり泣いた wept for anger」「友人たち friends」を導入することで平静をよそおった。ポープは「憤怒と侮蔑 Anger and Disdain」をからめることで「涙 Tears」を見なおした。この節に対してチャップマンがつけたコメントは、ルネサンス文化期に普及した習合主義の典型である。異教徒の英雄を「ラザルスのために泣くわれらが完全無欠にして全知全能たる救世主 our Allperfect and Almightie Saviour, who wept for Lazarus」とくらべてはいるが、ジェンダー的な話題でははっきりと男性性を全面に押しだしている。それは以下のようなものだ。「女々しさや惰弱の涙のほかに雄々しさや胆力の涙があることを誰が否定できようか？」[42]ポープの注釈は、「憤怒と侮蔑の涙」に「すぐれた、苛烈な気性のほうが流されやすいが」ゆえに「英雄の涙は弱さではない」というやはり同様の男性中心主義的な議論をして、修正を正当化している。[43]どちらの訳者も極端な感情を女性的なものと見なし、アキレスの怒りの男らしい強さと対照的に、ブリセイスの感情的な弱さを描くため（「嘆きのあまり足がすくんだ scarce for griefe could go」「たおやかな悲しみ soft Sorrows」）、ギリシャ語に手を加えたのだ。ポープはブリセイスの受け身と服従を強調するために、「沈黙を超え past silent」たということにした。同様に双方の訳者とも、アキレスとパトロクロスの関係を処理するうえでギリシャ語の「愛する philo」を抹消したのだが、これは二人が同性愛だという、紀元前五世紀のアテナイ文学からつづく伝統的な解釈を省いてしまったことを意味する。[44]

ふたつの既訳は、ラティモアの訳語の選択に疑義をなげかけることで、その権威に挑戦しうるものになっている。ラティモアの英語は一見透明ではあるが、結局はどの訳もジェンダー表象を担っていることをしめしているのだ。興味深いことに、訳文のテキストが標準方言からわずかに逸脱する箇所は、アキレウスが家父長制的な男性性のコンセプトから逸脱する場面であり、それこそラティモアのみならず、チャップマンとポープの時代にも強かったものだ。「愛する beloved」「泣きぬれ weeping went」のような古語風の表現は、現代の読者には違和感をあたえ、ラティモアの訳文の一見透明な表面を曇らせている。つまり、こうした表現は、アキレウスとパトロクロスのあいだの潜在的な同性愛や、戦争の英雄の激しやすい感情を許容する。古語風の表現こそが、こうした文化的価値観を過去に位置づけているのだ。しかし、このような効果は訳文ではあくまで潜在的なものにとどまっている。これらの効果はほかの訳文と対比することではじめて表に出るもので、ラティモア訳のよけいなものも掘りだされてしまうわけだ。というのもその平明な言説が、微妙なニュアンスを覆い隠し、物語を前にすすめ、あらゆる場面を厳かな調子でつつんでしまうというのがそもそもの原因なのだ。古語調の言いまわしは現行の均一な標準方言のなかに埋もれる傾向にあり、英語におけるよけいなものからギリシャ語テキストのテーマに注意をむけ、翻訳がいかにアキレウスやブリセイエスをつくりだし、彼らをめぐる解釈もまるごとつくりだしたのだということを隠してしまう。

よけいなものが翻訳の問題を教えるのに役だつのなら、それは翻訳を選ぶうえで新たな根拠になるかもしれない。圧倒的大多数の場合――よく知られているように――翻訳テキストがシラバスに載るのは、形式なりテーマが、授業のトピックやカリキュラムに合っていそうな場合である。先に触れた世界文学教授法についてのMLAのシリーズに収録されている講師にたいする調査から判断するに、米国やカナダでは一般的に、価格や入手しやすさのような外部要因をのぞいて、外国語テキストと比較して翻訳を選ぶかどうか決めている。基準にばらつきはあるにしても、正確さはもっともよくつかわれる尺度である。だが講師が翻訳の問題を教えようとするのなら、正確さだけでなく、ある翻訳の（刊行時と現在両方の）文化的意義や社会的機能のようなほかの基準とあわせて考えなくてはならない。いかに正確であっても、翻訳が外国語テキストの解釈であるのなら、どの訳文が適切かは、いかに特定の解釈を選ぶかという問題になる。こちらの訳文は翻訳が提起する問題を、はっきり表現するものかもしれない。だがあちらの訳文は授業であつかう別のテキストに用いる批評理論と、うまく嚙みあうものかもしれない。翻訳を選ぶとは、よけいなものがたくさんあるテキストを選ぶということである。たとえば、特に意義深い翻訳言説だとか、国内文化で翻訳に正典や非正典の地位をあたえた言説だとか、そういったものである。講師は、現代の文化的価値観について学生に見つめなおしてもらうために（これを自己批判と言う）、現代の翻訳（その抜粋でも可）をいれてもいいだろう。

結局のところ、よけいなものを教えれば、学生は文化的アイデンティティ形成において翻訳がはたした役割が見えるようになる。もちろん、あらゆる教育は主体性を形成し、学生に知識を授け、社会における居場所をあたえることを目的としている。このことは、文化における形式や価値観を教える授業には特によくあてはまり、そしてそういった授業はしばしば翻訳にかなりの程度依存するのである。教室における主体の形成は社会的エージェントの形成であるがゆえ、文学の授業は、だれもが手にできるわけではない相当の言語・文化資本を伝達し、エージェントに社会的権力を授けるものでもあるのだ。ギロリーは以下のように論じている。

文学のシラバスは、二つの意味で資本を形成する。第一に、言語資本である。これは社会的に信用され、それゆえ評価をうける話し方――すなわち「標準英語」――を獲得するための手段である。

そして第二に、象徴資本である。これは知識資本の一種で、要求に応じて所有していることを見せることができるものであり、そのことで所有者に教育水準の高い人物という文化的・物質的報酬を授ける。[45]

翻訳文学が言語・文化資本を伝達する媒介であるかぎり（英語の標準方言は現行、正典テキストを訳すうえで好ましいとされる言語である）、翻訳は、教育のアイデンティティ形成プロセスを研究し、変えるための方略となる。なぜなら前章で見たように、翻訳ではそうしたプロセスが少なくとも二つ同時に機能するからである。外国語テキストの文化的差異は、翻訳された場合、つねに目標言語（ターゲット）の価値観にあわせて表現され、外国と国内読者両方の文化的アイデンティティを形成する。たとえばポープは、「詩の興趣を理解し、すぐれて学習能力の高い」ブルジョワ貴族の男性エリートにむけてエレガントな啓蒙主義ホメロスをこしらえた。[46] 第二次世界大戦後のアメリカの大学生レベルを対象に、ラティモア訳のホメロスはギリシャ語原文の学術的な読解を英語の標準方言に溶けこませつつ、文化的分断と階級差別を強化する一方で、男らしさと軍国主義が特徴である古風な貴族文化を高貴なものとして刷りこんでいる。翻訳を学ぶことで、外国語テキストのみならず、翻訳なら読者に刷りこまずにはいられない国内の利害関係を学生に今まで以上に意識させることができる。翻訳文学を教えるうえで、文化的差異への敬意を学習すれば、おのずと国内の読者の文化的アイデンティティを成りたたせている差異も学習することになる。英語がグローバルな覇権を握り、英米の読者のナルシシズムや自己満足を招いてしまっている時代において、翻訳はあらゆる文化の特徴である異種性（ヘテロジェニイティ）に光をあてうるのだ。

しかし翻訳をこんな風に機能させたいと思えば、文学の大学院教育を再考する必要がある。比較文学のディシプリンでは、第二次世界大戦後の数十年のあいだ「国家的・言語的アイデンティティに傾注」してきたせいで、翻訳研究の進捗がくじかれるということがあったにせよ[47]、そうした反省がすでにはじまっている。一九九三年の、アメリカ比較文学会における職業規範についてのバーンハイマー・レポートは、「翻訳に対する根深い敵意を和らげる必要がある」としている。というのも「翻訳は、異なる言説の歴史にまたがる理解や解釈についてのより大きな問題を考える上でのパラダイムと見なすことができる」からだ[48]。対照的に、イギリス比較文学会は長いあいだ翻訳を当該分野のモデルと見なしてきた。翻訳研究の第一人者をして、「われわれはいまから、翻訳研究を主たるディシプリンと見なさなくてはならない。比較文学は重要ではあるが、補助的な関心領域としなくてはならない」と言わしめているほどだ[49]。こうした見解は米国の比較文学者には極端にも映るだろうが、アメリカの比較文学プログラムでは翻訳研究と翻訳史の授業が、いまだに比較的めずらしいものにとどまっていることを喚起させるという意味では役にたつ。

英文科で翻訳が関心を集めるためには、最新の文学研究に現在蔓延している島国根性（外国人恐怖症（ゼノフォビア））と言う人もいようか）を打破しなくてはならない。博士号取得のための外国語習得要件が英米文学の研究（学位取得か、それ以上にせよ）を支えていた時代は終わった。修士・博士課程の多くで（特に米国では）、外国語習得の要件は減免されており、外国語学習がごく短い抜粋をまずまず意味が通じる慣用的な英語に直すという初歩を超えて必要になることはめったにない。そのため昨今の博士号取得者は、研究でも教育でも翻訳に頼ってしまうことで起きる文化・政治の問題について考える術をもたない。

だが（私が思うに）その処方箋とは、二つ（あるいはそれ以上の）外国語による十分な読解力を求める伝統的な要件にもどることではない。そのような面倒な要件からえられる知識は、英語文学にしっかりと根をおろした大学院のカリキュラムのなかでしか使い物にならないだろう――学位取得が遅れたり、語学試験合格の近道を探しつづけたりするケースがあることなどは言うまでもない。はるかに生産的な代案は、一か国語の（翻訳能力ではなく読解力の試験ではかられる）外国語を知悉していることを求めるというもので、言語的・文化的差異の交渉で生じる問題をあつかう英語授業もセットにする。まさしくこれこそが、英訳すること、英訳を翻訳として読む術を学ぶことに焦点をあてた翻訳研究と翻訳実践に歴史的にとりくむための課題なのだ。

私が提案する二つの要件で、博士課程の院生は外国語で研究をおこなえるようになり、文化的アイデンティティの形成についての現行の批判的議論に参加できるようになり、（おそらく一番重要なのが）翻訳テキストを教えるさいに翻訳の問題に対処できるようになる。学生は、異質なものとの遭遇なくしていかな国民文化も発展しなかったことを理解する。そして英語文化についての自分の授業もより多言語的、超国家的なものになる。どのようなレベルにおいても、翻訳を教育のアジェンダとすることで、学生がえるものは多いのである。

◆1 Chandler B. Grannis, "Book Title Output and Average Prices: 1992 Preliminary Figures" and "U.S. Book Exports and Imports, 1990–1991," in C. Barr ed., *The Bowker Annual Library and Book Trade Almanac*, New Providence, New Jersey: Bowker. 1993.

◆2 Giovanni Peresson, *Le cifre dell' editoria* 1997, Milan: Editrice Bibliografica. 1997.

◆3 Gary Ink, "Book Title Output and Average Prices: 1995 Final and 1996 Preliminary Figures," in D. Bogart ed., *The Bowker Annual Library and Book Trade Almanac*, New Providence, New Jersey: Bowker. 1997.

◆4 Amilcare A. Iannucci, "Teaching Dante's *Divine Comedy* in Translation," in C. Slade ed., *Approaches to Teaching Dante's Divine Comedy*, New York: Modern Language Association of America. 1982. p. 155.

◆5 ibid.

◆6 ibid.

◆7 ibid.

◆8 ibid. p. 156.

◆9 Jacques Derrida, "Living On/Border Lines," J. Hulbert trans., in *Deconstruction and Criticism*, New York: Continuum. 1979. pp. 93–94.〔同論文の翻訳は以下の文献だが、ヴェヌティが引用しているのは、英訳版につけられた著者による自注の部分であって、そこは訳出されていない。〕ジャック・デリダ「境界を生きる——物語とは何か」大橋洋一訳『ユリイカ』一七巻四号、一九八五年、一八八–一九八頁。

◆10 ibid. p. 93.

◆11 ibid. p. 94.

◆12 William J. Bennett, "To Reclaim a Legacy: Text of Report on Humanities in Education," *Chronicle of Higher Education*, 28 November 1984. p. 21.

◆13 John Guillory, *Cultural Capital: The Problem of Literary Canon Formation*, Chicago: University of Chicago Press. 1993. p. 43.

◆14 セイヤーズの英訳のコンテキストを再構築するための第一歩としては、以下の文献を参照のこと。Barbara Reynolds, *The Passionate Intellect: Dorothy Sayers' Encounter with Dante*, Kent, Ohio: Kent State University Press. 1989.

◆15 Henry Giroux, *Border Crossings: Cultural Workers and the Politics of Education*, New York and London: Routledge. 1992. p. 32.

◆16 Roland Greene, "Their Generation," in C. Bernheimer ed., *Comparative Literature in the Age of Multiculturalism*, Baltimore: Johns Hopkins University Press. 1995. pp. 152–153.

◆17 Giroux, *Border Crossings*, p. 32.; cf. Guillory, *Cultural Capital*, p. 53.

◆18 Giroux, *Border Crossings*, p. 32.

◆19 ibid. p. 28.

◆20 Trevor Saunders ed. and trans., Plato, *Ion*, in *Early Socratic Dialogues*, Harmondsworth, England: Penguin. 1987. p. 64.「イオン」内藤亨代訳、山本光雄編『プラトン全集』角川書店、一九七四年、一三〇頁。

◆21 John Burnet ed., *Platonis Opera*, Oxford: Clarendon Press. 1903. p. 541b.

◆22 Saunders ed. and trans., Plato, *Ion*, p. 64.「イオン」一〇八頁。

◆23 Burnet ed., *Platonis Opera*, p. 531d.

◆24 Benjamin Jowett ed. and trans., *The Dialogues of Plato*, 3rd edition, Oxford: Clarendon Press. 1892. p. 499.

◆25 Henry Watson Fowler, *Modern English Usage*, 2nd edition, E. Gowers ed., Oxford: Oxford University Press. 1965. pp. 334–335.

◆26 Burnet ed., *Platonis Opera*, p. 531e, d.「イオン」一〇九頁。

◆27 Saunders ed. and trans., Plato, *Ion*, p. 49. 強調は引用者。「イオン」一〇五頁〔訳文傍点は訳者による〕。

◆28 Burnet ed., *Platonis Opera*, p. 530c.

◆29 Saunders ed. and trans., Plato, *Ion*, pp. 52–53.; Burnet ed., *Platonis Opera*, p. 532c, d.「イオン」一一一頁。

◆30 John D. Moore, "The Dating of Plato's *Ion*," Greek, Roman and Byzantine Studies 15: 1974. pp. 421–439.; Russell Meiggs, *The Athenian Empire*, Oxford: Oxford University Press. 1972.

◆31 Jean-Jacques Lecercle, *The Violence of Language*, London and New York: Routledge. 1990. p. 215. ジャン・ジャック・ルセルクル『言葉の暴力――「よけいなもの」の言語学』岸正樹訳、法政大学出版局、二〇〇八年、三三三頁。

◆32 Kostas Myrsiades ed., *Approaches to Teaching Homer's Iliad and Odyssey*, New York: Modern Language Association of America. 1987. p. x. 以下の文献より転記した。

◆33 David B. Monro and Thomas W. Allen eds., *Homeri Opera*, 3rd edition, Oxford: Clarendon Press. 1920. p. 13. ホメロス『イリアス』松平千秋訳、岩波文庫、一九九二年、二七―二八頁。

◆34 Richmond Lattimore trans., *The Iliad of Homer*, Chicago: University of Chicago Press. 1951. p. 68.

◆35 ibid., p. 55.

◆36 Lattimore trans., *The Iliad of Homer*, p. 55.

◆37 Mathew Arnold, *On the Classical Tradition*, R.H. Super ed., Ann Arbor: University of Michigan Press. 1960. p. 99. Robert Fagles trans., Homer, *The Iliad*, New York: Viking. 1990. p. ix. Lawrence Venuti, *The Translator's Invisibility: A History of Translation*, London and New York: Routledge. 1995. pp. 139–145.

◆38 Lattimore trans., *The Iliad of Homer*, p. 55.

◆39 ラティモア訳の『オデュッセウス』の似たような読みについては、以下の文献を参照のこと。Guy Davenport, "Another Odyssey," *Arion* 7(1) (Spring): 1968. pp. 135–153.

◆40 George Chapman, *Chapman's Homer*, A. Nicoll ed., Princeton: Princeton University Press. 1957. pp. 33–34.

◆41 Alexander Pope ed. and trans., *The Iliad of Homer (1715–20)*, in M. Mack ed., *The Twickenham Edition of the Poems of Alexander Pope*, vol. 7, London: Methuen, and New Haven, Conn.: Yale University Press. 1967. pp. 109–10.

◆42 Chapman, *Chapman's Homer*, p. 44.

◆43 Pope ed. and trans., *The Iliad of Homer (1715–20)*, p. 109 n. 458.

◆44 Carolyn D. Williams, *Pope, Homer, and Manliness: Some Aspects of Eighteenth-Century Classical Learning*, London and New York: Routledge. 1992. pp. 102–104.

◆45 Guillory, *Cultural Capital*, p. ix.

◆46 Pope ed. and trans., *The Iliad of Homer (1715–20)*, p. 23. Williams, *Pope, Homer, and Manliness*, pp. 102–104.

◆47 Charles Bernheimer ed., *Comparative Literature in the Age of Multiculturalism*, Baltimore: Johns Hopkins University Press. 1995. p. 40.

◆48 ibid. p. 44.

◆49 Susan Bassnett, *Comparative Literature: A Critical Introduction*, Oxford: Blackwell. 1993. p. 161.

第六章

哲学

Philosophy

今日のほかのディシプリンと同様に、哲学も翻訳にまつわるスキャンダルからまぬがれない。哲学研究は、翻訳テキストに広く依存しているにもかかわらず、各テキストの翻訳状況を鑑みないため、翻訳により生じる差異に言及できていない。この問題は特に英米文化圏で顕著かもしれない。英米哲学は伝統的に、経験主義から形式意味論に至るまで言語の役割はコミュニケーションだと考える傾向があり、あたかも翻訳テキストは透明で、原文を読むのと変わらないととらえてきた。欧州圏における伝統的な哲学——たとえば実存的現象学やポスト構造主義——では、言語は思考を形成するものとしてとらえているため、翻訳は外国テキスト(フォーリン)の国内における重要性を決定づけるものとして認識できる土壌がある。にもかかわらず、翻訳への依存についてふれている哲学議論や理論は、ほんのわずかである。哲学はながらく、外国テキストを解釈し国内版を形成することに注力してきたが、これらの国内版は、国内の言語や文化を媒介していないかのように——透明な存在であるかのように——あつかわれてきた。まれに翻訳が論評や研究で取りあげられても、透明なものとしての扱いに変わりはなかった。哲学者たちは、翻訳は透明であるべきとの前提にとらわれ、外国テキストと訳文の整合性が取れている状態を正確さとして評価し、翻訳者が外国の哲学者の意図や、使用した用語の重要性を十分にくみとれていないと、厳しい評価をくだすのがつねだった。つまり、外国テキストが表現する主要な意味に対し適切な翻訳となっているか、という前提基準にあわせて翻訳は調整されているのだ。しかし、ここでいう適切性とは実のところ国内基準（ドメスティック）――標準的な文体や、評論家が暗に定める、有力な解釈――に立ちかえっている。翻訳は、唯物論的な概念形成、言語や論証の形式、異なる定義や役割に光をあてることにより、哲学の根底にある観念論をあらわにする。また、自己批判や哲学的言説・制度の吟味の機会だけでなく、現在の哲学テキストの解釈・翻訳の慣例を再考するきっかけにもなる。本章の私の目的は、学術分野としての哲学における翻訳の軽視を、唯物論的（マテリアリスト）なアプローチで取りあげることだ。だからと言って概念形成という哲学的なプロジェクトを放棄するわけではなく、哲学テキストを翻訳することで開かれる物質性（マテリアリティ）の差異を、概念の根拠としたい。このなかで私が取りあげたい問いは、「翻訳に関する国内の既定事項およびその結果を考慮することにより、哲学が得られるものは何だろうか?」という基本的かつ実用的なものだ。また、この検討の結果をもって、外国哲学の翻訳にどのように寄与できるか、考えていきたい。

翻訳により得られるもの

ルートヴィヒ・ウィトゲンシュタインの『哲学探究』の受容は、哲学分野の中で翻訳のおかれた周辺的な立場を示す好例だ。死後の一九五三年に出された初版は、ドイツ語原文と哲学者G・E・M・アンスコムによる英訳が載っている対訳版だった。初版を歓迎した十五点ほどの論評のなかには、わずかだが彼女の翻訳の質についてふれた論文もあったものの、「すばらしい」「よく訳されている」「全体的に良く信頼できる」「正確で誠実」といった非常に短くあいまいな賛辞ばかりだった。[◆1] いずれも短いものではあったが、それでも原文との整合性や、慣例から外れたウィトゲンシュタイン独特の哲学スタイル、その概念のとらえ方に着目して翻訳が評価されているのは明らかだ。ほかの多くの評者は、原文と訳文の一致は暗黙の了解として扱いアンスコムの訳には一切ふれず、ウィトゲンシュタインの論考や見解に対する批判に専念した。その批判を記すにあたり、ウィトゲンシュタイン自身の言葉であるかのように英語版を引用している――ウィトゲンシュタインの意図がそれで簡単に伝わると考えているのだ。[2]

誰もがアンスコムの訳に無頓着だったため、批判の声があがるまで時間がかかった。ようやく批判がでるようになっても、原文との一致を評価基準とする前提は変わらなかった。ドイツ語テキストに対する解釈の競合を封じてしまったため、この前提は結果として悪手であった。哲学者ソール・クリプキはアンスコムが「Seeleとその派生語を、文脈に応じて、ある時はsoulで、ある時はmindで訳し分けている」点に疑問を覚えた。なぜなら、ドイツ語テキストの中の「Seeleの翻訳としてはmind（心）の方が誤解を生むことが少いであろう」と考えたからだ。[3] 英語の「魂soul」が「誤解を生む」のであれば、それはウィトゲンシュタインの概念を伝えるうえで不適切な表現であり、つまり誤訳であるということになる。しかし、クリプキがmindを推す理由は、外国テキストの伝達というより国内文化との同化――英米哲学の主流であり、クリプキ自身が研究してきた世俗主義や反基礎付け主義に与するものだった。クリプキは、「今日の英語を話す哲学的読者にとっては、mindの方がいくらか、特殊な哲学的ないし宗教的内容を荷うことが少いであろうから」と弁明している。[4] ウィトゲンシュタインのテキストを同化させようとする傾向――テキストを国内の理解度や興味に合わせる姿勢――は一九六三年に『哲学探究』がドイツ語テキストなしで出版されるようになってからより顕著になった。今日、英語圏の哲学読者は、ウィトゲンシュタインに英語の哲学者として出会う。英語圏の哲学界において翻訳の存在が実質的に透明なかぎり、その状態がつづくだろう。

アンスコム訳を可視化するには、言語は――哲学の文脈で複雑な概念を語る場合には特に――意見をそのまま表現できるという思いこみを捨てなければならない。言語をとおして伝える際には、意見は必ず不安定になったり再構築されたりするものだ。ウィトゲンシュタインの哲学自体、この前提に対し警告を発している。私的な表現の可能性に疑問を呈し、意図の表明は言語の慣習上の問題であり、論理的に必然というわけではないと述べている。言うなれば、どのような言葉の使用も、予測不可能な「よけいなもの」の発生に脆弱なのだ。言語形式が集合的にもつ圧力であるよけいなものは、個人によるコントロールを凌駕し、発した言葉の意味を複雑にする。翻訳にともない、外国のテキストとつながった国内的（ドメスティック）なよけいなものは、より予測が難しくなり、原作者だけでなく翻訳者の意図をも超えた動きをする。したがって、どのような英訳も、ウィトゲンシュタインのドイツ語テキストを単純に伝えるということはできない。いやおうなく、英語の言語形式に変換していく中でウィトゲンシュタインの哲学は揺らぎ、再構築されていく。

アンスコム版より典型例をみてみよう。

Das Benennen erscheint als eine *seltsame* Verbindung eines Wortes mit einem Gegenstand. – Und so eine seltsame Verbindung hat wirklich statt, wenn nämlich der Philosoph, um herauszubringen, was *die* Beziehung zwischen Namen und Benanntmen ist, auf einen Gegenstand vor sich starrt und dabei unzählige

Male einen Namen wiederholt, oder auch das Wort "dieses". Denn die philosophischen Probleme entstehen, wenn die Sprache *feiert*. Und *da* können wir uns allerdings einbilden, das Benennen sei irgend ein merkwürdiger seelischer Akt, quasi eine Taufe eines Gegenstandes. Und wir können so auch das Wort "dieses" gleichsam *zu* dem Gegenstand sagen, ihn damit *ansprechen* – ein seltsamer Gebrauch dies Wortes, der wohl nur beim Philosophieren vorkommt.

命名というものが、単語とモノ（対象）との不思議な結合と思われているのだ。――そういう不思議な結合が実際に行われるのは、哲学者が、「名前」と「名前で呼ばれるモノ」の関係というものを取り出すために、ひとつのモノ（対象）を凝視しながら、なんどもなんどもひとつの名前または「これ」という単語をくり返して言うときだ。哲学の問題が生じるのは、言葉が休日で仕事をしないときなのである。で、そういう休日には、「命名とは、注目すべき魂の行為、いわば、モノ（対象）を洗礼することである」などと思い込んでしまうのだ。そうやってモノ（対象）にたいするかのように「これ」という単語を使って、モノ（対象）に話しかけたりもするのである。――この単語「これ」の奇妙な使い方は、哲学をするときにだけ起きるものだろう。

Naming appears as a *queer* connexion of a word with an object. – And you really get such a queer connexion when the philosopher tries to bring out *the* relation between name and thing by staring at an object in front of him and repeating a name or even the word "this" innumerable times. For philosophical problems arise when language *goes on holiday*. And here we may indeed fancy naming to be some remarkable act of mind, as it were a baptism of an object. And we can also say the word "this" *to* the object, as it were *address* the object as “this” – a queer use of this word, which doubtless only occurs in doing philosophy.[5]

英訳は、主に平易な英語標準語のスタイルで書かれているが、つづりはイギリス式であり、アンスコムは明らかにイギリスの話し言葉を使用している。動詞の「想像する fancy」を使用しているし、「休暇 holiday」や「奇妙な queer」はアメリカ英語であれば vacation（もしくは day off）や strange となる。そのうちの一部は、話し言葉の中でも知的な語彙（「数えきれないくらい innumerable」「であるかのように as it were」「呼びかける address」「疑いなく doubtless」）を使用して格式を上げており、なかには抽象的な哲学概念（「モノ object」「結合 connexion」「関係 relation」「哲学 philosophy」）も含まれている。

このようにさまざまな格式の英語が混じっている事実のみを見ても、ドイツ語テキストと英訳の単純比較が妥当なのか疑うべきだろう。たとえば、異なる方言、使用域（レジスター）、言説がウィトゲンシュタインの文体特有としばしば指摘されている「レトリカルかつカジュアル」[6]な特徴と対応しているとは考えられないだろうか。しかし、そういった対応を追っても、全体的にそのようである、としか言えない。右に示した抜粋箇所だけでも、ドイツ語テキストと比較すると、アンスコムの訳が行き過ぎであるのは明らかだ。ドイツ語テキストには、イギリスやほかの英語の違いに対応するような、ドイツ国内における言葉の違いはない。ドイツ語テキストには fancy や holiday と同じような口語もない。前者は、ドイツ語の「思い込む einbilden」に相当する一般的な英単語の「想像する imagine」をなぜか避けている。後者は、ドイツ語の「祝う feiert」に該当するさまざまな英訳の選択肢（「祝う celebrates」「仕事を止める stops work」「休止する idles」など）を避けている。アンスコムの訳語の選択は、今日の辞書に書かれているような言葉の意味を無視しているわけではなく、誤りとは言えない。しかし、辞書学的な同一性からは、明らかに外れた訳語の選択であると言えるだろう。

アンスコムによる英訳では、哲学的言説や制度に多大な影響力をもたらす英国のよけいなものを、ウィトゲンシュタインのテキストにまとわせてしまっている。『哲学探究』で示された思索は、一九三〇年代から四〇年代にイギリス哲学を支配した論理実証主義から離れるものであり、異端だった。[7] アンスコム訳に使用されているさまざまな言葉づかい、断片的かつ不安定なテキスト形式（ばらばらに採番されたセクションの一部は、のちにウィトゲンシュタインのテキストを編集した人間が並べかえたものだ）は、当時の一般的な形式との違いを強調するものだった。当時の哲学書は、より格式ばった迂遠な形式で書かれ、比喩による示唆よりも緻密な解析が多く、親しみにくく学術的であった。アンスコム訳はウィトゲンシュタインの考えのみでなく、こうした文体もまねたものと言えるだろう。しかし、ウィトゲンシュタインの考えも文体も、翻訳プロセスの中で国内のよけいなものに覆われてしまい、限度を越えてしまった。訳文は英国哲学の制度的限界を線引きするだけでなく越境することで、テキストが国内の文化に入って以降も外国的（フォーリン）でありつづけた。訳文に対するとある批評では、「どの文章も明瞭でほとんど口語的」である一方で「その積み重ねが与える影響は独特だ」と述べられている。[8] この特徴は消えなかった——ウィトゲンシュタインの思想は英国哲学に深く影響したが、[9] アンスコム訳が英国哲学者にまねされることはなかった。彼女の「普通でない」言葉づかいは、ほかの解説者によって幾度となく再考されている。[10]「日常言語学派」と呼ばれる哲学者たちでさえ、ウィトゲンシュタインと同様に、日常生活で用いられる言葉を学術的な形式で、専門用語をちりばめて解説している（たとえば、J・L・オースティンは発話を「行為遂行的」と「事実確認的」に分けている）。ウィトゲンシュタインの例からわかるのは、影響力の大きい翻訳からよけいなものを読みとってやれば、哲学の歴史が見えてくるということだ。それだけでなく、ディシプリンの中にどの時代にも存在してきた言説のヒエラルキーがあり、外国哲学の輸入・受容・拒絶、国内の価値に合わせた変容などのように、さまざまな影響を与えてきたことも見えてくる。

よけいなものの作用は集合的である。そのため、翻訳に対する浅はかな伝記的な解釈や、個人的な思いこみは遠ざけなければならない（著者本人もしくは翻訳者の意図や経験を多少は反映していたとしてもだ）。たとえば、訳文に用いられたイギリスの口語調は、ウィトゲンシュタイン自身の英語の特徴を反映したものという意見もあるかもしれない。ケンブリッジでウィトゲンシュタインの講義を聴講し、のちに友人兼同僚として人生を共にしたアンスコムであれば、ウィトゲンシュタインが英語で話すときの口調や文体にも詳しかっただろう。アンスコム訳は、ウィトゲンシュタイン自身が原文を英語で書いた場合と同等と見なしてもよいのかもしれない。同じくウィトゲンシュタインの生徒であったノーマン・マルコムは、ウィトゲンシュタインの「英語は見事なもので、教養のあるイギリス人のアクセントを持っていた」と回想している[11]。話し言葉の使用を厭うこともなく、使用する場合は明らかにイギリスのもので、自身の講義を「わけのわからぬタワゴト a lot of rubbish」[12]と称したり、食べ物を「すばらしい grand」[13]と評したり、「推理小説雑誌 detective mags」[14]が好きだ――これがおそらくスラングの出典元だろう――と手紙に書いてきたりしていた。マルコムによれば、「ウィトゲンシュタインのお得意の言葉に「すげえものには手を出すな！」〔原文は Leave the *bloody* thing *alone!*〕というのがあった」[15]という。

いずれにせよ、ウィトゲンシュタインが『哲学探究』を英語ではなくドイツ語で書いた事実は動かない。また、ウィトゲンシュタインはアンスコム訳に登場する口語のような言葉は使用しなかった。具体例をあげるならば、ドイツ語の「祝う feiert」に対しアンスコムが goes on holiday と訳した点については、ウィトゲンシュタインの意図とつり合いが取れないとして批判されている。『哲学探究』の詳細な解説書の著者らは、ウィトゲンシュタインが「休業する idles」という表現の方を「好んだ」と述べている。[16]特に根拠は示されていないが、ウィトゲンシュタイン自身がテキストの後の方に似たような意見を述べているようだ。

Die Verwirrungen, die uns beschäftigen, enstehen gleichsam, wenn die Sprache leerläuft, nicht wenn sie arbeitet.

私たちが気にかけるべき問題は、言語が仕事をしているときではなく、いわば言語が空回りしているときに生じる混乱なのだ。

The confusions that occupy us arise, as it were, when language idles, not when it is working.[17]

ほかに、「ウィトゲンシュタインは、「哲学的問題は言語が空回りしているときに浮かび上がる」と書いていた[18]」とある。この表現も、あくまでひとつの選択肢でしかない。ウィトゲンシュタインの生徒であり友でもあったアンスコム訳よりも、ウィトゲンシュタインの意図に近いとは言えない。どのような訳も外国テキストを国内の解釈に供することしかできない。何らかの再構築——語彙、テキスト、もしくは伝記的な根拠にもとづいたもの——を行い、特定の解釈に与するものなのだ。

アンスコム訳で興味深いのは、よけいなものに対しさまざまな解釈が可能な点にある。goes on holidayといった話し言葉は、あいまいで比喩的な使われ方もそうだが、英語圏の哲学言説では想定外のものだった。ウィトゲンシュタインのような、くだけた瞑想テキストの中ですらそうだった。それ以外の箇所は標準的な表現で書かれた英文の中で、結果的にその語句が著しく浮いてしまった。そして予期せぬ方向へと英語での解釈を浸透させてしまった。

この語句が登場する「哲学的問題は言語が休みを取っているときに浮かび上がる philosophical problems arise when language goes on holiday」という文章は、一般的に特定の哲学に対するウィトゲンシュタインの批判と受けとられている。ウィトゲンシュタインの批判の矛先は、形而上的な、意味を心的現象としてとらえる言語解析であったり、意味をロジカルなルールのかたちに還元してしまう実証主義にあった。[19] この読みの根拠として批評家らは、言葉の意味は文脈で決定されるものであり、本質的なものではなく慣習的なものであり、その機能も特定の社会慣習もしくは「言語ゲーム language-game/Sprachspiel」の中でウィトゲンシュタインはとらえていた、と論じている。つまり、形而上学もしくは実証主義の哲学者がある言葉の意味を、日常の使用——つまり言葉の本来の仕事——から離れて誤った意味にとらえると、「言語は休みを取って」しまうのだ。家を建てている者どうしで資材に関する用語が通じるのは、用途に応じて定義されているからだ、という例をウィトゲンシュタインはよく取りあげている。

この文章で、他の哲学者に対するウィトゲンシュタインの批判をあらわそうとすれば、作業の休止を伝える訳語を選ばなければならない。アンスコムが選んだholidayという単語は確かにその意味を有する。しかし、この単語は使用されている期間（公休日、クリスマス、夏休みなど）に行われるレジャー行為を連想させ、言語の哲学的使用もまた言語ゲームに参戦していることを示す。つまり、ある単語が日常の使用を離れて哲学議論の中で使用されると、異なる言語ゲームで異なる仕事をしていることになってしまう。言いかえれば、哲学は言語を名ばかりの休暇に駆りだすようなものなのかもしれない。これは形而上学者や論理実証主義者だけでなく、ウィトゲンシュタイン自身にもあてはまる。言語ゲームの概念を構築し、意味に関する哲学的命題を解決するために、建築から離れた哲学書の中で建築用語を使用したウィトゲンシュタインもまた、同じ穴の狢ではないのだろうか？

アンスコム訳は、ドイツ語原文の呈する競合訳（feiertはgoes on holidayともidlesとも訳せる）の存在を示し、ウィトゲンシュタインのテキストがはらむ矛盾を浮き彫りにすることで、その哲学が有する根深い保守性を見せてくれる。ウィトゲンシュタインは、言語における問題に自説が与えるインパクトを気にするあまり、自身の方法論が他の哲学と似ていることに気づかなかった。言語の実用を妨げる哲学を軽視してしまったため、ウィトゲンシュタインは言語ゲームの評価を円滑な運用性と現状維持に限定してしまった。ウィトゲンシュタインがテキストの中であげる建築者らは、建築プロジェクトのためだけに用語を使っている。言語ゲームとして状況が概念化されることもなく、彼らの労働環境や賃金、他のプロジェクトや業務、人々との関係性についても触れられはしない。ウィトゲンシュタインは「哲学は実際の言葉の使い方に指一本、触れてはならない。哲学にできることは結局、言葉の実際の使い方を記述することだけ」で説明はできないと述べている。[20] なぜなら、説明しようとすると仮説にもとづく必要があり、それが誤解のもとになるためだ。しかし、「指一本触れない」記述とは、単なる事実を記すのとはまったく異なる。そのような記述は、言語ゲームが正義であり継続すべきものという倫理的・政治的価値を前提としている。理論上、言語ゲームは他のゲームを支配する能力・権利を失うので、このような価値観は民主主義的理想と解釈できなくもない。しかし実態として、これらのゲームは、実用性や制度内の機能に応じて、ヒエラルキーを築いている。ウィトゲンシュタインが、当時の哲学分野で行われていた言語ゲームに一矢を報いたのはまちがいない。一方で、哲学分野の言語ゲームや、形式・言説のヒエラルキーに対して静観を求めるような、矛盾した提案をしてしまっている。

アンスコムが選んだholidayという単語は、唯物論的な見方をした場合にかぎるものの、ウィトゲンシュタインの哲学に対して相対する解釈を可能にしている。よけいなものを読みとるということは、ドイツ語テキストに対し英語テキストがどのような言語的・文化的差異を浮き彫りにするのか、またウィトゲンシュタインの考えをどのように再構築しているのか、考察することになる。アンスコムが選んだ話し言葉は、ドイツ語テキストの主題に対するメタコメンタリーの役割を果たしている。特に、言語ゲームや、意味に関する他の哲学的概念に対する批評についてその効果は顕著だ。しかし、私がアンスコムの文体から読みとるコメンタリーは、明らかにウィトゲンシュタインのテキストから離れるものだった。唯物論者としての私の立場からだと、翻訳だけでなく、ウィトゲンシュタインの哲学のある種の方向性や影響がよく見えるようになる。それは、言語ゲームという保守的な概念が覆い隠してしまう社会状況だ。翻訳におけるよけいなものを読みとることは、読者の自己認識をいやおうなく突きつける。テキストの効果は認識可能だということ、またある一定の主義姿勢からでしか意味をなさないということを認識せねばならない。ウィトゲンシュタイン自身、翻訳には適用しなかったようだが、その認識があり以下のように述べている。

このパラドクスが消えるのは、つぎのような見方からきっぱり手を切る時だけなのだ。つまり、「言語はいつも一つのやり方で機能している。――家、痛み、善悪、どんなものについての考えであれ――考えを運ぶというおなじ目的に奉仕しているのだ」という見方を捨てる時だけなのだ。[21]

このような自己認識は、アンスコムのテキストの読解のほとんどに見受けられない。透明な翻訳が理想としてあり、話し言葉がウィトゲンシュタインの哲学（もしくは少なくともある程度は特定のコメンタリーの根拠になっている）に沿ったものであると解釈されているからだ。アンスコムの言葉の選択が独特である点に気づいた読者のひとりは「哲学的思考のさなかに言葉が休暇に行ってしまうのであれば、それはワーキングホリデーだ」と指摘しつつ、「哲学者の意味に対する考えは、コンテキストに対するその騎士道精神を表す」とウィトゲンシュタインの考えに沿った訳だと述べている。[22]

やはり、よけいなものは予測不可能なのだ。哲学分野の翻訳でよけいなものが提示するメタコメンタリーは、コンテキストによって異なる形式をとる。また、検討されている特定の考えや、受け手がもつ前提にも左右される。アンスコム訳からもう一か所抜粋する。この中で、よけいなものは概念の批判ではなく、控えめながらウィトゲンシュタインの哲学を露呈している。

Denk nur an den Ausdruck "Ich hörte eine klagende Melodie"! Und nun die Frage: "*Hört* er das Klagen?"
「嘆きのメロディーが私に聞こえる」という表現を考えてみてほしい。すると問題は、「嘆いているのが彼に聞こえるのか？」ということになる。
Think of the expression "I heard a plaintive melody". And now the question is: "Does he *hear* the plaint?"[23]

このアンスコム訳の中でひときわ特徴的なのは、キーワードの古めかしさだ。「悲しげなplaintive」は古い言い回しで、多少はいまも使われると言っても、詩的な表現に限定される。一方、「悲しみ plaint」は死語だ。十七から十八世紀イギリスの詩で多く使われ、たとえばミルトンの『失楽園』やゴールドスミスの『寒村行』で使用されている。[24]「嘆きの klagende」や「悲嘆 Klagen」といった一般的なドイツ語は、音のくり返しがあり現代英語として使用されている「悲しむ lamenting」「悲しみ lament」もしくは「不満を訴える complaining」「不満 complaint」に訳せる。しかし古語調の方が効果的ではないかと考えられる。読みやすい英語文体に詩的なタッチを与え、ドイツ語テキストにイギリス的な響きを付加し、ウィトゲンシュタインの思考を支えている。この引用箇所は、明示されていないものの、ウィトゲンシュタインが言葉の意味を言語ゲームの中でとらえている、という前提に立っているように思われる。したがって、「嘆いているのが彼に聞こえるのか Does he hear the plaint?」という問いはレトリックである。というのも、「嘆きのメロディーが私に聞こえる I heard a plaintive melody」という表現を使っている者は、メロディーからいかなる情報も不満も聞きとっていないからだ。一方で、「悲しげな plaintive」という表現を過去に使ったことを覚えていて、いましがた聞えてきた音にも使った。聴覚という物理的感覚

──もしかしたら聞えてきたときに湧きおこった感情という精神的反応も──を表すのに、この言葉を用いたのだ。ウィトゲンシュタインにとって言語ゲームの主な位置づけは、特定の慣行や状況に応じて、単語に意味を付与する社会的行為だった。アンスコムが使用した詩的な古語もまた文学という特定の慣行のなかで用いられているため、ウィトゲンシュタインの考えを裏づけるものとなった。「嘆いているのが彼に聞こえるのか? Does he hear the plaint?」という問いは、英語文学史と共鳴することにより「英詩で伝統的に用いられていた「悲しげな」という単語をメロディーに用いているのが彼には聞こえるだろうか? Does he hear the traditional applications of the poeticism ‘plaintive,’ to music?」という問いに変わっていく。ここで、よけいなものがつくりだすメタコメンタリーは遂行的ととらえてよいだろう。主題のレベルで述べられた概念に、文体のレベルで作用しているのだ。

よけいなものが予測不可能であるということは、当然ながらそのすべてがここで取りあげた例のように明白で重大な効果をもたらすとはかぎらない。効果が控えめで、外国テキストと比較してようやく見えてくるものもある。比較は、翻訳の行き過ぎを見つけるために行うものだが、よけいなものを消し去るような完全一致を求めるものでもない。哲学の翻訳においてよけいなものが微かであればあるほど、往々にして外国テキストを国内文化の言説や制度に同化させるうえで効果的だったりする。この同化はどのような翻訳にも起こりうることだし、外国テキストを国内の人々の理解度や興味にあわせるためには必要不可欠である。言葉づかいに異種性(ヘテロジェニイティ)と距離を感じさせるアンスコム訳にも、この同化がみられる。ウィトゲンシュタインが、物体を指さして定義づける行為を「指さしてする定義 hinweisende Definition」と説明している箇所では、アンスコムはラテン語由来の専門用語である「明示する

ostensive」を、「指さす pointing」「参照する referring」「見せる demonstrative」「示す indicative」という意味をもつドイツ語である hinweisende の訳語に用いた。アンスコムがこの言葉を選んだのは、ウィトゲンシュタインがテキスト冒頭で引用しているアウグスティヌス著『告白』の ostendere／to point at という単語からとっているのだろう。子どものころ、アウグスティヌスは周りの大人が以下のように言うのを聞いたと述べている。

tenebam hoc ab eis vocari rem illam, quod sonabant, cum earn vellent ostendere
あるモノを名前で呼んで、そちらのほうに向いたとき、私にわかったのはそのモノが、呼びかけられた音によってあらわされたということだ
grasped that the thing was called by the sound [his elders] uttered when they meant to point at it[25]

「明示する ostensive」という単語を選ぶことでアンスコムは、哲学の傾向——英国式の飾り気のない文体のものもふくむ——である、専門用語をつくりだすという特徴を浮き彫りにしている。日常会話から離れ、概念を示す言葉に重みを与えるための行為だ。ostensive という単語は、フランシス・ベーコンからバートランド・ラッセルに至るまで、英国哲学の言説で用いられてきた。

他の箇所では、アンスコムは十七世紀以降の英国哲学の主流であった読みやすい文体に依拠している。時代にあった言葉づかい、連続構文と意味が明瞭な文章を好み、比喩的な表現に懐疑的な姿勢を見せている。たとえば、他の言語哲学に対してウィトゲンシュタインが「言語が空回りしている wenn die

Sprache leerlauft」と批判する箇所では、「言語が、アイドリング状態のエンジンのようになっているwhen language is like an engine idling」として、原文の回りくどい比喩を取りのぞき、英語圏の読者にわかりやすいようなたとえに置きかえている。◆[26] このような選択の裏に、英訳行為をながらく支配してきた流暢な訳文への方略が見受けられる。この方略は、読んですぐ理解できるわかりやすさを目指し、翻訳が透明であるという幻想を壊しかねない言語や文体上の不自然さを排除してきた。

　よけいなものは、哲学の翻訳に関する解釈を豊かにするとともに、方向性を見直すきっかけとなる。だからと言って解釈が哲学的でなくなるわけではなく、概念の解析は必要だ。だが、よけいなもののおかげで、解釈はより文学的、つまり言語の形式的な特徴に焦点があたるようになる。また、さまざまな国内の伝統、言語学、文学や哲学を取りいれることで、解釈はより歴史的なものにもなる。目標(ターゲット)言語の中でしか作用しない効果を付加することにより、訳文と外国テキストの概念や議論との関係性を課題として提示することで、外国テキストが背負う意味に重みを増すことができるだけでなく、訳文にメタコメンタリーとしての可能性が見いだされる。こうした効果を理解するには、国内のさまざまな慣行や制度との関係性を考慮する必要がある。たとえば、外国テキストに対し国内の哲学者らが競合して提示した解釈、国内の学術分野として哲学を形成する形式や言説のヒエラルキー、その時点で哲学が他の慣行や制度に対しどのような社会的役割を果たしているのか、といったことを考慮せねばならない。翻訳におけるよけいなものは、外国テキストおよび目標言語に対してさまざまな加減の暴力をふるうので、概念形成という哲学プロジェクトは、結局のところプロジェクトのおかれた言語的・文化的状況に左右される。翻訳は、哲学分野の暗部でありつづけるだろう。なぜなら、よけいなものが、近代的な学術という型にはめられた哲学プロジェクトの大前提――哲学する主体は自律した思考をもちうるものとして、揺らがず、権威をもつという――を崩してしまうからだ。

哲学翻訳の方略

よけいなものを外国哲学の翻訳に有効活用するには、外国テキストと国内読者の両方を考慮し、正確性という概念を変革しなくてはならない。この「正確性 accuracy」という単語は、翻訳者の倫理的責任よりも、単語の同等性に用いたほうが正しいだろう。翻訳は、外国テキストを再構成して伝えることしかできない。したがって、国内読者にテキストの言語学的・文化的違いを伝えられれば、翻訳者は翻訳をよいものと判断してよいだろう。この差異の倫理を築くには、翻訳の過程で同化が行われていることを読者に警告するだけでなく、国内の支配的価値観に考えもなく同化してしまわないように避けることも必要だ。外国哲学は、翻訳される時点で国内を支配するディシプリンからいくぶん異なっている場合や、国内で主流となっている概念や言説の解釈と異なる翻訳であれば、この違いを有することができる。最良の哲学翻訳は、外国テキストの概念を国内の概況にあわせて評価することであり、それ自体が哲学的だ。しかし翻訳の哲学が差異に価値を見いだすなら、国内の概況に追従することではなく、異化の方針をとるべきだ。

翻訳者の責任は国外と国内の二層にわたるのみならず、二つの正反対の制約による縛りもある。概念的に重厚なテキストに対し同義の訳語をあてると同時に、国内読者が異質性（フォーリンネス）を感じられるようにしつつ、理解しやすいようにもしなければならない。差異の倫理にしたがった翻訳は、国内読者に外国の哲学を伝えるだけでなく、新たな思考を促進する。外国の概念や言説が、国内の制度を変えうる可能性を認識しているからだ。国内に自己批判をひきおこし、画期的な哲学や哲学正典の誕生、哲学研究者むけの新たなカリキュラムや学修課程の創設をうながす。よけいなものを使いこなせば起こりうるこのような結果に対して、差異の倫理は責任をひきうけうる。というのも、よけいなものが目標言語でもたらす効果が、翻訳は外国テキストとは異なるもので、二番手であることを知らせてくれるからだ。

むろん、哲学翻訳において他の倫理観を前提とすることは可能だ。翻訳者は同化の倫理に従ってもよい。制度の境界線を支えるような外国テキストを選定して言説方略を築き、外国の概念や言説に対し国内の同等のものを提示することで、なるべく違和感のもとになる差異を減らすやり方だ。このような翻訳は、ディシプリンの中で正確と認められるかもしれないが、国内の現状維持を重視するあまり外国テキストを軽視してしまうリスクがある。また、主流となっている解釈を強化する一方で、国内の方言や言説、制度、読者の多様性に対し免疫をもたない。よけいなものが解放する言語的違和感は、哲学翻訳を評価する際にテキストのよすがとなる。違和感は、翻訳プロセスの中で外国テキストがどれだけ同化に屈した、もしくは抗ったのかを示すからだ。アンスコムのきわめて異質な言葉づかいにより、ウィトゲンシュタインの常軌を逸した哲学は維持され、同化の方針をとる読者からの批判や再考をまねいた。

翻訳テキストの英訳者は、よけいなものを以前から認知し、翻訳がもたらす縮めようのない差異も認識していた。しかし英語圏で好まれている流暢でわかりやすい、透明な翻訳という幻想に引きずられ、そういった認識を抑える傾向にあった。その結果、外国テキストによけいなものが埋めこむ国内的価値に対しても、さほど批判してこなかった。ヴィクトリア朝時代にプラトンの著名な翻訳者であったベンジャミン・ジョウエットは、翻訳は「まずはテキストに関する深い知識にもとづくべきだ」と指摘しつつ、さらに「原文として読めるものであるべき」とも述べており、翻訳であることを封印するだけでなく、翻訳者が「読みやすさのために緻密な正確性を犠牲」にしてもよいと是認している。[27] 翻訳の透明性を確保するためにジョウエットは、時代にあった言葉づかい、わかりやすく多くに読んでもらいやすい、同質的な英語の文体を使うことを推奨した。「どれほど表現豊かで正確な言葉であっても、読者が考えるために手を止めてしまったり、難しさや違和感に気をそがれてしまったり、前後の言葉の効果を妨げるような言葉は決して使うべきでない」と述べている。[28] しかし、よけいなものが過剰とならないように制御する努力もむなしく、ジョウエット自身の文学的・宗教的価値観が訳文をつくりあげている。ジョウエットは、「使用しすぎない」ことを前提とし、「聖書からの引用についても同様の原則を当てはめ」たうえで、「シェイクスピアから同義の単語を引用」してもよいとした。[29] プラトンのジョウエット訳は、ジャコビアン様式とそれ以降の時代の文学様式、特に『欽定訳聖書』を取り入れ、古語調を醸し出している。文学者のジョージ・スタイナーは、この古語調を「一六一一年の英語が、十七世紀後期の英語と、十九世紀のヴィクトリア朝の詩人たちの表現とによって濾過されたような」[30]と表現している。ジョウエット訳はギリシャ語テキストを英語文化圏で主流だった伝統にあわせ、プラトン哲学のもつ異端的違和感をいくぶん落とし、学界内の正典としての地位を維持するものだった。

プラトンのテキストの編集者・翻訳者を近年務めているトレヴァー・ソーンダースは、ジョウエットの考えに深く影響を受けているものの、ジョウエットより特定の読者層にむけて翻訳しているという意識を強くもっている。ジョウエットは「英訳は慣用句を多く使い、学者だけでなく無知な読者に対しても興味深いものであるべき」[31]という大衆的な考えから出発していた。そのため、比較的教養のある読者しか、彼の訳にある文学的・宗教的なよけいなものを感じとれない点を見過ごしていた。ジョウエットの意見と同様にソーンダースも、プラトンが思うユートピア計画を詳細に描いた『法律』は、「法律家、社会学者、歴史学者、哲学者、神学者など」といった幅広い読者に受け入れられるのではないかと考えていた。[32]しかし、ジョウエットとは対照的に、ソーンダースは翻訳を研究プロジェクトとしてとらえていた。一九六〇年代に哲学界で一度は正典とされたように、プラトンのテキストを、再構築したいと考えていた。

翻訳の文体は、たしかに、原文の特性や目的に左右される部分もある。しかしテキストの現況、翻訳を読んでもらいたい読者層も考慮して決めるべきだ。『法律』はどのような状況に置かれているだろうか？　プラトンの著作の中でも特に分厚いし、もっとも軽視されていると言っていいだろう。熱心な支持者は少ないし、ターゲットとなる読者層の関心も薄い。このような状況下で、翻訳者にできる最上の仕事は、『法律』が確実に読まれることだ。[33]

ソーンダースが考える「ターゲットとなる読者層」は主に、プラトンの著作の「熱心な支持者」が集まる大学の研究者、講師、学生だった。ソーンダースは、ペンギン・クラシックス（大衆読者むけに、楽しく読めるような正典の提供を目的としたペーパーバックシリーズ）に収載されるような訳を書いていた。

しかし、編集者のベティ・ラディスのもと、当初よりもアカデミックな訳となり、大学の授業で用いられるようになった。[34] したがって、「原文と同じように読める」[35]という点でジョウェットに賛同しつつ、教養ある読者にとって訳文が親しみやすく透明となるように、ソーンダースは意図的に英語の方言・使用域・言説を使用した。自身が認めるように、同化しようとするあまり、彼の英訳は誤訳や時代錯誤な表現が多かった。たとえば、ギリシャ語の「有利で、気楽 kerdos kai rastonen」[36]に、正確な意味の「金と気楽さ profit and ease」ではなくシェイクスピアからの引用である「酒も歌も cakes and ale」[37]を訳としてあてた。ソーンダースは「シェイクスピアの表現が、この箇所のトーンをうまくとらえているように思えて、読みやすさのために正確性を意図的に捨てた」[38]と述べている。ソーンダース訳の出版史をみると、彼の翻訳方略は英語圏読者の関心を集めるのに効果的だったのは明らかだ。ソーンダース訳のプラトン『法律』は、二十五年以上出版されつづけた。

しかし、ソーンダースがよけいなものの効果を見くびっていたのはまちがいない。読みやすさを優先させた言い訳として、ソーンダースは「比較的重要性の低いテキストの一面を、意図的に、大げさすぎないよう緻密に計算して強調したのは、読者を誘うのにうってつけのやり方だ」と主張している。[39] だが「強調」は、訳文が生みだしたメタコメンタリーをあらわすものではない。訳文で「重要性の低い」と思われた箇所が、特に唯物論的な見方から解釈すると、かなりの力を有していたと考えられる。

たとえば、『法律』のなかで、ソーンダースは「客人 xenoi」という、英語であれば「異邦人 strangers」や「外国人 foreigners」に近い、このギリシャ語の言い回しは「現代英語では不穏な言い回し」であるとして、sir や gentlemen といった、「三人の老人の堂々とし立ち回りを感じさせる」単語を代わりにあてている。[40] たしかにstrangersは、話し相手に対し距離をおく、現代英語では不穏な呼びかけであるが、歴史的相違があるからそう感じるだけだ。古代ギリシャ文化では、人種的・政治的アイデンティティは最重要であり、日常会話で問題なくふれられていた。社会的抑圧の原因ともなり、ギリシャ人以外の人間に対する差別や、ペロポネソス半島におけるアテナイ人帝政の引き金になったこともある。xenoiというギリシャ語は、相手がギリシャ人であるときにも使える、「客」「異邦人（もしくは外国人）」の両方を指すあいまいな単語だった。[41] プラトンの『法律』冒頭の「アテナイからの客人」[42]（プラトン自身もしくはアリストテレスを指すとの説もある）という登場人物が、クレタ人のクレイニアスとスパルタ人のメギルスにあいさつする場面で、人種的・政治的対立を思わせる疑問を投げかける。ソーンダース訳では、「ねえ、殿方、神さまですか、それとも誰か人間なのですか、あなた方のお国で法律制定の名誉をになっておられるのは?・Tell me, gentlemen [xenoi], to whom do you give the credit for establishing your codes of law? Is it a god, or a man?」[43] となっている。「殿方 gentlemen」という訳語の選択は、対立を排除しつつ、xenoiやstrangersには欠けている丁寧さや尊敬の念を足している。ソーンダース訳は、トーンや口調をつくりあげるというだけでなく、プラトンの対話を民主的で、むしろ堂々と格式ばった、「愛想のよいやり取り」として描いている。[44]

翻訳にともない原文から多少抜けおちるものが出てくるのは仕方のないことであり、この訳語の効果によりギリシャ語テキストから失われたものはさほど大きくない。しかし、国内文化との差異で補償されていない部分が大きい。ソーンダース訳はプラトン哲学を控えめに見せてしまっている。時代にあった英語の言葉づかいと、プラトンの著作の現代の正典化に与しすぎているのだ。ソーンダースは、どのような翻訳も外国テキストに対しさまざまな国内の参考文献がひもづけられるものだと認識していた。ソーンダースは、参考文献を読みやすさの向上のみに用いた。テキストの主題レベルに与える影響の吟味を投げだし、新たな解釈の可能性をあきらめてしまったのだ。

大陸哲学こそ、英語圏の翻訳者をもっとも刺激したものであり、翻訳の透明性が言説を支配する状況に挑むよう駆りたて、よけいなものを用いた実験をうながしたと言えよう。その実験はほとんどの場合で、英米哲学界における言語的・文化的差異を保持するのに成功した。マルティン・ハイデガーのテキストの英訳者は、特に新しい翻訳方略の確立に成功している。新語、語源、だじゃれ、文法構造の置換といったハイデガーの文体により、どちらかといえば創造的な文章が求められていたというだけでない。ハイデガーのテキストの中で翻訳が哲学的課題として取りあげられており、概念の定義づけの際に果たす役割を検討されているからだ。ごくわずかな例外をのぞき、ハイデガーの翻訳者は哲学研究者であり、ハイデガーの哲学を用いて翻訳者としての自意識を高めるとともに、自身の哲学研究を進展させた。この例でも、同化の引力は消えておらず、異なる形をとっているだけだ。ジョン・マクアリーとエドワード・ロビンソンによる『存在と時間』の英訳は、ハイデガーの特徴的な文体を復元する以上の成果をあげた。同じような違和感を与える英単語を見つけてきたり、用語一覧や詳細な脚注を用いて特定の訳語の限界を説明したり、学界のさまざまな慣行を参考にした。しかし、訳者本人は「読者に数えきれないほど譲歩した」と認めている。時代にあった英語の言葉づかいを優先し、ドイツ語テキストが示す概念の重さを変えたのだ。たとえば、「ハイデガーであれば避けるような個人的創造」を挿入してしまい、ハイデガーの反個人主義的な人間の主観性のとらえ方を複雑にしてしまった。◆[45]

一九六二年に、これらの差異は些末であり、英語読者にハイデガーの哲学を読んでもらうには十分との結果がでた。アメリカ人のプラグマティストであったシドニー・フックが書いた評論は、ハイデガーの欧州での多大なる影響力についてふれつつ、ハイデガーの著作に「飛び込み暗い深淵をさらう面倒をものともせず、発見という報奨をえる哲学者は少ない」と評しているのだ。[46] ハイデガーのテキストの異質性(フォーリンネス)を保持する最初の試みは、マクアリーとロビンソンによる翻訳の決断だった。ハイデガーの論文の多くは一九五〇年代に翻訳され、実存主義を標榜する哲学研究者らの間で人気を得たが、[47] ハイデガーの思想は英米哲学で主流の論理的解析から大きく離れていたため、英語圏では一九七〇年代までのけ者にされていた。今日では、伝統的な大陸哲学は英米の大学でも受け入れられるようになり、リチャード・ローティといったアメリカの著名な哲学者もハイデガーの著作にふれる必要性を感じている。[48] 翻訳者が、英語圏における海外哲学の正典を変えるのに重要な役割を果たしてきたのは明らかだ。

翻訳哲学を発展させるにあたり、もっとも重要なのは実験主義だ。ハイデガーの翻訳者らは、時代にあった言葉づかいのために正確性を損ねたが、ハイデガーの難解な概念を伝えるのみならず、概念をさまざまな言説方略をもって実践していた。デイビッド・ファレル・クレル訳の「アナクシマンドロスの箴言」では、ハイデガー自身が古代ギリシャ哲学者アナクシマンドロスのギリシャ語テキストを訳すにあたり詳細に説明し実践して見せた翻訳理論を、クレル自身も見事なまでに実践して見せている。

翻訳は国内読者を外国テキストに引きよせるものというシュライアーマハーの考えに従い、ハイデガーは「我々の思索が翻訳に先立ち、ギリシア的に言われているものへとまず飛び越えることである」[49] と論じている。古代の「有ること」の経験と対をなす、近代の時代錯誤な「先入見」を排除することで可能になるとも論じている。[50] アナクシマンドロスは「有ること」をモノが存在することと同義と考えていたため、アリストテレスやプラトンなど存在を解析し超越しようとする流れをくんだ、後の時代の形而上学の一端である実証主義や観念論との同化訳は避けなければならない。ハイデガーはこれを「諸々の学や信仰へと思索が頽落するということ」[51] と呼んでいる。この思考の伝統は、ギリシャ語テキストの「標準的な翻訳」の仲間入りを果たす。アナクシマンドロスの思考は倫理的宇宙の様相を呈し、「事柄に即することなしに道徳的なものと法律的なものとが混入」した「自然哲学」として示されている。[52] ハイデガーは、古典文献学者のヘルマン・ディールスによる、倫理・哲学的に抽象な表現を多用した現代ドイツ語で書かれた版を引用している。

es on de e genesis esti tois ousi kai ten phthoran eis tauta ginesthai kata to chreon. didonai gar auta diken kai tisin allelois tes adikias kata ten tou chronou taxin.

Woraus aber die Dinge das Enstständen haben, dahin geht auch ihr Vergehen nach der Notwendigkeit; denn sie zahlen einander Strafe und Buße für ihre Ruchlosigkeit nach·der festgesetzten Zeit.

しかし、諸々の事物の起源がある所、そこにも必然的に消滅が起こる。なぜならば、自らの無道さのために、決められた時に互いに罰と償いを支払うからである。[53]

ハイデガーにとって、古代ギリシャの思索をもっともよい形で再生産するのは「詩作」だった。ギリシャ語に由来するドイツ語の古語に依拠するため「強制力のあるもの」として日常生活で用いる言語に立ちはだかるが、ハイデガーは語源をもとに解釈を拡大していった。[54] 論文「アナクシマンドロスの箴言」は、箴言の部分訳で締められている。非常に自由な書き直しの形式をとっており、以下のとおり挿入句も入っている。

. . . entlang dem Brauch; gehören nämlich lassen sie Fug somit auch Ruch eines dem anderen (im Verwinden) des Un-Fugs.

[……] 必需に沿って。つまり、正当をあたえ、一方が他方の不正（の耐え抜き）に斟酌を属させるからだ。

. . . along the lines of usage; for they let order and thereby also reck belong to one another (in the surmounting) of disorder.[55]

訳者のクレルはハイデガーのドイツ語によりそい、少なくとも一語は英語で同等の古語を見つけ出している。ハイデガーが中期高地ドイツ語の「正当 Fug」と「斟酌 Ruch」に逃げたところを、クレルは、後の時代に生まれた「不正 Unfug（英語では nonsense や disorder の意）」と「卑劣な Ruchlos（英語では reckless の意）」というドイツ語を参考に、「秩序 order」と〔前述の引用文以外の箇所では〕「気遣い care」と訳している。[56] 前述の引用文にもあるように、クレルは「頓着する reck」という、アングロサクソン系の言葉も使用している。この語は近代初期に使われなくなり、十九世紀に詩的表現として復活したが、現在は死語となっている。[57] クレル訳でくり返し登場する、なじみのない reck という単語は、英語読者に強く訴えかける。ハイデガーがドイツ語の Ruch に付与した概念の重厚さだけでなく、単語の古い存在価値も示している。この翻訳により、評論家らは翻訳——しかもできのよい翻訳——を読んでいるという事実を認識でき、ハイデガーが書いたテキストと混同することがなかった。したがって、評者たちはクレルの翻訳を「誠実」なだけでなく、ドイツ語の内容をわかりやすくしているとして称賛した。うち、哲学者のジョン・カプートは、「原文の理解を助ける以上に、訳文について言えることはあるだろうか」と書いている。[58]

しかし、よけいなものの予測不可能性は、ハイデガーとクレルの訳文にもはね返っている。古代哲学をテーマにすえ、語源学を用いた研究論文を訳すにあたり、古語調を使用するのはまちがいなく効果的だ。クレルは、死語ではなく日常的に使われているドイツ語に対しても、英語の古語を訳としてあてている。クレルは「溝 Graben（英語で trench や ditch の意）」を「深淵 abyss」、「卑俗であれ高尚であれ、ギリシア語の日常的な慣用の中で語られているもの in ihrem täglichen niederen und hohen Gebrauch（英語で in its daily low and high use の意）」を「日常の用語だけでなく教養として用いる際にも in common everyday parlance as well as in its learned employ」、「恒常的 Bestandigen（英語で standing、fixed、enduring）」を「存続する perduring」、「能力を増し machtiger（英語で powerful、potent、mighty の意）」を「勢力のある puissant」と訳している。[59] これらの訳語を選ぶにあたり、哲学テキストの翻訳は詩作をともなうべきとのハイデガーの考えに、クレルは明らかに応じている。しかし詩的表現は往々にして近代英国文学——

シドニー、シェイクスピアやミルトンなどに代表される――と関連している。これがわかりやすく表れているのは、クレルが原文の「継ぎ目から外れて有る aus den Fugen」を「関節から外れる out of joint」と訳した箇所だ。[60] ハイデガーが「有ること」の消失に対して抱く懸念を、デンマーク裁判所のモラルの欠如を憂慮するハムレットの「世の中の関節は外れてしまった。ああ、なんと呪われた因果か、それを直すために生れついたとは！」[61]にたとえている。クレルの翻訳は、ハイデガーの哲学を英語の正典や伝統とゆるやかに結びつけており、英語圏の外国哲学の正典にハイデガーをおさめるのに、多少なりとも寄与している。ハイデガーは「翻訳の諸々の語が、事柄の言葉から語っている語彙であるとき」に翻訳は「誠実」であると語っている。[62] したがって、文学的比喩が多いと、ハイデガーの詩作をともなう翻訳がどの程度、古代ギリシャ哲学に「誠実」なのか疑問を抱かざるをえない。しかし、外国テキストが言語や文化上の差異を保持しようと試みている場合でも、国内のよけいなものが解放されるため、翻訳は時代錯誤な言い回しや逸脱、過剰表現を避けられないことをクレル訳は示している。クレルの古語調はハイデガーの哲学的主題を伝え、その独特な文体もまねている。しかし、古代ギリシャで体験できた「有ること」を翻訳で表現できず消えてしまった。翻訳とは翻訳する側の言語の歴史において生まれた変種でしかなく、今日の言語慣習が崩されないとほかの変種は見えてこないのだ。[63]

哲学テキストの翻訳はもっと改善できる。翻訳者がより実験的なアプローチをとれば、翻訳が刊行された際に新たな哲学解釈を示せるだろう。今日の翻訳は、慣習として翻訳者のまえがき、用語一覧、注釈を載せている。いずれも重厚な概念を示すキーワードを明確化し、国内の哲学分野の潮流のなかで異質性を示してくれる。しかしこのような資料も、よけいなものの効果を指し示すぐらいしかできない。

よけいなものが目標言語とメタコメンタリーに文学的・歴史的に共鳴している箇所しか示せない。つまり、哲学翻訳はより文学的であるべきだ。外国の概念や言説について、適切な国内のよけいなものを解放させる必要がある。どれほどよけいなものが予測不可能であるにしても、概念形成をともなう哲学プロジェクトが与えてくる形式へのプレッシャーを創造的にはねのけなければならない。

ドゥルーズとガタリは、哲学書の「形式の要素」について以下のとおりふれている。

> いくつかの概念はそれぞれ、それらを指し示すための、ときには粗野でひんしゅくを買う、法外な語を要請し、他方、別の概念たちはそれぞれ、きわめてありふれた普通の語で満足するのだが、ただし木の葉、非哲学的な耳には聞きとれない恐れがあるほどの、とても離れたいくつもの倍音をはらんでいる。いくつかの概念は、アルカイックな言葉遣いをこいねがい、他の概念たちは、ほとんど発狂した語源学的操作に貫かれた造語を切に求めている。［……］概念の命名は、哲学固有の或る趣味〔美的判断力〕を必要としている。この趣味は、暴力あるいはほのめかしによってことに当たるものであり、またこの趣味は、民族の言語のなかで、哲学の言語を——語彙だけでなく、さらに崇高さやひとつの偉大な美しさに達しているシンタックスをも——構成するものである。◆[64]

哲学の言語をつくりあげていく中で、哲学者はメジャーな言語（標準語、哲学の正典、主流の概念や言説）を踏襲するか、そこから外れるか選ばなければならないのだ。哲学者が好む「趣味」は、文学的なだけでなく社会的であり、制度の限界に少なからず関係している。哲学書の文体は、ディシプリン内の主流となっている哲学に則っているようにみせかけたり、逆に反抗してもよい。メジャーな言語に与してもよいし、メジャーな言語から疎外されたマイナーな言語形式（つまり「ひんしゅくを買う」語、古語、造語）に与して、ドゥルーズとガタリが他の著作で述べているマイナー文学を創造してもよい。[◆65] 哲学テキストのスタイルの発明は、「非哲学的な耳」からすれば哲学のディシプリンに縛られすぎ、難解すぎるかもしれない。しかし、主流の哲学の言説から外れた言語的・文学的伝統から引用したマイナーな形式であれば、専門家でない読者にも届くかもしれない。哲学がマイナー文学として実践されれば、現在の学界体制の境界線を引き直しこえられる。

翻訳者からしてみれば、より文学的なアプローチがとれれば、哲学翻訳を哲学文学の中のマイナー文学としてとらえられる。実験的な翻訳はマイノリティ化をともなう。新しい哲学言語をつくり、国内の哲学言語のヒエラルキーに抗う。一方、スタイルの発明を避けた翻訳は、国内のディシプリンにおもねるだけだ。外国テキストを標準語、支配的な哲学、主流の解釈に同化させてしまう。実験的な翻訳のみが、メジャーな言語を外に追いやり制度を新しい概念や言説にいざなうことで、外国テキストの言語的・文化的違いを示すことができる。翻訳を考慮することで、哲学が終焉をむかえるわけではなく、詩や歴史になるわけでもない。むしろ、ほかの思索や文章を取りいれるために発展していくだろう。

◆1 George Nakhnikian, "Review of L. Wittgenstein, *Philosophical Investigations*," *Philosophy of Science* 21: 1954. p. 353. ; A. J. Workman, "Review of L. Wittgenstein, *Philosophical Investigations*," *Personalist*: 36. 1955. p. 293. ; S. Hampshire, "Review of L. Wittgenstein, *Philosophical Investigations*," *Spectator*: 22 May 1953. p. 682. ; John Niemeyer Findlay, "Review of L. Wittgenstein, *Philosophical Investigations*," *Philosophy*: 30. 1955. p. 179.

◆2 以下の文献がその例だ。Peter F. Strawson, "Review of L. Wittgenstein, *Philosophical Investigations*," *Mind*: 63. 1954. pp. 70–99. Paul Feyerabend, "Review of L. Wittgenstein, *Philosophical Investigations*," *Philosophical Review*: 64. 1955. pp. 449–483.

◆3 Saul A. Kripke, *Wittgenstein on Rules and Private Language: An Elementary Exposition*, Cambridge: Harvard University Press. 1982. p. 49. ソール・A・クリプキ『ウィトゲンシュタインのパラドックス――規則・私的言語・他人の心』黒崎宏訳、産業図書、一九八三年、九五頁。

◆4 ibid.

◆5 Ludwig Wittgenstein, *Philosophical Investigations*, G. E. M. Anscombe trans., G. E. M. Anscombe, R. Rhees, and G. H. von Wright eds., Oxford: Blackwell. 1953. p. 19. ルートヴィヒ・ヴィトゲンシュタイン『哲学探究』丘沢静也訳、岩波書店、二〇一三年、三八－三九頁〔傍点は丘沢訳より〕。

◆6 Hampshire, "Review of L. Wittgenstein, *Philosophical Investigations*," p. 682.

◆7 Anthony Quinton, "British Philosophy," in P. Edwards ed., *The Encyclopedia of Philosophy*, vol. 1, New York and London: Macmillan. 1967. p. 392.

◆8 R. Hamilton, "Review of L. Wittgenstein, *Philosophical Investigations*," *Month*: 11. 1954. p. 117.

◆9 Quinton, "British Philosophy," pp. 393–396.

◆10 以下の文献を参照。Oswald Hanfling, "'I heard a plaintive melody' (*Philosophical Investigations*, p. 209)," in A. P. Griffiths ed., *Wittgenstein Centenary Essays*, Cambridge: Cambridge University Press. 1991. p. 117. n. 1. Peter Michael Stephan Hacker, *Insight and Illusion: Themes in the Philosophy of Wittgenstein*, Oxford and New York: Oxford University Press. 1986. p. 113. n. 3. Jaakko Hintikka and Merril B. Hintikka, *Investigating Wittgenstein*, Oxford and New York: Blackwell. 1986. passim.

◆11 Norman Malcolm, *Ludwig Wittgenstein: A Memoir*, 2nd edition, Oxford and New York: Oxford University Press. 1984. p. 24. ノーマン・マルコム『ウィトゲンシュタイン――天才哲学者の思い出』板坂元訳、平凡社ライブラリー、一九九八年、一二頁。

◆12 ibid. p. 38. 同書、四九頁。

◆13 ibid. p. 96. 同書に該当文章なし。

◆14 ibid. p. 124. 同書に該当文章なし。

◆15 ibid. p. 69. 同書、一二九頁。

◆16 Gordon P. Baker and Peter Michael Stephan Hacker, *An Analytical Commentary on the Philosophical Investigations: Wittgenstein, Understanding and Meaning*, Chicago: University of Chicago Press. 1980. p. 221.

◆17 Wittgenstein, *Philosophical Investigations*, p. 51. ヴィトゲンシュタイン『哲学探究』九九頁。英語はヴェヌティ訳。

◆18 Oswald Hanfling, *Wittgenstein's Later Philosophy*, Albany: State University of New York Press. 1989. p. 51.

◆19 たとえば、以下の文献を参照。Alice Ambrose, "Review of L. Wittgenstein, *Philosophical Investigations*," *Philosophy and Phenomenological Research*: 15. 1954. p. 111. C. W. K. Mundle, *A Critique of Linguistic Philosophy*, Oxford: Clarendon Press. 1970. p. 198. Garth Hallett, *A Companion to Wittgenstein's Philosophical Investigations*, Ithaca, New York: Cornell University Press. 1977. p. 114.

◆20 Wittgenstein, *Philosophical Investigations*, p. 49. ウィトゲンシュタイン『哲学探究』一二四頁。

◆21 ibid. p. 102. 同書、一九六頁。

◆22 Garth Hallett, "The Bottle and the Fly," *Thought*: 46. 1971. p. 101.

◆23 Wittgenstein, *Philosophical Investigations*, p. 209. ヴィトゲンシュタイン『哲学探究』四一一頁。

◆24 『オックスフォード英語辞典』による。

◆25 Wittgenstein, *Philosophical Investigations*, p. 2. ヴィトゲンシュタイン『哲学探究』七頁。

◆26 ibid. p. 51. 同書、九九頁。

◆27 Benjamin Jowett ed. and trans., *The Dialogues of Plato*, 3rd edition, Oxford: Clarendon Press. 1892. pp. xv, xvi.

◆28 ibid. p. xxii.

◆29 ibid.

◆30 George Steiner, *After Babel: Aspects of Language and Translation*, London and New York: Oxford University Press. 1975. pp. 345–346. ジョージ・スタイナー『バベルの後に——言葉と翻訳の諸相　下巻』亀山健吉訳、法政大学出版局、二〇〇九年、六三六頁。

◆31 Jowett, *The Dialogues of Plato*, p. xiv.

◆32 Trevor Saunders, "The Penguinification of Plato," in W. Radice and B. Reynolds eds., *The Translator's Art: Essays in Honour of Betty Radice*, Harmondsworth, England: Penguin. 1987. p. 160.

◆33 ibid. p. 157.

◆34 William Radice, "Introduction," in W. Radice and B. Reynolds eds., *The Translator's Art: Essays in Honour of Betty Radice*, Harmondsworth, England: Penguin. 1987. pp. 21–22.

◆35 Saunders, "The Penguinification of Plato," p. 155.

◆36 プラトン『法律　上巻』森進一・池田美恵・加来彰俊訳、岩波文庫、一九九三年、二七〇頁。

◆37 シェイクスピア『十二夜』安西徹雄訳、光文社、二〇〇七年、七二頁。

◆38 Saunders, "The Penguinification of Plato," p. 158.

◆39 ibid. p. 157.

◆40 ibid. p. 158.

◆41 Christian Delacampagne, *L'Invention de Racisme: Antiquite et Moyen Age*, Paris: Fayard. 1983. p. 189. ; Henry George Liddell and Robert Scott, *A Greek-English Lexicon*, 8th edition, New York: American Book Company. 1882.

◆42 プラトン『法律　上巻』二〇頁。

◆43 プラトン『法律　上巻』二〇頁より一部改変して引用。Trevor Saunders ed. and trans., Plato, *The Laws*, Harmondsworth, England: Penguin. 1970. p. 45.

◆44 Saunders, "The Penguinification of Plato," p. 155.

◆45 Martin Heidegger, *Being and Time*, John Macquarrie and Edward Robinson eds. and trans., New York: Harper and Row. 1962. p. 15.

◆46 Sidney Hook, "Review of M. Heidegger, *Being and Time*", *New York Times Book Review*, 11 November 1962, p. 6.

◆47 William Barrett, *What is Existentialism?*, New York: Partisan Review. 1947. ウィリアム・バレット『実存主義とは何か――人間存在の根源をさぐる』島津彬郎訳、サイマル出版会、一九九五年。

◆48 Richard Rorty, *Philosophy and the Mirror of Nature*, Princeton, New Jersey: Princeton University Press. 1979. リチャード・ローティ『哲学と自然の鏡』野家啓一監訳、伊藤春樹・須藤訓任・野家伸也・柴田正良訳、産業図書、一九九三年。

◆49 Martin Heidegger, *Early Greek Thinking*, D. F. Krell and F. A. Capuzzi eds. and trans., New York: Harper and Row. 1975. p. 19. マー

チン・ハイデッガー『杣径』茅野良男、ハンス・ブロッカルト訳、創文社、一九九八年、三六六頁。

◆50 ibid. p. 22. 同書、三六九―三七〇頁。

◆51 ibid. p. 40. 同書、三九四頁。

◆52 ibid. p. 22. 同書、三六九頁。

◆53 Martin Heidegger, *Holzwege*, 5th edition, Frankfurt am Main: Vittorio Klostermann. 1972. p. 296. ハイデッガー『杣径』三五八頁より一部改変を施して引用。

◆54 Heidegger, *Early Greek Thinking*, p. 19. ハイデッガー『杣径』三六五―三六六頁。

◆55 Heidegger, *Holzwege*, p. 342. ハイデッガー『杣径』四一九頁より一部改変を施して引用。 Heidegger, *Early Greek Thinking*, p. 57.

◆56 〔原文で引用されていない以下の箇所をあわせて参照。Heidegger, *Early Greek Thinking*, p. 46. ハイデッガー『杣径』四〇四頁。〕

◆57 『オックスフォード英語辞典』より。

◆58 M. L. Collins, "Review of M. Heidegger, *Early Greek Thinking*", *Library Journal*: 100. 1975. p. 2056. ; John D. Caputo, "Review of M. Heidegger, *Early Greek Thinking*," *Review of Metaphysics*: 32. 1979. p. 759.

◆59 Heidegger, *Holzwege*, pp. 303, 313, 328, 341. ハイデッガー『杣径』三六六、三七八、三九八、四一六頁。 Heidegger, *Early Greek Thinking*, pp. 19, 28, 42, 55.

◆60 Heidegger, *Holzwege*, p. 327. ハイデッガー『杣径』三九七頁。 Heidegger, *Early Greek Thinking*, p. 41.

◆61 シェイクスピア『ハムレット』野島秀勝訳、岩波文庫、二〇〇二年、七九頁。

◆62 Heidegger, *Early Greek Thinking*, p. 14. ハイデッガー『杣径』三九七頁。

◆63 Andrew Benjamin, *Translation and the Nature of Philosophy: A New Theory of Words*, London and New York: Routledge 1989. pp. 31–38.

◆64 Gilles Deleuze and Felix Guattari, *What is Philosophy?*, G. Burchell and H. Tomlinson trans., London and New York: Verso. 1994. pp. 7–8. ジル・ドゥルーズ、フェリックス・ガタリ『哲学とは何か』財津理訳、河出文庫、二〇一二年、一八頁〔傍点は財津訳より〕。

◆65 以下文献の、主に第四章を参照。Gilles Deleuze and Felix Guattari, *A Thousand Plateaus: Capitalism and Schizophrenia*, Brian Massumi trans., Minneapolis: University of Minnesota Press. 1987. ジル・ドゥルーズ、フェリックス・ガタリ『千のプラトー――資本主義と分裂症』宇野邦一・小沢秋広・田中敏彦・豊崎光一・宮林寛・守中高明訳、河出書房新社、一九九四年。

第七章

ベストセラー

The bestseller

今日において翻訳が周辺に追いやられている理由のひとつに、その経済価値の低さがある。端的に言えば、翻訳書の出版は経済的リスクが大きいので、出版社は翻訳書の出版点数を抑えてしまうのだ。翻訳書は、制作にともかくお金がかかる。翻訳権の購入は多額の事前出資をともなうし、翻訳者への支払費用に、宣伝費もかかる。出版社にとってこれらの費用はもはや避けられない損失であり、翻訳書は文化資本かつ「目録上のバラエティを増やし読者の目を引きつけるもの」[1]ととらえている。さらに一九七〇年代以降、ベストセラーに投資する傾向が強くなるあまり、出版社の注目は現地で販売成績のよかった外国テキストに集まってしまった。その結果、異なる言語と文化でも、同じ商業的成功を期待した編集・翻訳プロセスがとられるようになった。しかし、投資にみあう利益をもたらす翻訳書（特にベストセラー）は、文化的権力を有し、作品評価を通じて長期的な売上に影響力をもつ学者や書評家から悪書の烙印を押されかねない。というのも、大衆読者をターゲットに翻訳書を出せば、文化的エリートから所詮「一般読者」や「ミドルブラウ」むけと軽んじられる事態を生み、文芸出版社や学術・教育機関基準の「良い本からは外れていると見なされ失敗する」[2]結末をたどる。翻訳は、商業と文化の両方に縛られているのだ。この縛りにより、外国文学の門戸が狭まる危険があるうえ、外国文学の国内の寿命を縮めてしまう――関心が瞬く間に変わっていく大衆読者をターゲットにしたがために、売上が消え絶版に追いこまれていく。

この困難な状況こそ、外国テキストをとりまく出版社の決断や作品の評価というスキャンダルをあらわにしてくれる。「ベストセラーは、人々の主たる関心を取りあげた本[3]」であるため、翻訳書の出版に高い利益がみこめるのは、その時点の国内（ドメスティック）文化がもつ期待にこたえられる場合だけだ。出版社の外国テキストに対するアプローチは、がいして商業的なもので、国内マーケットの売上予測に支配された一種の搾取と考えれば帝国主義的と言ってもよいかもしれない。一方で、国内読者へのアプローチは自国のニーズを再生産しているだけのようなものであり、自己中心主義的な色合いが強い。なぜなら、国内読者がすでにもつ文学、倫理、宗教もしくは政治的価値観を、翻訳書が強化するという前提があるからだ（一部の出版社は、確実にこの前提にとらわれている）。ベストセラーとなる翻訳書は、その本が表現しているはずの外国（フォーリン）文化よりも、翻訳先の国内文化を浮き彫りにするものだ。外国テキストは国内の関心にこたえるためにつくられているという、受け入れがたいが避けられない事実もあらわになる。したがって、売上推移やレビューでは、翻訳書の真の価値を客観的に評価できないことも明らかだ。

しかし、ベストセラーとなった外国テキストは、思ってもみない形で価値があがることもある。歴史学者のピエール・ノラが「予想外（インアタンドゥ）のベストセラー」と呼んだカテゴリーは、売れるなどまったく予想がつかなかった翻訳書を含む[4]。ノラは一例として、フランソワーズ・サガンが一九五五年に出した小説『悲しみよこんにちは』をあげている。本書はフランス本国だけでなく世界各国でベストセラーとなった。ノラは、このようなベストセラーに共通してみられる法則について以下のように述べている。

違反、つまり元来の社会学的スペースを壊し、意図しない公の場に爆発を起こすようなものだ。たとえば、コレージュ・ド・フランスの教授の著作がわらぶき屋根の小屋で読まれる。または、左翼の本に［……］右翼特有の反知性主義がちりばめられていたり、毛沢東主義派から外されてしまった左翼の人間が、右翼の本を読んだりするのだ。◆5

ノラのベストセラーについての意見は、当然のことながらフランスの文化と政治的状況に関する考察にもとづいている。しかし、すべての本（翻訳書でないものも含む）がベストセラーとなる文化的要件を示唆している。ノラは、読者層はいくつかのグループに分けられ、それぞれ特定の価値観を有していると考えた。ベストセラーは、その定義からわかるとおり多くの読者に読まれる。複数の異なるグループが読むわけであり、グループ間の文化的境界をこえているはずだ。ベストセラーが翻訳書である場合、こえなければならない境界線が増える。翻訳書がベストセラー・リストに仲間入りできるのは、その外国テキストも翻訳も意図していなかった価値観や機能を包含している場合だ。外国テキストは、外国文化から国内文化にシフトする際に、元来の力を発揮できる言語・文学的土壌から切り離されるので、翻訳は異なる解釈のもと評価される。そして翻訳は、国内文化の中で流通していく過程で、さまざまな社会グループに広がり異なる道を歩んでいく。ベストセラーはもっとも厚い読者層の中で関心が高い問題を取りあげるため、ベストセラーとなる翻訳書が提示する解決策は、場合によっては対立さえする、さまざまなコードやイデオロギーをもつ読者らに理解されるものでなければならない。したがって、大衆をひきつけるために翻訳は多様な方略をとる。

ベストセラーは大衆の嗜好を分断する文化形式だ。社会学者ピエール・ブルデューはこの嗜好について以下のように述べている。

> 芸術と生活との連続性を肯定すること――それは当然、機能に対して形式を従属させることを意味する――［……］普通の性向といわゆる美的性向との明確な断絶を旨とする学問的美学のまさしく根本にある（人間的なものへの）拒絶を拒絶することの上に、成りたっているかのようである。[6]

ベストセラーは、特定の言説を共有する芸術と生活の境目をあいまいにする。フィクション、ノンフィクション、小説、歴史書、ロマンス、回顧録、ホラー、自己啓発本といったさまざまなジャンルのベストセラーがあるわけだが、いずれも没入感のある読書体験へといざなうメロドラマティックな現実主義が好まれる。[7] ベストセラーのフィクションでは特に顕著かもしれない。現代の社会問題にむきあう登場人物に読者が感情移入できるかどうかが、成功の鍵となるからだ。女性むけ小説を分析したリサ・ドゥドヴィッツは、以下のように述べている。

> 物語のストラテジーは二つの側面を有する。テキストが現代の問題について語っている場合、読者が認識可能な舞台設定にしなければならない。一方で、フィクションには現実逃避の側面も求められるため、ある程度はファンタジーの要素も必要だ。単純な文章、ステレオタイプや型どおりのイメージ、複雑な心理描写の回避、わかりやすい登場人物といった特徴のおかげで、読者は簡単に想

像の世界に入ることができる。登場人物が体現する価値観が、読者にとって明白でなじみ深いものだからだ。[8]

感情移入のしやすさはベストセラー小説の特徴であるがために、その満足感は代償をともなうこともある。たとえば、現代の問題をリアルに描く一方で、その解決策が国内の文化や政治的価値観と照らしあわせたときに非現実的となってしまうこともある。また、満足感を与えるためには、語りがすっと頭に入ってくるものでなければならない。文章は簡潔に、流れるような構文で、なじみのある単語で書き、正確な意味が伝わるようにしなければならない。機能とコミュニケーションに力点を置き、形式美よりも取りあげる内容を重視する傾向は、言語をあたかも透明なものに見せてしまい、読者の感情移入をうながさんと、現実世界の幻影をつくりだす。

この大衆嗜好に特徴的なリアリズムは、ベストセラーの翻訳ストラテジーも支配する。出版社は現実感のある外国テキストを翻訳対象として選び、「参加への深い期待」[9]を裏切るような、形式の実験を試みている優れた外国文学をないがしろにするだけでない。あたかも翻訳文ではないような、翻訳が透明であるかのような幻影を見せるために、流暢な訳文を強要する。流暢な文体にするには、単純な構文、一義的な単語、時代にあった言葉づかい、単語の統一性を追求する必要がある。不自然な構文、多義的な単語、古語調、ジャーゴンなど、単語自体に読者の注意をそらし、没入感を阻害する文学表現は避ける傾向にある。流暢な翻訳文では、親和性が重要視され、不可視と言ってもよい領域まで、言葉のわかりやすさが求められる。その結果、外国テキストは考えうるかぎり最大数の読者に届くものの、テキストはかなりの同化を経ることになる。つまり、国内をとりまく文化・政治的価値観（テキストが表現する外国文化に対する価値観を含む）がうめこまれていく。外国テキストが多くの読者をひきつけられるよう、ベストセラーとなる翻訳は、外国文化を表象するための国内のさまざまなアイデンティティ――多くの場合はわかりやすいステレオタイプ――に与しなければならない。ベストセラー翻訳という鏡の中に、大衆的アプローチに慣れた国内読者が見がちなのは、自身のコードやイデオロギーによって屈折したあとの現実的な像である。それを見て、外国文化やテキストと直に対峙していると受けとってしまうのだ。

この点を深掘りしていくために、第二次大戦後に二十年以上にわたり国際的ベストセラー作家であったイタリア人作家ジョバンニ・グァレスキの英訳を取りあげたい。グァレスキ（一九〇八―六八）は鋭い風刺をふくむユーモア小説を執筆した。グァレスキ作品でもっとも人気があったのは、ドン・カミロを主人公としたシリーズだ。イタリア北部の村の司祭であるドン・カミロと、共産主義者の町長ペポネとの、考え方の違いに端を発するいざこざに、ドン・カミロがいつも勝利するさまを面白おかしく描いている。グァレスキ作品は、西の民主主義と共産圏が政治および経済的な側面で対立していた冷戦中に翻訳された。作中で何度も登場する反共主義というテーマが、世界的な人気に大きく寄与したのはまちがいない。しかし、翻訳でベストセラーの地位を得るためには、グァレスキ作品は当然のことながら多様な文化的需要にこたえなければならなかった。国内のさまざまな文化的構成員に受け入れられるようにせねばならず、構成員らの期待は必然的にイタリア国内のものとは異なっていた。

グァレスキの英語圏での成功は、戦後の英米の政治経済におけるベストセラー翻訳書の立ち位置を示してくれる。外国テキストの選定、翻訳するにあたりつくられたさまざまな方略、翻訳の受容――いずれも国内文化の政治アジェンダを支持するコードやイデオロギーの影響を受けており、外国を表象する文化アイデンティティが形成されていく過程を浮き彫りにする。その他多くのベストセラー翻訳と同様、グァレスキ作品の翻訳も、大衆寄りの嗜好が幅広い文化的世論の形成をおし進めた。この世論形成が、国内のさまざまな嗜好や関心の対立だけでなく、それらと外国文化内の現況の溝も埋めていった。

受容

一九五〇年から一九七〇年の間に、グァレスキ作品の英訳十二点がアメリカで出版されており、うち多数がベストセラーとしてすさまじい人気を誇った。最初に一九五〇年に出版された英訳『ドン・カミロの小さな世界』[10]は、瞬く間に売上を伸ばし、『シカゴ・トリビューン』や『ニューヨーク・タイムズ』など複数の雑誌や新聞のベストセラー・リストに載った。またブック・オブ・ザ・マンス・クラブやカトリック・ダイジェスト・ブック・クラブといった、本を選定して郵送するサービスを提供する大手ブック・クラブを通じて、アメリカ国内に広く流通した。二年間でおよそ二十五万部を売り上げており、他のグァレスキ作品の英訳も同様の成功をたどった。二冊目となるアメリカ英語訳『ドン・カミロと信徒たち』[11]は、一九五二年に出版され、約二年間で十八万五千部を売り上げた。三冊目に出版された自伝的作品を集めた短編集『ニーノが建てた家』（一九五三）[12]、四冊目の『ドン・カミロのジレンマ』（一九五四）[13]、五冊目の『ドン・カミロ悪魔のしっぽをつかまえる』（一九五七）[14]はいずれも、初版から数か月で二万五千部以上を売り上げた。グァレスキ作品は初版がめきめきと売上を伸ばしただけでなく、二十年にわたって刷られており、リプリントやペーパーバック版の成功により売上を維持した。

アメリカ以外の多くの国でも、同様の成功を得ている。アメリカで翻訳されたグァレスキ作品はすべて、後にイングランドでもベストセラーとなっており、多数の作品がブック・クラブを通じて流通した。一九五五年には、ドン・カミロ・シリーズの最初の三作品を収載した合本版が、およそ二十五万人の会員数を誇るイギリスのコンパニオン・ブック・クラブより流布した。同時期に、グァレスキ作品は世界二十七言語に翻訳され、ほかの西欧諸国でも同様の成功を収めた（たとえばドン・カミロ・シリーズ一作目はフランスで八十万部を売り上げた）。東側諸国と、共産党支配下にあったチェコスロバキア、ハンガリー、ポーランド、北朝鮮、ベトナムといった国々でも翻訳された。全世界での売上合計は一九五七年時点で二千万部と推測されている。この時点でグァレスキは存命で、その後も十年間にわたり執筆活動をつづけた。[15]

グァレスキの反共主義の姿勢が人気の鍵となったのは間違いない。アメリカ国内全土と言ってもいいほど読者の間で広がっていた共産主義への恐怖に、ドン・カミロ・シリーズは見事にこたえ、和らげた。『ドン・カミロの小さな世界』の英訳は、アメリカ人の恐怖がピークに達していた一九五〇年八月に出版された。朝鮮戦争へのアメリカの介入は二か月目を迎えており、中国共産党の介入の脅威のさなかにあった。秋の議員選挙活動は、「異様なほどやじ、歪み、アカ狩りにあふれ」ており、対立候補者が共産主義に通じている証拠をもっている、と主張する候補者が後を絶たなかった。[16] 議会は、「共産主義組織」を特定し政治的陰謀をたくらむものと位置づける、国内治安法について議論していた。メディアは政治家と結託し、共産主義分子の地下ネットワークをでっちあげた。ローゼンバーグ夫妻がスパイ容疑で七月と八月に逮捕されたことで、メディアのこの偽情報は信憑性を増してしまった[17]。

グァレスキ作品をレビューした書評家の多くは、この緊迫した異様な状況下をかんがみて、共産主義者の町長を打ち負かすドン・カミロのゆかいな世界という居心地のよいユートピアを歓迎した。書評誌『サタデー・レビュー・オブ・リテラチャー』では、ドン・カミロ・シリーズ一作目を表紙に取りあげ、編集者のひとりがグァレスキの受容に寄与した政治的要因を書評の中で明記している。

皆の悩みにこたえる本だ。熱波や日焼け、もしくは朝鮮にまつわる記事の過剰摂取には、ジョバンニ・グァレスキの明るく魅力的な作品が効くだろう。『ドン・カミロの小さな世界』は、表面的にはイタリアの小さな村の司祭と村長のいざこざの数々を報告しただけのものだが、私たちを悩ませる深刻な大問題――自由な世界のための共産主義との闘い――に救いを示す点で特異な作品だ[18]。

グァレスキ自身は、英訳で付された序章の中で本作の「背後には、私の家があり、パルマの町があり、ポオ河に沿ったエミリイ平原がある[19]」と述べているが、この書評家は当時の国際政治問題のアレゴリーと読みとったようだ。彼の読みを支えるコードはトルーマン・ドクトリン――ソ連の脅威にさらされていると判断した国々を支援することで、ソ連の拡大を抑えるというアメリカの外交政策――だった。この書評家は、一九四七年のトルーマンの議会演説を踏まえているのだろう。演説の中でトルーマンは「直接的または間接的な侵略行為によって自由な諸国民に押しつけられた全体主義体制が、世界平和の基盤を、さらには米国の安全保障を損なう」と述べている。[20] たしかに、グァレスキ作品は一九五〇年代に見られた共産主義に対する世界的な懸念を表す形となったが、アメリカ人読者の多くは、イタリア語のテキストをアメリカの文化的・政治的状況にてらしあわせ、明らかにアメリカ特有のコードやイデオロギーに同化させて読みとっていた。

この同化は、グァレスキの成功における大衆嗜好の重要性を示すものである。アメリカの書評家らは、芸術と生活は陸つづきであるとの前提から、グァレスキ作品を時事問題のアレゴリーとして扱った。彼らの評は、多少の訓戒を含みつつ物語への没入感を求める、大衆読者の需要にこたえるものだった。[21] ドン・カミロ・シリーズが熱烈に歓迎されたのは、もっとも深刻なアメリカの「問題」に対する解決策をエンターテインメントの形で読者に体験させてくれるからだ。前述の『サタデー・レビュー』の書評でもそれは明らかだ。

グァレスキ氏のゆかいな物語を読めば、読者は自身をドン・カミロに照らしあわせ、彼の自由な世界をつくるための共産主義との闘いに共感するだろう。自由な世界に生きる我々も、ドン・カミロの勇気、強さ、信念、そしてユーモアを持って闘えば、彼同様に勝利を得られるだろう。[22]

グァレスキの共産主義者の描写は「ロマンティック」[23] に過ぎ信憑性に欠けるとして、グァレスキの解決策は理想論に過ぎずまったく受けいれがたいとした書評家もいたが、そうした評は例外的だった。しかし、そのような懐疑的な人間でさえ、グァレスキはアメリカ文化に対し何らかの倫理的役割を果たし理想を示してくれるもの、という一般大衆の熱狂になびいており、「ドン・カミロの小さな世界の人々は皆、いい人ばかりだ。そんな風に私たちの世界は変わりそうもないのが残念である」[24]とその理想がかなわないという結論に落ち着いている。

グァレスキのドン・カミロ・シリーズがアメリカでベストセラーの地位を築けたのは、作品が反共的だったというだけではない。大衆嗜好という口実のもと、英訳の反共主義が大衆読者になじみ深い国内の価値観と親和性があったからだ。この価値観の中には、イタリアに対するステレオタイプも含まれる。どの書評家も、グァレスキの「イタリア人」としての視点――生物学、心理学、倫理、宗教の観点から共産主義に反対しているとされる国民の視点――をほめたたえた。カトリック系雑誌『コモンウィール』の書評家は、「グァレスキの作中における共産主義者は、粗暴であるものの、モンスターではない。大口をたたく一方で、教会を第一に愛するイタリア人の気質が垣間見られる」[25]と述べている。『ライフ』誌も同様に、グァレスキを取りあげた長い人物評の記事内で「イタリア人」イコール情熱的なカトリック教徒との等式を示した。この記事では、文化形式（オペラ）をイタリア人の「生活」という庶民的な形に矮小化し、ドン・カミロとペポネの対立をイタリア人の心理と結びつけて、「イタリア人がもつオペラのような気質により、主義主張の対立というデリケートな問題も、陰謀、妥協、ドラマ、混乱と熱情に包まれてしまう」[26]と評している。ブック・オブ・ザ・マンス・クラブは、大衆の意見をくみフィクションを「読者が世界を自由に移動するための道具」[27]と定義しており、グァレスキ作品についても「運命の悲惨さを受け入れつつ、哲学的な笑いも混じっており、ラテンならではだ」[28]と紹介している。しかし、イタリアとひもづけられている「このなじみ深いお国柄」について、「チャーリー・チャップリンのパフォーマンス」[29]というイタリア文化にないものと比較されている。チャップリンはアメリカ文化でもないが、アメリカ国内で認知度が高いのはまちがいない。

グァレスキの作品は、イタリアは根っからの男尊女卑という、アメリカ人が抱くステレオタイプに与するものだった。『コモンウィール』誌は、『ドン・カミロの小さな世界』のレビューの冒頭で、以下の注釈を加えている。

本作はイタリアで一般的な、オリーブ色の肌をもち、黒い口ひげをたくわえ、衝動的な言動が目立つ屈強な男性像にもとづいている。民は貧しく、大量のパスタを食し、まずまずの赤ワインを飲む。大家族ばかりで、妻は従順、子どもらは生意気にふるまう。そう、みな善良で勇敢なのだ。[30]

グァレスキ作品は、アメリカ人の考えるイタリア人のステレオタイプに与する一方で、一九五〇年代のアメリカ文化で主流だった家父長的な家族像――肉体的にも倫理的にも強い男性像を理想とした――をより強固にするものでもあった。[31]この理想像は政治的な意図もはらんでいた。アメリカ合衆国に忠誠を誓う国民は強く、対して国家に反する共産主義派の支持者やスパイは弱い、女々しい、ホモセクシャルとのイメージを植えつけられていた。[32]歴史学者のアーサー・M・シュレジンガー二世は、『中心――アメリカ自由主義の目的と危機』の中で、アメリカの「同志」を「温良であって冷酷ではな」いと述べ、共産主義は「政治というものを何か秘密で汗ばんだみそかごと、――ある賢明な現代ロシア研究家の言を借りれば――男の子ばかりの学校で流行する同性愛と大して変りのないものにしてしまう」と主張した。[33] アメリカの読者から見れば、グァレスキは異性愛者の男性がもつ強さと反共産主義を概念としてひもづけて描いた作家に見えるわけだ。
グァレスキ自身の容姿も、この見方を強める要因となった。『ニューヨーク・タイムズ・ブック・レビュー』のインタビュアーは、グァレスキを「いかつい」見た目と評した。

四十歳前後、中背でレスラーのような体格、黒くふさふさの口ひげ、未開拓のジャングルのような黒髪、その服のまま寝ていたのかと思われるようないでたちだった。しかし屈強な見た目とは裏腹に、優しく、繊細なハート、変人と言ってもいいほど特殊なユーモアのセンスをもち、正直すぎてしばしばひどい目に合う、そういった性格だ。独特なユーモアのセンスが政治的に応用された結果、一九四八年にイタリア共産党党首より弾劾を受けるという名誉をたまわっている。[34]

グァレスキの反共主義は、肉体的・倫理的な男らしさ、無骨な個性（「正直すぎ」）を象徴するものとしてとらえられた。冷戦を通じて、共産主義を個人の自主性を脅かす全体主義と見てきたアメリカ人読者には、受け入れやすいイメージ像だった。インタビュアーは、グァレスキの男性的なイメージをさらに読者に植えつける方向に動いた。グァレスキをなじみ深いハリウッド映画のキャラクターや俳優にたとえ（『フロント・ページ』のハードボイルドな警察担当記者のイタリア版」、「〝ザ・タフガイ〟ハンフリー・ボガート」）、身だしなみのだらしなさを強調して労働者階級に位置づけた。「庶民階級においては男女間の分業と性のモラルについての考えかたが他のいかなる階級よりも厳しいために、容姿・容貌の美学的探究、とりわけ化粧や服装に関する探究がもっぱら女性のものとされている」からだろう。[35]グァレスキの髪型や服装への無頓着さは、政治的な意味合いをもたされた。インタビュアーは「グァレスキは身だしなみに気をつかえない。というより、毛嫌いしている共産党以外のすべてのものに無頓着なのだ」[36]と書いている。

このように、グァレスキを特定のジェンダー、階級、国柄にあてはめ、イデオロギーと結びつけたのが、アメリカでのグァレスキ作品の受容の特徴だろう。グァレスキが家族について綴った自伝的作品も、「家族の顔」のバッジを、強さと父権主義の象徴として掲げる夫、特に父親」[37]のアメリカ人を中心に好まれた。『ニーノが建てた家』（一九五三）では、グァレスキは大黒柱として描かれている。妻のマルゲリータと二人の子どもにより、父親としての権力が試されるコミカルなエピソードを取りあげた作品だが、明示的ではないものの時折その試練に政治的な含蓄がある。グァレスキ自身をモデルにした登場人物ジョバンニーノが、「マルゲリータを尊敬していなければ、妻の戦略は共産主義者っぽいと言っただろうな」[38]と発言する場面がある。ドン・カミロ・シリーズで描かれる争いは、いつもけんかっ早い男性キャラクターらによるもので、ときに暴力をともなっていたことから、男性らしさと反共主義はアメリカ人にとって直接結びつくものだった。たとえば、ペポネの共産主義的なプロパガンダを耳にした場面で、ドン・カミロは「頸の青筋を弓のように緊張させ」ている。[39]ドン・カミロは、政敵らを殴ったり蹴ったりして怒らせることが多い。「かたき討ち」と題された短編で、ドン・カミロは、ボクシングの共産党州連合のチャンピオンをノックアウトするために扮装までしている。

ドン・カミロ・シリーズの成功は、多様で矛盾することさえある、アメリカの主要な価値観への同化にある。グァレスキ作品の受容に見られる矛盾として、人種ステレオタイプがヒューマニズムと結びついているがために、人種・宗教・政治・国籍の違いを消し去っている点があげられる。物語に何らかの道徳や教訓を求める大衆嗜好により、グァレスキの反共主義は、イタリア固有の特徴から「ヒューマニズム」の普遍的真実に変化してしまった。『ニュー・リパブリック』の書評家は、「ペポネと彼の仲間たちはおなじみのスターリン主義者の決まり文句を口にする一方で、教会の存在を道徳的に無視できない、イタリア人でありカトリック教徒でもあるのだ」とよくあるイタリア人のステレオタイプにふれている。[40]一方で、グァレスキ作品がベストセラーの地位を得たことについては、ステレオタイプから離れて評価している。

グァレスキ氏の成功は、むろん、登場人物の完璧で無責任な人間性にある。ドン・カミロは司祭ではあるが、同時にけんかっぱやく懐が広い、快活な男でもある。ドン・カミロの主な敵役で共産主義者の村長であるペポネもまた、同じく人間的だ。巷にあふれている、狂ったような政治風刺画からほどとおい。[41]

グァレスキ作品は、対立などないと示すことで、アメリカ人が敵対するイデオロギー（共産主義）に抱いていた恐怖をぬぐいさった。ペポネもまた、ドン・カミロと同じ「人間」なのだ。しかし、この書評家が前提とする「人間的（ヒューマニスティック）」な解決策そのものですら、イデオロギー的かもしれない。ここでいう「人間」は個性と同等に定義されている。というのも、ドン・カミロとペポネはそれぞれ、社会的役割（カトリック教会、共産党）や「政治風刺画」に抽象化されているような概念から外れた、複雑な人格を有しているからだ。この書評家が提示するヒューマニズムというのは、「同じく人間的」と書いているように、リベラルかつ民主的な、すべての人々が享受する自立性にもとづく。また、『ボルティモア・サン』紙の書評家が「これらの男女の人間性をふくらませることで、グァレスキは共産主義イデオロギーの矛盾を示し、イタリア人の根本にある人間性を描こうとしている」[42]と述べているように、反共主義の考え方でもある。アメリカでのドン・カミロ・シリーズの受容は、自由主義的なヒューマニズムに支えられているのだ。このヒューマニズムは本シリーズが描く概念をも包みこみ、政敵でさえ議論の必要性もないぐらい人間的にしてしまう。

この特徴がアメリカ固有であることは、イタリア国内でグァレスキ作品がもたらした影響がまったく異なる点からも明らかだ。ドン・カミロ・シリーズは、グァレスキ自身が編集をつとめる、ユーモアと政治的風刺にあふれた大衆むけ週刊誌『カンディード』（発行部数四十万部）で一九四六年に連載開始された。本誌は過激なまでに反共主義ではあったが、忠実な君主主義の立場もとっていたため、グァレスキは異なる読者層をターゲットにしていたと言える。戦後のイタリアの統治制度を問うた投票率の高かった国民投票で、サヴォイア王家による統治と共和制の票差はわずかだった。[43]『カンディード』誌――中でも特に、本誌に掲載されたグァレスキ作のマンガ――が世論に影響を与えたのはまちがいない。もっとも風刺の激しい画では、共産主義者は非人間的な、三つの鼻孔をもつ猿のようなけだもの（トリナリチューティ）として描かれている。ゆかいなドン・カミロ・シリーズを彩るグァレスキのイラストも、概念の対立が二人の子ども――キリスト教民主主義者は愛らしい天使、共産主義者は小鬼のような悪魔

——のけんかに矮小化されている。しかし、グァレスキの人気で得をしたのは、君主主義者ではなくキリスト教民主主義者だった。一九四八年の選挙で共産党との戦いの勝利に寄与したため、共産党党首から公的に弾劾されている。[44]と同時に、キリスト教民主党でさえ、グァレスキを党員もしくは伝道者ととらえることはできない。一九五四年、国際的に注目を浴びた裁判で、当時の前首相だったキリスト教民主主義者に対する名誉棄損でグァレスキは有罪になっている。

民間組織の活発な活動に支えられ、政治イデオロギーや政党の対立はイタリアの社会生活に根深く影響していたため、グァレスキ作品は、アメリカで見られたような共産主義への狂おしいまでの恐怖に迎えられることも、左翼から非難されることもなかった。実のところ、当時の共産党はボローニャをはじめとするイタリア北部の地域で実権をにぎっており、行政の効率化と地域経済の活性化で評価されていた。[45]イタリア政治において、ドン・カミロ・シリーズのヒューマニズム的な傾向は、最終的に左翼が国の連立政権に加わるのを手助けした。[46]一九四八年に出版された原作『ドン・カミロの小さな世界』[47]は、一九七五年までに五十二刷を記録している。一九七五年と言えば、共産党はキリスト教民主党と「歴史的な妥協」案を結び、票全体の三十四パーセントをにぎっている。[48]グァレスキ自身は、この展開を見越していたようだ。早くも一九五二年の時点で、『ライフ』誌へのインタビューの中でお決まりの皮肉をまじえて「私は、共産主義に同情を集めるという、特異で天才的な、ほかの作家にはできなかった偉業をなしとげたのだ[49]」と語っている。イタリアでは、グァレスキの読者は主に中流階級に属し、ドン・カミロとペポネの関係——特に二人のカトリック信仰——をみて、キリスト教民主党が共産党と協業しうると読みとったのだ。アメリカでは、登場人物の「人間性」を、共産主義がリベラルな民主主義をはらむという「矛盾」として読みとったのとは対照的だ。

　グァレスキのアメリカでの受容を形づくったさまざまなコードやイデオロギーは、幅広く異なる文化的構成員の読者に共有されていた。読者層のなかでも、もっとも大きいグループだったのは「ミドルブラウ」だろう。教養はあるがインテリではなく、エンターテインメントとしてフィクションを読んだり映画を見たりするのは好きだが、「文化製品（カルチュラルプロダクト）を制作したり、分析したり、分類したりといった作業で生計を立てる」といった可能性が低い人々だ。[50] この層は、グァレスキ作品五点を販売したブック・オブ・ザ・マンス・クラブの客層と一致する。クラブが行った一九五八年のアンケートでは、会員のほとんどは大学を出ていたが、教師はわずか十三パーセントだった。[51]

　ドン・カミロ・シリーズはとりわけ、私立を含む大学の学生の間で好評を得ていた。一九五三年にコーネル大学演劇部は、『ドン・カミロの小さな世界』に収載された短編のいくつかを上演した。[52]『ドン・カミロのジレンマ』がバーナード大学図書館に入庫されると、一九五四年十月から一九五五年十二月まで絶えず貸出中となった。グァレスキのドン・カミロ・シリーズは、大学や中高で教材として使用されるアンソロジーにも多く収載された。[53] トレントン州立大学の英文学教授でありプリンストン高校英文学科のコンサルタントでもあったヘルマン・ワードは、一九六二年に、中高のカリキュラムでディケンズやエリオットの代わりとしてグァレスキを推した。『ニューヨーク・タイムズ』誌の記事のなかでワードは、「化石となった古典」は生徒の読書への関心をそぐものであり、「私たちの時代にあっている」という理由で「評価されていないが生徒らが喜ぶ何百もの名作」の方がよいと主張した。[54] 興味深いことに、ワードの意見は大衆好みの教授法と言ってもよいものだ。時代に即し話題があう、感情移入しやすい作品に集中させることで、芸術と生活の連続性を求める読者へと生徒を教育するものだった。ワードの本心としては「古典」から離れたくなかったのだが、生徒が積極性をもって読書をするよう、「本が人生と同様におもしろいものと感じられるような幼少期・思春期」を形成したいという意図があった。[55]

ワードの記事により、グァレスキのアメリカ人読者は、文化製品を教えたり評論したりして生計を立てるような、教養あるエリート層を含んでいることがわかる。一方で、イタリアではグァレスキは当時のインテリ層からは軽視され、文学史や教育カリキュラムには含まれなかった。アメリカでは学校で読まれ、認知度の高い作家や学者らに評価され、文学全集的なアンソロジーに含まれ、学術論文の中で議論されていたのとは対照的だ。[56] アメリカではドン・カミロ・シリーズはイタリア文学の正典の仲間入りを果たし、ヴェルガ、ピランデルロ、モラヴィアらの作品とならび、文学のネオリアリズム派と関連づけて語られている。[57]

アメリカのインテリ層が、グァレスキ作品に対して大衆的なアプローチをとった点も特筆すべきだろう。ハイカルチャー特有の、形式に対する批評から離れ、当時のアメリカ文化を支配するコードやイデオロギーに、グァレスキ作品を同化させた。ユタ州立大学英文学教授だったドナルド・ヘイニーは、「ドン・カミロ・シリーズに登場する共産主義の町長であるペポネを、人情味あふれ、かつまちがった考えの持ち主として描けたのは、(グァレスキの) 特殊な才能だ」と述べている。[58] 一九五〇年代には作家として名をはせていたユードラ・ウエルティも、『ドン・カミロと信徒たち』を評価するレビューを『ニューヨーク・タイムズ』に寄せている。ウエルティもまた、グァレスキの受容に特徴的な人間性、人種ステレオタイプ、反共産主義を取りあげ、こう述べている。

異なる敵同士が拮抗している状態だ。というのも、敵同士でありながら、イタリア人らしいあたたかさが共通点として描かれている。スターリンはペポネにまったく影響していないのだろう、二人はあまりにもかけ離れている。[59]

ニューヨーク大学哲学教授でありハイブラウむけ雑誌『パーティザン・レビュー』編集者のウィリアム・バレットは、グァレスキの自伝的作品である『ニーノが建てた家』について、家父長的な家族像をイタリア人に対するおなじみのステレオタイプにひもづけて、以下のように述べている。

イタリア人でないと書けない。アメリカ人にはまちがいなく書けない作品だ。『ニューヨーカー』のような雑誌に、似たような家庭生活を描いた作品が掲載されると、外には隠しておきたい、ノイローゼの人間が家族にいたり、複雑な家族背景に対する皮肉が添えられたりしている。女性誌のフィクションが家庭について取りあげると、胸を締めつけるような自我の葛藤が描かれる。イタリア人は、私たちとは異なる形で家族を当然のものとしてとらえており、アメリカ人のもつ不器用な自意識から逃れられている。[60]

バレットの意見は、アメリカ家庭とは「不安定な世界から守り、必要なものをすべて備えた家」という冷戦下における考えが前提にある。[61] バレットは、アメリカ人が家庭を確固たるものとしてとらえることができない原因となった、イデオロギーについてふれていない。トルーマン・ドクトリンの封じ込め政策の家庭版として、安定した家庭は共産主義の広がりによる国家転覆と闘うために必要なものと認識されていた。バレットがグァレスキを評価したのは、作品がこの家庭像にもとづき、ミドルブラウの読者に没入感をあたえることができたからだ。『ニューヨーカー』誌でふれられているような不健康な「皮肉」や、「女性誌」で取りあげられるようなメロドラマティックな「自我の葛藤」のように、他の作品があたえる懐疑的な読みとは対照的だった。バレットのレビューは、同時期に活躍したレスリー・フィードラーやドワイト・マクドナルドといったインテリが、「中流文化(ミッドカルト)」を攻撃し自らの文化的権威を復権させようと展開した議論に異議を唱えるものだった。[62] むしろバレットは、『ニーノが建てた家』を(『ニューヨーカー』誌や「女性誌」という記述に見られるように)エリート文化や大衆文化の上に位置づけ、グァレスキ作品がミドルブラウに受容されたのは、家族をイタリア的かつ父権的でありながら普遍的な「器の大きく明快な人間性」にくくって描いたからだと、特徴を分析している。[63]

グァレスキ作品が広く受け入れられ、アメリカの異なる文化的構成員の垣根をこえ、インテリからも多大な人気を得たのは、出版社のペリグリーニ・アンド・カダヒの力もある。夫婦が営むこの小さな出版社は、ドン・カミロ・シリーズの最初の二作品を幅広く読者に届けるためにキャンペーンを展開した。抜粋版を出し、インテリむけから大衆むけまで、さまざまな定期刊行誌、新聞や雑誌——『シカゴ・トリビューン』、『コリアーズ』、『ハーパーズ』、『ニューヨーク・タイムズ』、『ニューヨーカー』、『サンフランシスコ・クロニクル』、『サタデー・レビュー・オブ・リテラチャー』など——に広告を掲載した。また、グァレスキ作品の出版に十五年にわたり携わった編集者のシェイラ・カダヒは、『ドン・カミロの小さな世界』の書評用見本に、送り状を添えており、それが書評家の期待をそそり評価の決め手になったのだ──一九五〇年七月十一日付のこの送り状は「この司祭と町長は、ゆかいでいつも人間味あふれるいざこざの数々でぶつかりあいます」というものだった。シェイラ・カダヒは、カトリック教徒の市場開拓に力を入れており、カトリック系のブック・クラブや定期刊行物にアプローチしている。『ブックス・オン・トライアル』、『サンデー・ビジター』、『サイン』といった雑誌に抜粋や広告を載せるだけでなく、ドン・カミロ・シリーズ第一作目を、出版前にカトリック系媒体の編集者らに送り、反応を確かめている。一九四九年には、英訳原稿をカトリック系の週刊誌『アメリカ』の文芸編集者であるハロルド・C・ガーディナーに送っている。ガーディナーは「すばらしい作品」だと述べ、「まえがき」をつけることを推奨している。

どのような形が適切かわかりませんが、本書のイタリアに関する背景説明と、なにがしかの注意書きをつけたほうがよろしいかと存じます。単純な人々はだいたい、共産主義のプロパガンダに無防備におどらされています。が、プロパガンダをあおった犯人らは無防備などではなく、共産主義が笑いものになるような印象を与えるものは消してまわるでしょう。[◆64]

カダヒはガーディナーの助言にしたがった。八月三十一日付の返信でカダヒは、「作者は、貴殿の提案に沿う内容の新しい序章を書く準備を進めています」と書いている。そしてグァレスキは自己紹介的な文章を書いて、イタリア共産党に対する意見を明記し、自身がイタリア国内でもつ文化的・政治的な影

響力を知らないアメリカ人読者にも理解できるようにした。◆65

カダヒによるドン・カミロ・シリーズの宣伝は、読者にアメリカで主流となっている価値観に照らしあわせて読むことを間接的にうながし、翻訳を同化させる結果となった。しかし彼女にも、同化のプロセスがどのような形をとるか把握などできず、同化を完全にコントロールするのは不可能だった。さまざまな文化的構成員が、本書をさまざまな形で利用するので、当然のことだった。同じ構成員らの中でも、人々が異なる形で利用し対立しあうことさえあった。ウェルティの『ドン・カミロと信徒たち』のレビューには、純文学作家なら書きそうな、様式に対する批評もあった——ウェルティは「どの短編も、六ページ程度と短く、どれもゆかいなぐらい似ている」と鋭くコメントしている。しかし結局のところは、ハイカルチャーじみた基準から離れて大衆的な見方によりそって「一般読者が本作から得られる楽しみは、作品のもつあたたかみにあるだろう」と述べている。◆66『ニューヨーカー』誌は、ハイブラウならではのアプローチをとり、辛辣なウィットにとみつつ、グァレスキの文章の文学形式の質をあざ笑い、グァレスキのイデオロギーを疑問視した。当該記事では、ヒューマニズムを抑圧的なものと読みとっていた。

グァレスキ氏は、愛玩する道化師ドン・カミロを滑稽な事件の数々に再登場させ、自分と同意見でない人々はまちがっていて、たとえまちがっているにしても人間なのだから、親身になって接していれば同じ意見になってくれて万事解決するのだと、示そうとしている。◆67

文化エリートの中でも、グァレスキの受容は、皮肉まじりの完全無視からもっともな高評価まで、幅広いものだった。カトリック教徒内でも反応はさまざまだった。ドン・カミロ・シリーズへのアプローチは、教会の正説にもとづいた知的な評価もあれば、大衆的な、物語に感情移入し、道徳のものさしとして本作の価値を見出すものもあった。一九五〇年十月三十日に、ニューヨーク市のコートランド大学の牧師がペリグリーニ・アンド・カダヒ社宛に、グァレスキのイラストをパンフレットに使用する許可を得るため手紙を出している。手紙には、『ドン・カミロの小さな世界』の「基本的な考え方はいたって健全なものですが、明るく気の利いた文章で描かれているように思います」と書かれている。シカゴに拠点を置くトマス・モア・ブック・クラブは異なる見方を示し、編集者らを手ひどくけなした。当ブック・クラブが本書を「おぞましい」とはねつけたため、カダヒが理由をたずねたところ、クラブの副会長は「聖職者があるまじき言動をとっている」と苦言を呈し、司祭とキリストとの対話は「不敬と言ってもいい」と嘆いた。[68] グァレスキのヒューマニズムも、共産主義に対する姿勢として倫理的に問題ありと判断されていた。

本書のテーマも私たちにとって不快です。善きキリスト教徒と善き共産主義者の間にあまり違いはなく、共産主義はばかばかしいから深刻に受けとる必要はない、ということが書かれているように、少なくとも私たちは受けとりました。一種の風刺なのだろうとは思いますが、教会が世界中で悲惨な目にあっている状況の中、共産主義は笑いごとではありません。

グァレスキ作品が保守的なカトリックの読者層から批判的な目で見られたように、よりリベラルな、ハイカルチャーよりのアプローチをとりドン・カミロ・シリーズを宗教芸術史に位置づけた読者も、同じような意見だった。「キリスト中心の話に不快な思いをする読者もいるだろう」と予想しつつ、『カトリック・ワールド』誌の書評家は「ときたま、中世初期の歌や演劇のような、単純たる無知がみられる」と述べている。[69]

グァレスキのアメリカの出版社が、このような異種混交（ヘテロジェニイティ）な受容を制御することなど、できるはずもなかった。その理由のひとつに、出版社のアプローチから実際の受容が大きく離れていた点があげられる。一九四〇年にアメリカに移住したイタリア人であるジョルジュ・ペリグリーニと、シカゴを代表する肉加工場の娘であったシェイラ・カダヒは、どちらも大卒で大学院で勉強していた。ペリグリーニはフィレンツェ大学とオックスフォード大学で学び、カダヒはバーナード大学で学んだ。二人ともコロンビア大学大学院で文学の研究をしていた。二人の出版社はハイカルチャー志向だったが、出版物の多くは商業目的で趣向はミドルブラウだった。初めて本を出版した一九四六年から、ジョルジュの早逝にともないファーラー・ストラウスとの合併が決まった一九五二年までの間のペリグリーニ・アンド・カダヒの目録を見てみると、イギリス人画家オーガスタス・ジョンの回顧録、イタリア人作家エンニオ・フライアーノの小説、ブリッジに関するコラムの執筆で人気を博したチャールズ・ゴーレンによる『カナスタ・ルールブック』などがある。ペリグリーニ・アンド・カダヒは一九四九年にゴーレンの本を出版しており、ほか三社以上あった出版社と同様に、国内のカードゲーム人気を開拓しようと企んでいた。[70]

カダヒがグァレスキに関心をもったのも、同社のエンターテインメント路線のあらわれだろう。イタリアでのドン・カミロ・シリーズ第一作目の商業的成功にひかれたカダヒは、すでに英訳を完了していた翻訳者を特定した。[71] カダヒ・アンド・ペリグリーニは英訳を金のなる木として扱った。グァレスキから世界中の英語の翻訳権を買い取り、積極的なプロモーション活動とマーケティングキャンペーンをくり広げた。

一万ドルという巨額を広告に投じただけでなく、翻訳に関するさまざまな副次権を即座に売りわたしている。[72] イギリスでも大きな売上が見込めると判断し、イギリスの出版事業者ヴィクター・ゴランツに控えめな額のアドヴァンス（シリーズ第一作に一七五ポンド、二作目に五〇〇ポンド）と高額のロイヤルティ（十五パーセント）でライセンスを販売している。アメリカ国内の需要が大きかったため、独自のハードバック版も十分な部数（二年間で五万五千部）を出すと同時に、ハードバック版のライセンス権をブック・オブ・ザ・マンス・クラブ（初回注文十万部）とグロセット・アンド・ダンラップ（ドン・カミロ・シリーズの最初の二作を四万部印刷した）に販売した。その後一九五三年に、ポケット・ブックスにペーパーバック版の版権を、ロイヤルティの前払金として一万ドルで販売している。同じころ、グァレスキ作品の人気から、アンソロジーや教科書の編集者らも再版権を求めた。権利料は、出版物の部数と、教育目的か商業目的かによって決まった。平均価格は一編あたり三五ドルから一五〇ドルとばらつきがあり、大衆誌の『コリアーズ』は抜粋に七五〇ドル支払っている。ペリグリーニ・アンド・カダヒが投資に対してどれだけの利益を得たのか記録に残っていないが、グァレスキの収入から規模感は予測できる。たとえば、一九五〇年から一九五四年の間に、グァレスキは『ドン・カミロの小さな世界』に副次権の販売で一七六〇〇ドルを売り上げている（この売上は出版社と折半している）。さらにロイヤルティとして二九四〇〇ドル以上を得ている（内訳は、最初の五千部は販売価格二・七五ドルの六パーセント、次の五千部は七・五パーセント、それ以降は十パーセント）。

しかし、グァレスキのアメリカの出版社にとって、作品がもたらす資本は経済的だけでなく文化的でもあった。ペリグリーニ・アンド・カダヒが利潤を追及していたのはまちがいないが、読者の多くと同様、ドン・カミロ・シリーズをミドルブラウ的に読んでいたようだ。というのも、トマス・モア・ブック・クラブの副会長あてにカダヒが送った手紙の中で、彼女は以下のように述べている。

> 『ドン・カミロの小さな世界』を不適切と感じる理由をご教示いただけませんでしょうか？　私もカトリック教徒ですので、当然のことながら本書の出版に責任を感じており、本書が不敬、もしくは共産主義にあまりにも同情的と受けとられるようなことは避けたいのです。貴殿のブック・クラブの読者の皆様が、こういった理由で不快と感じるのであれば、理解したく存じます。実は原作者自身も敬虔なカトリック教徒であり、おそらくイタリア全土のどのジャーナリストよりも、自らの命を賭して共産主義と戦っています。ですから、本作が理解されないのは残念ですし、本作を皆様にお届けするにあたり、誤解を招かぬよう私たちにできることがあるのではないかと考えております。◆[73]

カダヒはこの手紙の中で、グァレスキの文章と当時のアメリカ文化で主流だった価値観の垣根をとっぱらってしまった。さらに、自身の出版社としての役割も倫理的な観点からとらえており、当時の緊急事態下での本書の立ち位置を明確かつ強固に示して、読者に届けたいとの意思が見受けられる。その結果、大衆嗜好に与し、原作者と出版者の私生活に触れ、本の倫理的・政治的内容を強調する必要性が生まれた。ここでいう内容とは、国内の状況に即したものだ。カダヒもまた、グァレスキのアメリカでの受容を形成した概念――反共産主義とヒューマニズム（といってもあからさまに宗教の形を借りたヒューマニズムだが）――に照らしあわせてドン・カミロ・シリーズを読んでいるのだ。

　グァレスキがアメリカで成功したのは、作品がさまざまな社会グループの読者に、共通の意味をもって伝わったからだろう。ドン・カミロ・シリーズは、国家規模と言ってもよいコードとイデオロギーを強固にしつつ、さまざまな文化的構成員がさまざまな形――宗教、教育、商業、政治、プロパガンダ――で利用可能だった。たとえば放送権は、さまざまな映画・テレビ番組のプロデューサーらも熱心に求めたが、合衆国政府も『ヴォイス・オブ・アメリカ』の国際ラジオ放送での使用を申請している。[◆74]こうした多種多様な使用先がいずれも大衆路線をとったからこそ、大量の読者が生まれた。ドン・カミロ・シリーズは、楽しい、集団的ファンタジー――緊迫した社会状況への幻の解決策――となっていった。このファンタジーは、グァレスキ作品の制作側と消費者側、両方に作用した。約五十年後の電話インタビューで、カダヒは楽しかった記憶しか語らなかった。『ドン・カミロの小さな世界』を、冷戦のもっとも過酷な時期と結びつけることもなく、本作がゆかいで、チャーミングで適切なイラストレーションにひかれたのだと説明してくれた。[◆75]

　グァレスキのアメリカの受容をめぐるスキャンダルは、大衆の嗜好にあるわけではない（これがスキャンダルとなるのはエリート文化の立場からだけだ）。問題のある国内の価値観を助長した点の方が、スキヤンダルだろう。ドン・カミロ・シリーズは、即座にアメリカの共産主義に対する狂気を制御・維持しただけでなく、さまざまな人種やジェンダーのステレオタイプとからみあわせ、イタリアの文化的・政治的状況を歪めて伝えてしまった。

編集と翻訳

グァレスキ作品の成功の秘訣は、翻訳書の制作過程にある。翻訳書の制作はさまざまな編集行為をともなう複雑なプロセスなのだが、出版社のアーカイブにいくらか残された記録をたどると、イタリア語テキストが意図的に編集・翻訳されているのがわかる。[76] 言語や文化の、アメリカとイタリアの国境だけではなく、イギリスやアメリカといった英語圏の中の垣根もこえるために必要と判断されたものだ。

英訳『ドン・カミロの小さな世界』の制作プロセスは、一九四九年夏にスタートした。グァレスキの短編を収載した原書が一九四八年に出版され、その英訳をカダヒが入手してすぐのことだった。すでに完訳が用意されていたが、カダヒは短編十六編と詳細な自伝的まえがきを省くことにした。総量にして、イタリア語テキストの一八〇ページ分にもなる。これは同化のための決断だった。省略された箇所はイタリアの政治家や、特定の条例といった国内政治をネタにした時事的風刺に富んでいたので、省いたほうがアメリカ人読者には読みやすかった。英訳を評価してくれたカトリックの文芸編集者のアドバイスにしたがい、カダヒはグァレスキに原文よりも短い七ページのまえがきを書いてもらった。自伝的なのは同じだが、アメリカ人読者むけに作者の生い立ちや活動を要約した内容になっている。この新しいまえがきは、イタリア本国の大多数の読者には言わずもがなのグァレスキの情報も確かに含まれていたが、ふれられなかった内容も多かった。自身が反共主義者であることは前面に出しつつ、連載誌の内容から明らかであった君主主義的な立場については一切記述がない。

また、新しいまえがきの訳文はアメリカ人読者を明確に意識したものだった。訳文の英語は、時代にあった言葉づかいが主であったが、話し言葉——アメリカ英語だとは即座に気づかないにしても、アメリカ人読者の大半にすぐ理解できるような言い回し——も織り交ぜられていた。章題の選択からも、この方針がうかがえる。イタリア語の章題「わたしはこういう人間です Io Sono Così」（英語であればI Am Like Thisが近い）は、当初は「これがわたしです This is the Way I am」と英訳されていたが、最終的に「わたしがこうなった経緯 How I Got This Way」と訳された。[77] 最初の訳は、意味としてはあっているが、インフォーマルなフレーズとはいえ構文がぎこちない。最終的な訳は、自由な解釈にもとづき流暢になっている。口語表現のgotを取りいれることで、自虐的な味もでている。

英語版のまえがきは、当時のアメリカにおける価値観——第二次大戦後の特徴でもある、家父長的な家族像をことさらに尊重する風潮——の強さも映しだしている。イタリア語テキストでは、グァレスキは自身を息子であり、夫であり、父親でもあると述べ、複数世代が同居する家族構成が人生に深く影響していると説明している。家族内の人間関係についても、あたたかいユーモアを交えて書いている。しかし、本文のユーモアの特徴でもある脈絡のない話をつづけている一文で、カダヒにとっては受け入れがたい家族描写が出てきてしまったようで、この一文は英訳から削除されてしまった。英語版は「私は、この他に四気筒のオートバイ一台、六気筒の自動車一台、二人の子供を持った女房一人を持っている」[78]

とあるのだが、イタリア語テキストは以下のとおりつづいていた。

una moglie e due figli dei quali non sono in grado di precisare la cilindrata, ma che mi sono assai utili in quanto io li uso come personaggi in molte delle storie.

女房一人と子ども二人もいるが、この三人の気筒について、私は説明できる立場にない。しかし三人とも私にとっては非常に有用で、多くの自著にキャラクターとして使っている。

カダヒが編集した文章のように、家父長が所有する機械類(オートバイと車)と家族を同列に扱うことについては、アメリカ人読者にとってもユーモラスと受けとってもらえるかもしれない。国内で主流となっている文化的価値観——核家族だけでなく、所有的個人主義といった基本的なイデオロギー、特に公共機関に頼らなくてすむ自家用車を確保できるだけの経済力の象徴——から、ウィットに富む形で外れているからだ。しかしイタリア語テキストは、グァレスキの妻と子どもを家父長による搾取対象(機械もしくは文学作品のネタ)に矮小化しており、完全に功利的な喩えに走ってしまっているため、削除された。家族を心と安全のよりどころにしているアメリカ人読者に、不快感を与えかねない、それを避けるための削除だった。カダヒがそこまで意図したかどうかは不明だが、結果的に戦後のアメリカ文化において主流であった価値観にこたえる形の編集となったわけだ。

まえがきの最後も、当時の性別役割分業にあわせた内容に編集している。イタリア語テキストの最後の文章もまた、グァレスキのひょうきんさを感じさせるものだった。イタリア語は「身長だけでなく、体重もある。そのうち犬も増えたらと思う」となっているが、英語版は体重と犬を削除し、グァレスキの男らしい容姿の特徴にふれるために「私の身長一米七十八の上には、更に頭髪が全部生えている」と全面的に書き直している。[79]

これらの編集からうかがえるように、翻訳言説は大衆嗜好にあわせた完全なる同化をともなっている。極端なまでに流暢さを追い求めることで、物語に感情移入しやすいリアルさという幻想をつくりだしつつ、イタリア語テキストにアメリカのコードやイデオロギーを埋めこむのが目的だ。イタリア語テキストから派生した二つの英訳——ペリグリーニ・アンド・カダヒ社から出された版と、イギリス人翻訳者ウーナ・ヴィンセンツォ・トゥルーブリッジによる初稿——を比較すると、この目的は明白だ。トゥルーブリッジの初稿は十五ページほどしか現存していないが、カダヒが大幅にトゥルーブリッジの文章を見直している——イギリス英語を排除し、アメリカの言い回しを入れている——ことがわかる。トゥルーブリッジが用いた語彙、構文とつづりは、どれをとってもイギリス英語だった。トゥルーブリッジが「司祭館 canonica」を presbytery と訳したところを、カダヒは rectory に変えていえる。同様に、「五十センチメートル half a metre」は two feet、「存分に塗りたくる liberally daubed」を plastered、「治安官 constables」を men、「包み parcels」を baskets、「けっこうな重量 a considerable weight」を pretty heavy、「タイヤ tyre」を tire に変えている。[80] トゥルーブリッジは口語調もいくらか用いているが、どれもイギリス特有だったのでカダヒの筆が入った。グァレスキのイタリア語にあわせるために必要と判断して、対応するアメリカ英語に変えたのだ。原文の「彼らをはたきたかった prenderei volentieri a sberle」は、トゥルーブリッジが「横面をはりたおしたかった I should have liked to box their ears」と自由に訳したところ、

「彼らの眉間をはたきたかった I would have preferred smacking them between the eyes」に変更されている。[81] トゥルーブリッジが「宝くじを二百回ほどやったにちがいない I must have got up quite two hundred lotteries」と訳した箇所は、「チャリティーバザーを二百回ほど開催したにちがいない I must have organized two hundred bazaars」に見直されている。[82]

カダヒは、できるかぎり訳文をヴァレスキのテキストに近づけるのが編集者の使命だと考えていた。[83] その結果、なるべく話し言葉を用いつつ、読んですぐ理解できるよう、複雑な文学効果やレトリックは避ける傾向にあった。カダヒは、トゥルーブリッジ訳のうち特にイギリス固有でない文章についても、豊富な語彙力を求めるフォーマルもしくは教養のある言い回しであれば手をいれている。たとえば、以下のイタリア語の原文は、いたってシンプルだ。

> la crepa non si allargava, ma neppure si restringeva. E allora perdette la calma, e un giorno mandò il sagrestano in comune.
> 〔割れ目は〕いつ行ってもその大きさは変らなかった。大きくもならないが、小さくもならなかった。そこでカミロは我慢ができなくなって、ある日、村役場に聖器守を使いに出した。[84]

しかし、トゥルーブリッジはこの箇所を以下のように訳している。

> The crack [in the church tower] had not increased in width, but neither had it diminished. Finally he lost

his composure, and there came a day when he dispatched the sacristan to the headquarters of the Commune.[85]

アメリカ版では、グァレスキの簡易な文体に立ち戻りつつ、アメリカ風にアレンジしている。

the crack got no wider but neither did it get smaller. Finally he lost his temper, and the day came when he sent the sacristan to the Town Hall.[86]

トゥルーブリッジは、ここでイタリア語の「コムーネ comune」を意訳しなかった。コムーネはイタリアの自治体を指す単語であり、ヨーロッパに滞在したことのある英語圏読者であれば知っていたであろう。トゥルーブリッジ自身のように、海外に滞在するイギリス人であればなおさらだ。しかしカダヒは、アメリカ英語で近い単語である「村役場 Town Hall」になおした。

作品世界と日常生活の境界はないほうが良いという大衆の要望にあわせて、話し言葉優先を英訳の編集方針とした結果、イタリア語テキストはアメリカの一般的な価値観に同化された。カダヒは、二十世紀末のイギリスとアメリカの両方で話されていた言葉づかいを優先させていたが、ドン・カミロ・シリーズが最初に出版された戦後のころのアメリカ特有の話し言葉も多く取りいれた。このおかげで異なる文化的構成員に受け入れられたため、アメリカ特有の話し言葉はグァレスキ作品がベストセラーの地位を得るうえで重要だった。[87]「州連合チャンピオン Campione federale」はアメリカのスポーツ文化、特にボクシングが由来となっている単語champに変えられた。[88]「ブラーボ、ブラーボ! Bravo, bravo!」はSwell!に変えられた。[89] swellは、戦前のイギリスで生まれ、同意や納得を表すインフォーマルなこの言い回しは、P・G・ウッドハウスのユーモア小説にも使われていた。時代を経て主にアメリカで使われるようになり、AP通信のような国を代表するニュース会社の記事や、よりエリートな層が読む文芸作品や演劇にも使われた。アーサー・ミラーの演劇『みんな我が子』の台詞にも「あたしたち、湖で食事をするの。すてきよ」〔原文はWe're eating at the lake, we could have a swell time〕とある。[90]「一人のお偉方Uno importante」はbig shotと訳された。[91] big shotは成功し影響力のある人物を指す言葉で、ジェームズ・M・ケインがハリウッドに影響を受けて執筆した『ミルドレッド・ピアース――未必の故意』(一九四一)のような大衆小説だけでなく、ヘンリー・L・メンケンが『アメリカン・スピーチ』誌に寄稿した、真に迫った記事の数々のような学術研究にも用いられた。これらの話し言葉が、『ドン・カミロの小さな世界』を――関心や学歴、社会的立ち位置といった人の文化的行為を決定づける背景に関係なく――幅広い層のアメリカ人にとって読みやすくした。

大衆嗜好にあわせた編集方針により、感情移入しやすくなる読みやすさが生まれた。原文のうち、明らかにくり返しであったり理解しにくい箇所は英訳から削除することで、ストーリーの展開を速めた。流れをよくするために、フレーズを挿入したり文章を入れかえたりもした。[92] 挿入箇所は、英語圏読者を考慮して追加されたものもあった。ある朝、ドン・カミロが司祭館の壁に「ドン・カマロ」と落書きされているのを発見した場面では、原文ではできごとを淡々と述べただけの内容になっているが、英訳ではカマロという誤ったつづりがごろ合わせだと、「カマロとは港の荷役人足を意味し、数日前にドン・

カミロが強さと大胆さを示すに至った功績とかけているにちがいない」[93]という説明を入れることで、以降の展開につなげている。

追加された説明によりストーリーが進むわけではなく、重要な意味ももたないが、文章がより固まった。「性格や雰囲気や英知に関係あるいかなる記号内容」[94]とロラン・バルトが称しているように、現実とむきあっているかのような幻覚を強固にするだけだ。したがって、カダヒはトゥルーブリッジが「強烈な蹴り una pedata fulminante」を「めちゃめちゃにやっつける a terrific kick in the pants」、「汽車が到着した arrivò il treno」を「汽車が煙をあげてやってきた the train steamed in」、「そして冷静さを失った alle fine perdette la calm」を「あやうく唾をとばして激怒するところだった by now [he] was almost frothing at the mouth」と訳した箇所はそのまま採用した。[95] イディオムやクリシェのおかげで、物語の緊張感が高められたり、メロドラマティックな仰々しさが加わったりして、より生き生きとした表現になった箇所もある。「ペダルを踏んで Pigiava sui pedali」は「必死にペダルをこぐ pedaling away for all he was worth」、「先日来、ペポネの離れ業の知らせがひろまって Ormai la voce si era sparsa」は「ペポネの功績は野火のように広がった the story of Peppone's feat spread like wildfire」、「馬のように足ぶみした scalpitava come un cavallo」は「暴れ馬のように like a restive horse」、「拳骨で a pugno」は「にぎりしめ clenched」、「つぶやき mormorio」は「聞えてしまうささやき audible whisper」、「奴は犬のように立ち去らせなければならない Deve andar via come un cane!」は「鞭うたれた野良犬のようにこそこそ逃げ回るようにしてやろう And we will let him slink away like a whipped cur」と訳された。[96]

アメリカ人読者の感情移入のしやすさを高めるうえで特に効果的だったのは、あらすじと関係がなく文化の違い――特にイタリア固有のもの――を強調する箇所を、見直しまたは削除した点だろう。イタリアの新聞名(『ミラノ・セラ』や『ウニタ』)は削除され、製品のブランド名は一般的な名称に変更された。たとえばイタリアの自転車メーカー「ウォルシット Wolsit」は「競技用自転車」、「ヴァルストローデ弾 cartucce Walstrode」は単に「弾」と訳された。[97] イタリアの電車のコンパートメント席にある荷物用の網かごを指す reticelle は、国内むけに「頭上の荷物置き the baggage racks overhead」と同化訳になっている。[98] 洗練された言葉づかいを指すイタリア語特有の比喩「言葉の畑からめったに収穫できない appena vendemmiate nella vigna del vocabolario」は、ありきたりな英語表現である「最近できた newly minted」と訳された。[99] カダヒはまた、アメリカ人がイタリア人に比べサッカーへの関心が低いことも踏まえ、イタリア語でサッカーを意味する calcio をまるでちがうスポーツの「レース race」に置きかえたりもしている。[100] サッカーの試合にまつわる短編では、この置きかえが不可能だったものの、著名なイタリア人ゴールキーパーの名前は削除した。[101] アメリカ人読者がイタリア語でなるべく戸惑わないよう、カダヒは登場人物の名前を短くしたり(もしくはトゥルーブリッジが提案した略称を用いたり)、三名の名前(ブルスコ、ジゴット、スゲンボ)を複数の文章にわたりズミルツォの一名にまとめたりした。[102]

これらの訳語の一部に垣間みられる単純化の傾向は、数々の書評でも明らかだったヒューマニズムの評価――ドン・カミロとペポネは、時と場所に関係なく流れる人間の本質を体現しているとの見方――を支えるものだろう。政治的な立場の違いによらない根本的な共通点があるように見せ、訳文から異文化臭を消したうえ、話し言葉をふんだんにもりこめば、アメリカ人読者の目には登場人物は自分たちと変わらないように映った(本当はイタリア人なのだが)。一方で、これらの訳語の選択から、編集と翻訳のプロセスはその時点での文化的拘束から逃れられないことも示している。イタリア語テキストは、根深い反共主義にもとづいたヒューマニズムの潮流に巻きこまれた形だ。

冷戦中の政治用語が訳語に与えた影響を見れば、明らかだろう。グァレスキは、近隣の村にいるイタリア共産党のグループを「フラジオーネ frazioni」（英語では fractions や sections の意）と呼んでいるが、英語版では「細胞 cells」と訳されている。転覆活動にいそしむ小さな単位の共産主義グループを指す、一九二〇年代以降に使われるようになった言葉だ。[103] satellite という言葉も似たような意味に用いられている。イギリスとアメリカの両方で、他国——第二次大戦中は主にドイツやイタリア、戦後はソ連——の政治的・経済的支配下におかれた国や州を指すのに使われていた。しかし『ドン・カミロの小さな世界』では、satellite はさまざまなイタリア語の単語やフレーズの訳語として用いられた。いずれもペポネと共産主義者の仲間たちを指すのだが、「彼の部下 gli uomini del suo stato maggiore」、「ペポネにもっとも忠実な男たち la banda dei fedelissimi di Peppone」、さらには「モノ mercanzia」や「クズ riff-raff」といった軽蔑的な表現に対しても訳語としてあてられていた。[104] 列挙した箇所では、satellite は国や州ではなく作中の登場人物を指しているのだが、この訳語を用いることで当時の政治状況の代表人格に仕立てあげている。

翻訳に政治的コードを埋めこむことで、ドン・カミロとペポネのイデオロギーの対立を、冷戦のアレゴリーとして受けとるようアメリカ人読者にうながしたのだ。いずれも支配と転覆を連想させるネガティブな訳語であったことから、必然的にペポネと共産主義に対し不利な印象操作につながった。実際に英語版では、村長と仲間たちを犯罪者——とまではいかずとも、社会的に望ましくない人間——として描き、悪者の烙印を押しているところがある。グァレスキがペポネの「グループ banda」もしくは「スクワッド squadra」と書いている箇所を、トゥルーブリッジもカダヒも「ギャング gang」という訳語を何度も用いている。「ほかのアカのリーダーたち gli altri capoccia rossi」や「忠実な人間 fedelissmi」は「とりまき henchmen」に訳されているし、ニュートラルな単語であるはずの「彼ら quelli」でさえ、ペポネの手下たちを指すときは「ごろつき those ruffians」と訳されてしまっている。[105]

と同時に、訳語の選択をみていくとドン・カミロの潔白を粉飾するかのごとく、言動が道徳的に問題ありと思われる箇所について編集・削除されている。「ドン・カミロは腹黒い笑いを浮べた Don Camillo rise perfidamente」という文では、perfidamenteというイタリア語が弱いニュアンスの「いやな unpleasantly」という語に置きかわっている。[106]「馬鹿げたことをしでかす時までは fino a quando non fara qualche soperchia」ドン・カミロが正しいとキリストがたしなめている箇所は、「正々堂々としているかぎり just as long as he plays fair」とドン・カミロがポジティブに見えるように言いかえられている。[107] ドン・カミロが反省したり非道徳的な行動を起こしたりする場面が、ごっそり削られている箇所もある。「司祭は自分がそんないじわると思われるのが不服だったのだ Gli dispiaceva di essersi dimostrato cosi maligno」、「ビージオに〔壁のいたずら書きを〕消しに来いと言ってくれ、勿論無給だ。さもないとわしはキリスト教民主党の壁新聞の中で君の党をやっつけるぞ di' al Bigio che se non mi ripulisce, e gratis, il muro, io attacco il vostro partito del giornale dei democristani」は完全に削除されている。[108] カダヒが、キリストとドン・カミロの会話中の「宝くじ lotteries」を「バザー bazaars」に置きかえたのも、アメリカ人読者のためにドン・カミロの罪を免除する結果となった。なぜなら、イタリアでは宝くじは合法であったが、一九五〇年代のアメリカでは違法行為（数当て宝くじ）と混同されるおそれがあった。カダヒはイタリア語テキストを言いかえたいだけだったのだろうが、「バザー」はギャンブルではなく寄付金を募るためだけに開催されるイベントであることから、司祭として適切な無害さを象徴する単語をあててしまった。

この英訳で特筆すべきは、むろん、国内のコードやイデオロギーがアメリカ人読者の目につかない形で埋めこまれていた点にある。読者の目につかなかった理由のひとつは、イタリア語テキストが大衆嗜好にあわせて編集・翻訳されたからだ。当時のアメリカの言い回しや豊富な話し言葉の使用に裏うちされた、非常になめらかな文章により、現実のような幻覚——英訳テキストが世界への開かれた窓口であり、翻訳という二番煎じではなく、現実そのものであるかのような——を読者に見せた。当然のことながら、書評者らが翻訳にふれることはほとんどなかった。『ニューヨーク・タイムズ・ブック・レビュー』や『サタデー・レビュー・オブ・リテラチャー』のようなハイブラウむけの雑誌に記事が掲載された際も、翻訳の質に関する記述はなかった。翻訳言説といった形式の評価よりも、情報を伝えるというテキストの役割の方を、大衆的価値観は評価するからだ。『カトリック・ワールド』の書評は訳文の質にふれた数少ないものだが、「翻訳は、すばらしすぎて誰も翻訳であることを気にもとめないだろう」[◆109]と、透明な翻訳を支持する内容だった。

制作プロセスにおいて埋めこまれた国内のコードもまた、不可視となった。なぜなら、国内でなじみ深かったからだ。大衆嗜好を盾に、アメリカ人読者は翻訳を読むとき、訳文の中に自分自身——自分が使う英語方言、自国で主流となっている価値観——を求め、自国の文化的・政治的課題の解決策（幻想でしかないものの）がないか探してしまう。編集・翻訳は、深く根づいたこの文化的ナルシズムにこたえ、維持してしまう。この点は、『ドン・カミロの小さな世界』の一般の受容からも明らかではあるが、オハイオ州の熱心な読者から出版社にあてた手紙でも顕著にみられる。「私はイタリア語は読めません」とこの読者は書いているが、それでも「深遠な内容を残しつつ、ときには現代のアメリカ英語で精練されているように思いました。そのやり方が本当に上手で、ドンのパンチのようにきれいにきまっていま す」[110]と翻訳者をほめたたえている。

『ドン・カミロの小さな世界』の編集・翻訳プロセスは、以降のグァレスキ作品の翻訳の先例になった。カダヒは、ドン・カミロ・シリーズのほとんどを、現地で書籍化されるよりも前に、グァレスキの雑誌の連載を読んで構成した。カダヒがゴランツあての手紙に書いているように、グァレスキが送ってくれた書籍用の最終稿もしくは部分的な原稿を使ってカダヒが「イタリア語テキストに目をとおしはじめ、短編を選定し、いつものようにいじる」作業に取りかかるケースもあったようだ。[111] この編集作業は、国際政治の状況にあわせ、時期を逃さず書籍を出版することが目的だ。『ドン・カミロ悪魔のしっぽをつかまえる』（一九五七）の作業中、カダヒは翻訳者のフランセス・フリネイに「グァレスキさんから、折よくハンガリー革命にまつわる、なかなかすてきな短編を受けとったので、送ります［……］。この短編は収載すべきだと思います」と一九五六年十二月二十七日付の手紙に書いている。

グァレスキ作品のうち六作の翻訳を担当したフリネイについて、イギリス英語の編集・削除が不要な、使えるアメリカ人翻訳者とカダヒは評価していた。フリネイは、イタリア語テキストをもっとも読みやすく、ときには生き生きとした、話し言葉にやすやすと変えていった。フリネイの翻訳は自由で自信にあふれると同時に、正確だった。「馬具でつなぐ imbrigliarono」を「投げ縄でとらえる lassooed」、「どうしておれにこんな仕事を手伝わせたのか。Perché mi avete fatto fare questo?」を「なぜ私を巻き込んだんだ？ Why did you rope me into this?」、「彼は知った l'ha saputo」を「嗅ぎつけた [he] got wind of it」と訳している。[112] フリネイが選んだ訳語は、イタリア語テキストを国内の文化・政治的価値観に同化させるものでもあった。「コムーネ comune」は「村役場 town hall」と訳し、「とりまき henchmen」や「ギャング gang」はペポネと仲間の共産主義者らの通り名のようになった。[113] フリネイの流暢で透明な翻訳言説により、英語版の同化プロセスはひきつづき隠されたままになった。ドン・カミロ・シリーズ一作目を楽しんだ『アメリカ』誌の文芸編集者のハロルド・ガーディナーは、グァレスキの描く「喜劇のピエロ」ぶりが「共産主義がもっと深刻である」点をないがしろにしていると感じ、二作目はあまり気に入らなかったようだが、「フランセス・フリネイ氏のなめらかでひっかかりのない翻訳について特筆せねば、無礼となるだろう」と述べている。[114]

アメリカでのグァレスキ作品の成功は、主にアメリカナイズを進める編集・翻訳によるものだった。同様にイギリス化プロセスを進めた結果、イギリスでもグァレスキ作品は売れた。ペリグリーニ・アンド・カダヒ社、のちに合併してファーラー・ストラウス社は、イタリア語テキストをアメリカで訳した後、イギリスでの権利をゴランツに売りわたし、ゴランツがイギリス人読者のために訳文を編集した。イギリス英語とアメリカ英語のつづりの違いを直しただけでなく、イギリスの言葉づかいにあわせるために、翻訳を全体的に見直している。『ドン・カミロの小さな世界』の「乱暴者 big bruisers」は rodomontades、「スイミングプール swimming pool」は bathing pool、「サッカー soccer」は football、「ロッカー室 locker rooms」は pavilion、「懐中電灯 flashlight」は electric torch に直された。[115] アメリカの話し言葉は、単語も構文も、同等のイギリス英語に置きかえられるか、削除された。「殴り倒される licking」は drubbing、「チャンピオン champ」はより逐語的な訳である federal champion、「彼をやったのは俺だ it was me that did him in」は it was I that did him in、「何度もけつを蹴る kick his backside to a pulp」は kick his backside to a jelly に変えられた。[116] イギリス版の編集は、アメリカ版で意図的にもしくは誤って削除された文章を戻したため、より正確な翻訳となった。複数のイタリア人名や、不発弾に関する長い段落も元に戻した。[117] 不発弾は、第二次大戦中にドイツ軍の大空襲に見舞われたイギリス人読者にとっては、特別な意味をもつだろう。

イギリス人読者むけに、マーケティングも工夫された。一九六二年に出版されたペンギン社版は、国内で初めての大衆むけペーパーバックだった。その表紙のキャッチコピーは、アメリカでは実質的に無名だったが、当時のイングランドとヨーロッパでは――特にエリート層の読者や映画評論家の間では――有名だった、リチャード・ゴードン、トニー・ハンコック、ピーター・セラーズ、ジャック・タチ、キングズレー・エイミスらが名を連ねるユーモア作家や俳優の殿堂にグァレスキを加えるようなものだった。[118] と同時に、このキャッチコピーは、グァレスキのイギリスでの成功がアメリカの受容と同様に、冷戦下でのイデオロギーの対立における立ち位置に左右されることを示していた。というのも、本書の主題は「村の実直な司祭と、その強敵で共産主義者の村長ペポネの、終わりなき闘い」との説明書きがあるのだ。

英語圏でグァレスキがベストセラーのイタリア人作家として成功しつづけたおよそ二十年間、大衆嗜好に即した制作プロセスは揺るがなかった。どの編集者も翻訳者も、イタリア語テキストを現代的な意味での文学作品――作家の意図を反映した唯一無二の作品――として見ることはなかった。彼らは、それぞれが考える正確さの範囲内で翻訳を進めた。テキストの役割――情報伝達、教訓、商業など――にもっとも関心があったため、翻訳の効果に注目した。言説に流暢さを取りいれ、国内の主流な価値観と同化され、すぐに売れる文章になるよう注力した。グァレスキ作品の編集者・翻訳者の全員が、大量消費のためにイタリア語テキストを変形させているという自覚があった。

トゥルーブリッジは、自身が翻訳を担当していたコレットについて、妥協なき逐語訳に努めるべきすばらしい作家だとして、「コレット氏はすばらしい芸術家です。［……］代表的なフランス文学作家、存命の作家のなかでは一番だと言っていいかもしれません」と書いている。[119] これは、フランス語テキストの特徴的な文学表現を再現できるよう、翻訳者は最新の注意を払わねばならないことを意味する。同じ手紙で、トゥルーブリッジはカダヒに以下のように書いている。

> 長年、英語圏に本物のコレット作品をお届けできる日がいずれ来ると待ち望んできました。［……］コレットは決して平易ではありません［。なぜなら］とてつもなく豊かな語彙力と非常に個性的な文体があります。

そのため、ゴランツが、おそらく性的な内容を考慮して、トゥルーブリッジ訳は「「柔らかく」するために修正が必要」だと告げると、トゥルーブリッジは翻訳を受注することを「拒否」したという。しかし、グァレスキの『ドン・カミロの小さな世界』については、はなから見直しにのり気だった。その理由として、「英語圏の信仰状況からして不敬と思われかねない箇所がそこかしこにあります。私たちの感覚では非情とも思える、動物への虐待に関する短い部分を私の方で省きました[120]」と説明している。トゥルーブリッジが英語版の権利をペリグリーニ・アンド・カダヒに売却したとき、エージェント経由で「アメリカ人読者に合わせ」た同化を目的としたさらなる編集について、容認すると明示した[121]。

その二十五年後、ファーラー・ストラウス・アンド・ジルー社はグァレスキの回顧録『愛しの我が家』(一九六六)[122]の出版準備に入った。編集者のハロルド・ファーセルは、イギリス人翻訳者兼作家であるゴードン・セイジャーに先例と同様の指示を一九六六年三月八日と十日に手紙で出している。その手紙の中で、原作者の「グァレスキ氏はダンテではない」と認め、セイジャーに以下のように書いている。

> 原作にへりくだる必要はありません。逐語訳でなくてもかまいません。自分の人格から離れ、グァレスキ氏の人格をまとい、一般読者に作品が心情的に受けいれやすくなるように心がけるのです。

セイジャー自身は、翻訳など二流がやること、文章を刻みなおして書くことと考えていたようだ。経済的事情のため必要な仕事だが、まだ作家として活躍したい自身のキャリアの邪魔になることを懸念して、ジョセフ・グリーンの筆名で翻訳を行っていた。グァレスキのような大衆作家の翻訳は特にダメージが大きすぎると思ったのか、二作目の訳書となる奇妙奇天烈な寓話『全寮制学校に通う夫』[123](一九六七)

は訳者匿名で出版された。

いまの私たちの目には、グァレスキ作品の編集・翻訳行為はうろんに映るかもしれない。しかしその原因は、当出版社が、作品を個性的な文芸作品ではなく金の生る木のように扱っていたせいではない。この手の大衆小説は、エリートの好みにはまず合わなかった。また、ほかのポップカルチャーと同様に短命だったのだ——その場その場で求められた役回りにしばられ、その時代の問題が解決してしまえば忘れさられる運命にあった。出版社自身が本の美学と役割にハイブラウという分類をつくってしまい、文学的価値を支えるためにハイブラウの認知を求めたが、それでは商業的関心を追及できない——このスキャンダルは自己矛盾のようなものだ。というのも、出版社は文化的権威を失うからだ。特にファーラー・ストラウス・アンド・ジルー社の例をみれば一目瞭然だ。当社は、ノーベル賞受賞者（T・S・エリオット、アイザック・バシェヴィス・シンガー、ヨシフ・ブロツキー、デレック・ウォルコット、シェイマス・ヒーニー）を含む、時代を代表する作家の本を出版する会社としてけっこうな文化的権威を築きあげ、独立系の文学出版社として見られるようになった。出版社の多くが利益を求め、そのほとんどを多国籍企業（サイモン・アンド・シュスターやハーパーコリンズなど）が経営する中、利益中心の姿勢を拒絶する数少ない出版社のひとつと見られた。合併によりアメリカの出版業界が大きく変貌していた一九八〇年当時、グァレスキ作品はながらく絶版になっていた。ロジャー・ストラウスは、エリート的な見識のもとに会社の代表職に就いていた。サイモン・アンド・シュスター社のリチャード・スナイダーのような商業中心的な出版社の人間と、ばちばちやりあうのも常だった。◆124 ストラウスは、グァレスキ作品の翻訳の巨大な副次権を個人的に確保していた。しかし後に、国内の文学大賞に西部ものやミステリーといった大衆小説を含める動きが業界の中で出たとき、反発している。新たに追加されるジャンルについて、ストラウスは「マーケティングやPRを重視するばかりで、著作の価値を公正に判断しようとする人たちを侮辱するもの」であり、「あらためてベストセラー・リストを認可するもの」と主張した。[125]

グァレスキ作品の編集・翻訳行為は、ハイカルチャーへの忠誠を誓っていたファーラー・ストラウス・アンド・ジルー社が、唯一、利益に走った汚点となった。しかしグァレスキ作品の翻訳のような商業目的のプロジェクトのおかげで、ほかの利益が見込みにくい、アメリカおよび海外の「有能な若い作家や新人作家」の文学作品の元手をえられたとストラウスも後に語っている。[126]いずれにせよ、経済価値を前に美学が衰退した好例だろう。ファーラー・ストラウス・アンド・ジルー社は理想の自社像にそむき、目録上は体裁をなんとか保った。一九四六から一九六六年の間に、当社はかなりの数の文芸翻訳を出版しており、うち六十作はイタリア語からの翻訳だった。しかしもっとも出版点数が多かったイタリア人作家はグァレスキではなく（とはいえ二位の十二点だったが）、ハイブラウの作家アルベルト・モラヴィア（二十六点）だった。[127]グァレスキ作品の翻訳は、出版社がハイカルチャーを優先させるのと同時に経営で利益をあげるのは不可能だと示しただけでない。作家がノーベル賞でも受賞しないかぎり、一般読者をエリートの考える文学の概念にひきつけることは不可能だと示した。

しかし、よりスキャンダラスなのは、利益から翻訳者がはじかれたことだ。グァレスキ作品のアメリカでの受容は、成功に必要不可欠だった翻訳者たちへの多大なる搾取と並行して進んだ。[128]契約書をにぎる出版社の方が、翻訳者よりも交渉で優位に立てる。ペリグリーニ・アンド・カダヒ社、そして後のファーラー・ストラウス社は、グァレスキ作品の英語版の全世界での独占出版権をもっていた。出版社は、著作権でいうテキストの著者ではなく、雇用契約者として——雇用主に執筆サービスを提供する労働者として——翻訳者を扱った。通例のやり方では、翻訳者は英語千語あたりの固定額を支払われていた。ロイヤルティや、副次権から得られる収益の取り分はない。グァレスキ作品の翻訳は国際的ベストセラーとなり、出版元はアメリカだったが、カナダ、イギリス、オーストラリアの出版社にもライセンスが売られ、莫大な利益をもたらしただけに、翻訳者に分け前がないなど、目も当てられない事態だ。

搾取の形態は、ドン・カミロ・シリーズ一作目からはじまった。ウーナ・トゥルーブリッジ（一八八七－一九六三）は、フィレンツェ在住の経験豊かな翻訳者だった。グァレスキの翻訳に携わる前の二十年の間に、フランス語とイタリア語の訳書六点を出版している。訳書は小説だけでなく歴史書や伝記も含んでいた。エージェントからペリグリーニ・アンド・カダヒ社に提示されたトゥルーブリッジの翻訳料は、当時のニューヨークの通例と比して随分と低く、英語千語あたり三〇シリングだった。長さ三万七千語であった『ドン・カミロの小さな世界』の翻訳料としてトゥルーブリッジが受けとったのは一二五・二〇ドルだった。この額は、アメリカとイギリスの市場における翻訳の売上総額と比較したら微々たるものだ——グァレスキ作品のロイヤルティによる一九五〇から一九五四年までの売上総額は二九二七五・六八ドルだった。しかし当出版社は、社内で編集したにもかかわらず、原稿修正料として三〇・二〇ドルをトゥルーブリッジに請求している。後にエージェントが「ドン・カミロの翻訳出版は大いに成功したようですし、当初の翻訳料が低かったものですから、褒賞金をいただけないでしょうか」と提案した際も、反応はにぶかったという。[129] ジョルジュ・ペリグリーニは、最終的に、単行本から外されていた短編二編の翻訳を雑誌に掲載した料金として、トゥルーブリッジに追加で一〇〇ドルを支払った。

フランセス・フリネイ（一九〇八－九六）もまた、経験豊かな翻訳者だった。しかしフリネイの功績はトゥルーブリッジよりも文学的観点から重大なものだった。五十年ほどつづいたキャリアの中でフリネイは、重要な現代イタリア人作家の翻訳を四十点以上も手がけた。訳書にはイニャツィオ・シローネ作『雪の下の種』（一九四二）、カルロ・レーヴィ作『キリストはエボリで止まった』（一九四七）、ナタリア・ギンツブルグ作『町へゆく道』（一九五二）、アンナ・マリア・オルテーゼ作『海はナポリにあらず』（一九五五）などがある。フリネイ初となるグァレスキ作品『ドン・カミロと信徒たち』（一九五二）の翻訳料は、ニューヨーク・レートの千語当たり一〇ドル、総額八〇八ドルが支払われた。対するグァレスキは、二年のうちにロイヤルティ料と、フリネイが行った翻訳から得られた副次権料として、二五七〇五・七六ドルを受けとっている。フリネイはグァレスキ作品の翻訳を多数手がけたので、徐々に翻訳料を値上げできた。しかし、増額されても金額面で不平等な契約であることに変わりなかった。たとえば、『同志ドン・カミロ』（一九六四）のレートは千語あたり一五ドルだったものの、ほかより短かったためにフリネイが受けとった総額は七二一・五〇ドルだった。一方で副次権の売上の五十パーセントが約束されていたファーラー・ストラウス社は、三〇〇〇〇ドルでブック・オブ・ザ・マンス・クラブに、三〇〇〇ドルでカトリック・ダイジェスト・ブック・クラブに翻訳のライセンス権を売るのと同時に、自社で五万部を売り上げた。出版開始から六か月間で、グァレスキは二九八五六・九一ドルを受けとった。これだけの売上に比べれば、フリネイの翻訳料は最低限の制作コストのようにみえるが、実際には副次権の交渉でさらにコストを抑えていた。ペリグリーニ・アンド・カダヒならびにファーラー・ストラウス社がゴランツと結んだ契約は、普通でなかった。ドン・カミロ・シリーズ一作目のあと、ゴランツはロイヤルティの前払金に加え、翻訳料の半額も負担するように言われたのだ。グァレスキ作品の英語圏での商業的成功で利益を得られなかった関係者は、翻訳者だけだった。唯一得られた利益は、翻訳をシリーズで受注できたことぐらいだろうか。

ハイブラウのベストセラー

グァレスキ作品がおよそ四十年前に初めて英語で出版されて以降、アメリカ文化が変化した結果、異なる種類の翻訳書ベストセラーが生まれた。特にフィクションでこの傾向は強いかもしれない。数々の合併により出版業界は利益を重視するようになった。それにともない、出版社は本国でベストセラーとなった外国テキストに力を注ぐようになったわけだが、ほとんどのケースでその結末は功罪入りまじっていた。商業主義は既存の国内市場からも利益を得ようと、英語圏ですでに多数の読者を有する外国テキスト――ほかの大衆文化の形式、特に映画、演劇、ミュージカルの原作となった本――を探すようになった。タイアップに投資するこの戦略は、古典の海外文学作品の安価なペーパーバック版の大量発生につながった。『危険な関係』、『レ・ミゼラブル』、『オペラ座の怪人』などがその例だ。これらの場合、本来であればエリートが学業や研究のために読む外国テキストが、大衆の嗜好にあわせた形に変えられる――楽しく鑑賞できる大衆的な形式に翻案される――ことで、大衆も没入感と道徳的な気づきを得られるようになった。商業目的とさまざまな受容の板挟みにあい、翻訳はハイブラウのベストセラーというハイブリッドな存在になる。

ハイブラウのベストセラー翻訳書をもっとも効率的に量産してきたのは、電子メディアだ。映画とテレビが商業的に強大な影響力をもつようになり、プロモーション活動とさまざまなマーケティング手法を展開することで、出版前から本をベストセラーに仕立てられるようになった。[130] 外国テキストが緊迫した社会問題を取りあげていなくても、売上がのびるケースも出てきた。読者は、国内文化における大衆的なフィクションのジャンルにあわせて変形した外国テキストの形式にひかれていく。「緊急の対応を要するメッセージ」を伝えるものを好む読者は、映画やテレビといった「メディアに魅了」された。[131] 複数のプロダクションをとおして人気の作品はすぐに伝わり、もっとも効果的な方法で現実にむきあっているかのような幻想を人々に見せる。

と同時に、これらのメディアはエリートむけフィクションの分野にも影響を与えた。文学の表現形式に作者の注意をむけ、人気のジャンルを意識した作品づくりの実験をうながした。ハイカルチャーとロ一カルチャーの垣根があいまいになっていく状態は、「ポストモダニズム」と呼ばれる現代のフィクションの世界的な傾向の特徴のひとつだ。[132] 作者が形式を意識しているのがうかがえる外国テキストは、異なる複数の文化的構成員に受けいれてもらうにはハイブラウすぎると考えられるようになった。本国でもその状況は同じで、翻訳されることにより時代に即した大衆的なフィクションの形式に同化されて初めて、商業的に成功した作品もあった。ベストセラーとなった海外作品であるウンベルト・エーコの『薔薇の名前』（一九八三）[133]、パトリック・ジュースキントの『香水――ある人殺しの物語』（一九八六）[134]、ペーター・ホゥの『スミラの雪の感覚』（一九九三）[135] は、いずれも殺人事件という典型的なミステリーのプロットと、度合いは異なるが、形式の複雑さを兼ねそなえている点が特異だ。これらの作品は、批判的な読み方にこたえると同時に、ずっぷりと没入する読み方も歓迎した。これらハイブラウの外国テキストの、後者への歓迎度合いは明らかに異なっていた。歓迎の度合いが低いテキストは、大衆嗜好にあわなさすぎて、大衆読者に読まれずに終わってしまう。そのような作品も、たとえ読まれないにしても翻訳を多くの人に買ってもらえるようプロモーションやマーケティング活動を展開するので、国内のポップカルチャーとの絡みが十分に見うけられる。

　ハイブラウのベストセラーにみられるこの傾向は、外国テキストの読みやすさを改善しようと強く同化を進める翻訳作業により、維持されてきた。一九五〇年代から、流暢で透明な言説は、英訳の傾向として変わらなかった。ハイブラウのベストセラーは、話し言葉で、イギリスもしくはアメリカ固有の表現は比較的少ない形で、読者にもっとも親しまれている英語標準語に訳される。外国テキストの舞台が、遠い過去の外国に設定されていても――たとえば、中世イタリアを舞台にしたエーコの作品や、十八世紀フランスを舞台にしたジュースキントの作品でも――今日の英語表現で訳された。読みにくくなる、もしくは多くの英語圏読者に不自然と思われるような、古語調は避けた。ハイブラウの外国テキストは、洗練された文学形式で書かれ、国内のエリートには純文学作品として受けいれられても、大衆の嗜好に寄りそうために見直しを経ていく。

　ウィリアム・ウィーヴァー訳の『薔薇の名前』は、長々とつづく中世の単語やラテン語の文章を含む、イタリア語テキストの十二ページ分が削除されている。[136] このような編集は、英語読者が読書の手を止めないよう、読みやすくするのが目的だ。本筋に関係ない部分に目がいってしまい、現実とむきあっているかのような幻想が壊れないようにした。それ以外にも、言語・文化の違いを取りのぞき意図的に同化させるため、説明書きを追加するといった編集もある。以下の箇所は、ウィーヴァー訳では削除されている。

E ai Fondamenti di santa Liperta uno gli disse: "Sciocco che sei, credi nel papa!" e lui rispose: "Ne avete fatto un dio di questo vostro papa" e aggiunse: "Questi vostri paperi v'hanno ben conci" (che era un gioco di parole, o arguzia, che faceva diventare i papi come animali, nel dialetto toscano, come mi spiegarono): e tutti si stupirono che andasse alla morte facendo scherzi.

聖女リペラータの基石のところで、別の男が言った。「愚かなやつだよ、おまえは、教皇さまを信じればよいのに！」すると彼がやり返した。「そうやって、あなたのような人びとが、教皇を神に祭りあげてしまっているのだ」そしてさらにつけ加えた。「そうやって、あなたのような愚かな者たちが、鵞鳥の教皇の糞になっているのだ」（これはトスカーナ地方の言葉の韻を踏んでいて、教皇を動物にもじった、巧みな言い方である、と周囲の人から私は説明してもらった）そして死へ赴こうとする者が、そのような冗談をとばしたことに、人びとは驚いて、二の句もつげなかった。◆137

この箇所を削除したことにより、訳しにくいイタリア語のごろ合わせ（papa/paperi）を避けられただけでなく、英語読者がジョークを解読するのに頭を働かせなくてもよいように、物語を簡略化できた。と同時に、読者が地方の方言というイタリア文化を垣間見る機会をなくしてしまった。この場面は教皇制度を批判しているので、カトリック教徒の読者には不敬と思われるような、デリケートな宗教の違いも、削除により隠してしまっている。ウィーヴァーの英訳は「目標読者に方向づけられている」とされた。[138]「イタリアについてのコメントの翻訳が、英国の共通認識」でもある人種ステレオタイプを意識した、訳語の選択が見られたためだ。[139]

むろん、どのような翻訳も読者の反応をすべて予測するのは不可能だ。一九七〇年代以降、アメリカの読者層がより異種的（ヘテロジェニアス）になり、読者がもつさまざまな特殊な関心を、多数の小さな出版社が満たすようになってからは、特に予測が難しい。したがって、グァレスキの大衆むけ作品と似たような同化を経て大衆むけに翻訳されたにもかかわらず、ハイブラウの海外作品のベストセラーの成功には、さまざまなパターンの受容が見受けられた。グァレスキ作品の翻訳は、アメリカ全体の文化・政治的価値観を強め、異なるグループの文化的構成員であっても同じ大衆的な読み方をされたので、同じ意味をもって受けいれられた。対照的に、エーコ作品の翻訳は、文化的構成員によって異なる意味をもった。文化・政治的立場が異なる、エリートと大衆で違った読み方をされた。この分断は書評でも明らかだ。たとえば『ハーパーズ』誌は、ハイカルチャーじみた基準を適用し、全体的に機知に富んで複雑な本作について「反探偵小説であり、かつ探偵小説でもある」だとか、「記号学的殺人ミステリー」と評した一方で、『ハイスバーグ・アメリカン』紙は「ストーリー性がすばらしい。知性の自由と真実など、伝えたいことをたくさんもちあわせている」とミドルブラウらしく評価している。[140]どちらの反応も、外国テキストをアメリカのコードやイデオロギーに寄せており、ある程度の同化がみられる。しかし、よりどころとなる国内の関心が異なる。と言っても、イタリアやイタリア文学にはあまり関心がなく、むしろ近年のアメリカにおけるアカデミックな文化の変容に深く関係している。外国の批評方法（記号学やポスト構造主義）の輸入もそうだが、外国テキストに国内のアレゴリーをあてはめる大衆的な傾向と特に関係がある。ある書評者は、「私たちが『薔薇の名前』を読み終えたとき、現代の問題が、まったく違う時代であるはずなのに共通点が多い過去の時代をとおして解明される」と本作を評した。[141]

ハイブラウ小説が翻訳で成功しても、アメリカの文芸嗜好や読書習慣が豊かになったとは言えない。文化の違いにオープンになったわけでも、現代海外文学への関心が高まった表れでもないのだ。外国テキストの翻訳がベストセラーとなるのは、国内の現状を維持できるよう、外国らしさが失われているためだ。編集、翻訳、プロモーションからマーケティングに至るまであらゆる制作プロセスが、国内文化における主流の価値観にあわせて、テキストを大量消費用に成形している。アメリカのポップカルチャーのグローバル化により、アメリカの出版社がアメリカ文化の浸透している外国テキストを選ぶという選択肢が増えたことも、この制作プロセスに寄与している。大衆嗜好は今日でもベストセラー翻訳書を生みだす鍵となっているが、そのせいでエリート的な読み方の余地がなくなるほど、というわけではない。いまやベストセラー翻訳書は、多様な読者が求めるさまざまなものにすべて応え、国内のどのような利用にも耐えうるものでなければならない。

読者層の細分化が、今日の出版業界の慣行によって支配的な立場を強めている同化の傾向を変えられるのか、という問いの答えはわからないままだ。読者層の細分化は、ハイブラウの外国テキストの翻訳を増やしてくれるだろう——もっとも、エリートと大衆の両方の関心を融合させたエーコの作品のように「多価もしくは多元決定」[142]の場合にかぎられるが。翻訳点数が増え、テキストが理解されるようなコンテキストを制作と受容がつくりあげられたなら、読みやすさ（と利益）の損失をおそれることなく、外国文化に対する国内の期待値を変えられるかもしれない。むろん、違ったリスクもまた浮上する。外国のハイブラウ作品に集中しすぎれば、国内の価値観がまた固定化されないだろうか？　もしくは、ハイブラウのベストセラー記録が積みあがるにつれ、異なる「予想外のベストセラー」の法則が生まれるのだろうか――つまり、また別の、違う外国文学が好まれるかもしれないが、まさにその違いが、国内の関心にたまたまうまく答えてしまう、という事態だ。

註

◆1　Theodore M. Purdy, "The Publisher's Dilemma," *The World of Translation*, New York: PEN American Center. p. 10.

◆2　Janice A. Radway, "The Book-of-the-Month Club and the General Reader: The Uses of 'Serious' Fiction," in C. Davidson ed., *Reading in America: Literature and Social History*, Baltimore: Johns Hopkins University Press. 1989. p. 260.

◆3　Resa L. Dudovitz, *The Myth of Superwoman: Women's Bestsellers in France and the United States*, London and New York: Routledge. 1990. p. 25.

◆4　Mona Ozouf and F. Ferney, "Et Dieu Créa Le Bestseller: Un Entretien avec Pierre Nora," *Le Nouvel Observateur*, 22 March 1985. p. 67.

◆5　ibid.

◆6　Pierre Bourdieu, *Distinction: A Social Critique of the Judgement of Taste*, R. Nice trans., Cambridge: Harvard University Press. 1984. p. 32. ピエール・ブルデュー『ディスタンクシオン――社会的判断力批判I』石井洋二郎訳、藤原書店、二〇二〇年、五三頁。

◆7　John G. Cawelti, *Adventure, Mystery, and Romance: Formula Stories as Art and Popular Culture*, Chicago: University of Chicago Press. 1976. J・G・カウェルティ『冒険小説・ミステリー・ロマンス――創作の秘密』鈴木幸夫訳、研究社、一九八四年。Janice A. Radway, *Reading the Romance: Women, Patriarchy, and Popular Literature*, Chapel Hill: University of North Carolina Press. 1984.

Dudovitz, *The Myth of Superwoman.*

◆8 ibid. pp. 47–48.

◆9 Bourdieu, *Distinction*, p. 32. ブルデュー『ディスタンクシオンⅠ』五三頁。

◆10 Giovanni Guareschi, *The Little World of Don Camillo*, Una Vincenzo Troubridge trans., New York: Pellegrini and Cudahy. 1950.〔主な和訳として、原作シリーズ一作目が『陽気なドン・カミロ』『ドン・カミロ頑張る』の二冊にまたがってすべての短編が収載されている。原作シリーズ二作目の和訳は一部短編が省略されている。そのため、原作と英語版、日本語版で本シリーズ各書に収載されている短編が異なっている。ジョバンニ・グァレスキ『陽気なドン・カミロ』岡田真吉訳、文藝春秋社、一九五三年。ジョバンニ・グァレスキ『ドン・カミロ頑張る』岡田真吉訳、文藝春秋社、一九五四年。ジョバンニ・グァレスキ『ドン・カミロ大いに困る』清水三郎治訳、文藝春秋社、一九五五年。〕

◆11 Giovanni Guareschi, *Don Camillo and His Flock*, Frances Frenaye trans., New York: Pellegrini and Cudahy. 1952.

◆12 Giovanni Guareschi, *The House That Nino Built*, Frances Frenaye trans., New York: Farrar, Straus and Young. 1953.

◆13 Giovanni Guareschi, *Don Camillo's Dilemma*, Frances Frenaye trans., New York: Farrar, Straus and Young. 1954.

◆14 Giovanni Guareschi, *Don Camillo Takes the Devil by the Tail*, Frances Frenaye trans., New York: Farrar, Straus and Cudahy. 1957.

◆15 本章のグァレスキの英訳に関する記述は、ニューヨーク公共図書館稀覯本部門のファーラー・ストラウス・アンド・ジルー社アーカイブに保管されている、未発表の文書から情報を得ている。グァレスキ作品の出版史は、以下の文献からまとめている。Donald Demarest to Van Allen Bradley, 5 September 1950. "PW Forecasts," Publishers Weekly, 19 July 1952. p. 261. Roger W. Straus Jr. to Herbert Alexander, 19 November 1959. Victor Gollancz to Roger Straus Jr., 4 December 1953. Hilary Rubenstein to Roger W. Straus Jr., 11 January 1955. Sheila Cudahy to Silvio Senigallia, 20 January 1958. Sheila Cudahy to Victor Gollancz, 6 May 1957. "Obituary for Giovanni Guareschi," *New York Times*, 23 July 1968. p. 39.

◆16 Richard M. Fried, "Electoral Politics and McCarthyism: The 1950 Campaign," in Robert Griffith and Athan Theoharis eds., *The Specter: Original Essays on the Cold War and the Origins of McCarthyism*, New York: New Viewpoints. 1974. p. 219.

◆17 David Caute, *The Great Fear: The Anti-Communist Purge under Truman and Eisenhower*, New York: Simon and Schuster. 1978. pp. 38–39, 446–449.〔なお、本書の原書出版以降に状況が変わり、ローゼンバーグ夫妻は実際にソ連のスパイだったことが現在は明らかになっている。〕

◆18 R. Walters, Jr., "Review of G. Guareschi, *The Little World of Don Camillo*," unpublished article for *Saturday Review of Literature*. 1950. 当該記事は本誌に掲載されなかった。代わりに別の執筆者によるレビューが掲載されたが、同じ政治的見解を示しており、未掲載の記事から一部の記述を使いまわしているようだ。詳細は以下文献を参照。T. Sugrue, "A Priest, a Red, and an Unworried Christ," *Saturday Review of Literature*, 19 August 1950, p. 10.

◆19 Guareschi, *The Little World of Don Camillo*, p. 8. グァレスキ『陽気なドン・カミロ』一〇一一一頁。

◆20 Harry Truman, "A Special Message to the Congress on Greece and Turkey: The Truman Doctrine," in *Public Papers of the Presidents of the United States: Harry S. Truman, 1947*, Washington, D.C.: United States Government Printing Office. 1963. p. 176. アメリカンセンターＪａｐａｎ「国務省出版物　米国の歴史と民主主義の基本文書大統領演説――トルーマン主義」、<https://americancenterjapan.com/aboutusa/translations/2382/#jplist>二〇二一年十一月一日閲覧。

◆21 Bourdieu, *Distinction*, pp. 4–5. ブルデュー『ディスタンクシオンⅠ』八一一一頁。

◆22 Walters, Jr., "Review of G. Guareschi, *The Little World of Don Camillo*."

◆23 G. Paulding, "Don Camillo's Fine, Romantic World," *New York Herald Tribune*, 17 August 1952. p. 6.

◆24 ibid.

◆25 M. Gable, Sr., "That Same Little World," *Commonweal*, 22 August 1952. p. 492.

◆26 Winthrop Sargeant, "Anti-Communist Funnyman," *Life*, 10 November 1952. p. 125.

◆27 Radway, "The Book-of-the-Month Club and the General Reader," p. 278.

◆28 *Book-of-the-Month Club News*, "Giovanni Guareschi," August 1950, p. 8.

◆29 ibid. p. 6.

◆30 S. Hughes, "Review of G. Guareschi, *The Little World of Don Camillo*," *Commonweal*, 8 September 1950. p. 540.

◆31 Rachel May, *The Translator in the Text: On Reading Russian Literature in English*, Evanston, Ill.: Northwestern University Press. 1988.

◆32 Lee Edelman, "Tearooms and Sympathy, or, The Epistemology of the Water Closet," in Henry Abelove, Michèle Aina Barale and David M. Halperin eds., *The Lesbian and Gay Studies Reader*, New York and London: Routledge. 1993. ; David Savran, *Communists, Cowboys, and Queers: The Politics of Masculinity in the Work of Arthur Miller and Tennessee Williams*, Minneapolis: University of Minnesota Press. 1992.

◆33 Arthur Schlesinger, Jr., *The Vital Center: The Politics of Freedom*, Boston: Houghton Mifflin. 1949. pp. 36, 151. アーサー・M・シュレジンガー二世『中心――アメリカ自由主義の目的と危機』吉沢清次郎訳、時事通信社、一九四六年、上巻七六頁、下巻三六頁。

◆34 Hedy Maria Clark, "Talk with Giovanni Guareschi," *New York Times Book Review*, 17 December 1950. p. 13.

◆35 Bourdieu, *Distinction*, p. 382. ブルデュー『ディスタンクシオンⅡ』二〇四頁。

◆36 Clark, "Talk with Giovanni Guareschi," p. 13.

◆37 May, *The Translator in the Text*, p. 98.

◆38 Guareschi, *The House That Nino Built*, p. 85.

◆39 Guareschi, *The Little World of Don Camillo*, p. 89. グァレスキ『陽気なドン・カミロ』一六六頁。

◆40 Stanley Cooperman, "Catholic vs. Communist," *New Republic*, 15 September 1952. p. 23.

◆41 ibid.

◆42 F. X. Gallagher, "Militant Don Camillo Returns," *Baltimore Sun*, 3 September 1952. p. 30.

◆43 Gian Franco Vené, *Don Camillo, Peppone e il compromesso storico*, Milan: SugarCo. 1977. pp. 43–44.

◆44 Guareschi, *The Little World of Don Camillo*, p. 7. グァレスキ『陽気なドン・カミロ』九―一〇頁。

◆45 Paul Ginsborg, *A History of Contemporary Italy: Society and Politics, 1943-1988*, Harmondsworth, England: Penguin. pp. 184, 296.

◆46 Vené, *Don Camillo, Peppone e il compromesso storico*, p. 8.

◆47 Giovanni Guareschi. *Mondo Piccolo: Don Camillo*, Milan: Rizzoli. 1948.

◆48 Ginsborg, *A History of Contemporary Italy: Society and Politics, 1943–1988*, pp. 354–358.

◆49 Sargeant, "Anti-Communist Funnyman," p. 125.

◆50 Radway, "The Book-of-the-Month Club and the General Reader," p. 261.

◆51 Charles Lee, *The Hidden Public: The Story of the Book-of-the-Month Club*, Garden City, New York: Doubleday. 1958. p. 149.

◆52 Pat MacLaughlin to Laura Lee Rilander: 30 November 1953.

◆53 教科書やアンソロジーの出版は、副次権に関する以下の通信からまとめている。Joseph Bellafiore to Pellegrini and Cudahy, 7 February 1953. Harcourt Brace to Farrar, Straus and Young, 19 November 1954. Beverly Jane Loo to Very Reverend Vincent J. Flynn,

13 March 1956. Kathy Connors to Scott, Foresman, 2 January 1957.

◆54 Herman M. Ward, "'Don Camillo' Instead of 'Silas Marner'," *New York Times Magazine*, 1 April 1962, p. 79.

◆55 ibid.

◆56 Vené, *Don Camillo, Peppone e il compromesso storico*, pp. 22–25. ; Marc Slonim ed., *Modern Italian Short Stories*, New York: Simon and Schuster. 1954. ; Donald Heiney, *America in Modern Italian Literature*, New Brunswick, NJ.: Rutgers University Press. 1964. pp. 104–105.

◆57 Slonim, *Modern Italian Short Stories*, pp. 230–231.

◆58 Heiney, *America in Modern Italian Literature*, p. 112.

◆59 Eudora Welty, "When Good Meets Bad," *New York Times Book Review*, 17 August 1952. p. 4.

◆60 William Barrett, "Everyman's Family," *New York Times Book Review*, 25 October 1953. p. 49.

◆61 Elaine Tyler May, *Homeward Bound: American Families in the Cold War Era*, New York: Basic Books. 1988. p. 3.

◆62 Andrew Ross, *No Respect: Intellectuals and Popular Culture*, New York and London: Routledge. 1989. pp. 56–61.

◆63 Barrett, "Everyman's Family," p. 49.

◆64 Gardiner to Cudahy: 15 August 1949.

◆65 Guareschi, *The Little World of Don Camillo*, p. 7. グァレスキ『陽気なドン・カミロ』八ー九頁。

◆66 Welty, "When Good Meets Bad," p. 4.

◆67 *New Yorker*, "Review of G. Guareschi, *Don Camillo and His Flock*," 16 August 1952, p. 89.

◆68 Dan Herr to Cudahy: 19 and 27 June 1950.

◆69 Mary Sandrock, "New Novels," *Catholic World*, September 1950. p. 472.

◆70 Joseph C. Goulden, *The Best Years, 1945–1950*, New York: Atheneum. 1976. pp. 195–196.

◆71 電話インタビュー、一九九五年三月三日。

◆72 グァレスキ作品に対しペリグリーニ・アンド・カダヒ社がとった起業家のようなアプローチは、以下の契約書、手紙、帳簿に記録されている。契約書覚書「Giovanni Guareschi and Pellegrini and Cudahy」一九四九年六月二十四日および一九五一年八月十四日付。Donald Demarest to Chandler Grannis, 3 August 1950. George Pellegrini to Giangerolamo Carraro, Rizzoli, 20

November 1950. Sheila Cudahy to Sheila Hodges, Victor Gollancz Ltd., 4 June 1952. Victor Gollancz to Pellegrini and Cudahy, 27 August 1952. Cudahy to Herbert Alexander, Pocket Books, 22 April 1953. Robert Freier and Arnold Leslie Lazarus to Farrar, Straus and Young, 19 November 1954. グァレスキのロイヤルティ・副次権収入の受け取り予定表（一九五〇年八月から一九五四年六月）。

◆73 Cudahy to Dan Herr, 21 June 1950.

◆74 Evelyn Eisenstadt to Pellegrini and Cudahy, 16 February 1951.

◆75 電話インタビュー、一九九五年三月三日。

◆76 グァレスキ作品の翻訳の制作プロセスは、以下に列挙したとおり多くの文書から垣間見られる。原稿二点（グァレスキによる“Io Sono Così”と訳者不明の英訳“This is the Way I Am,”）。初訳原稿（連続した一五頁分）Una Vincenzo Troubridge, *The Little World of Don Camillo*。Mary Ryanによる社内メモ「Pellegrini and Cudahy, 2 August 1949」。Sheila Cudahy to Giovanni Guareschi, 18 March 1954. Cudahy to Frances Frenaye (Mrs. A. C. Lanza), 23 November 1959. Harold Vursell to W. J. Taylor-Whitehead, Macdonald and Co., Ltd., 3 May 1966. Vursell to Gordon Sager, 10 March 1966 and 23 January 1967. Andrée Conrad to Livia Gollancz, 17 September 1969.

◆77 Guareschi, *The Little World of Don Camillo*, p. 3.

◆78 ibid. p. 4. グァレスキ『陽気なドン・カミロ』六頁。

◆79 ibid. p. 9. グァレスキ『陽気なドン・カミロ』一二頁。

◆80 Una Vincenzo Troubridge trans., *Partial Draft of The Little World of Don Camillo*, unpublished manuscript, Farrar, Straus and Giroux Archive, Rare Books and Manuscripts Division, New York Public Library. 1949. pp. 77, 79, 80, 222. ; Guareschi, *The Little World of Don Camillo*, pp. 66, 67, 69, 70, 187.

◆81 Troubridge, *Partial Draft of The Little World of Don Camillo*, p. 55. ; Guareschi, *The Little World of Don Camillo*, p. 49.

◆82 ibid.

◆83 Cudahy to Timothy Gillen, Farrar, Straus and Giroux, May 1997.

◆84 Guareschi, *Mondo Piccolo: Don Camillo*, p. 31. グァレスキ『陽気なドン・カミロ』六九頁。

◆85 Troubridge, *Partial Draft of The Little World of Don Camillo*, p. 43.

◆86 Guareschi, *The Little World of Don Camillo*, p. 37.

◆87 以降の語彙分析は『オックスフォード英語辞典』と以下の文献を参照。Eric Partridge, *A Dictionary of Slang and Unconventional English*, Paul Beale ed., 8th edition, London: Routledge. 1984. Harold Wentworth and Stuart Berg Flexner eds., *Dictionary of American Slang*, 2nd supplemented edition, New York: Thomas Crowell. 1975.

◆88 Guareschi, *Mondo Piccolo: Don Camillo*, p. 126. ; *The Little World of Don Camillo*, p. 106.

◆89 ibid. p. 320. ; ibid. p. 198.

◆90 Arthur Miller, *All My Sons*, New York: Reynal and Hitchcock. 1947. p. 62. アーサー・ミラー『みんな我が子・橋からのながめ』倉橋健訳、ハヤカワ演劇文庫、二〇一七年、一二七頁。

◆91 Guareschi, *Mondo Piccolo: Don Camillo*, p. 55. グァレスキ『陽気なドン・カミロ』一〇七頁。Guareschi, *The Little World of Don Camillo*, p. 57.

◆92 削除された箇所の一部は以下のとおり。Guareschi, *Mondo Piccolo: Don Camillo*, pp. 58, 60, 78, 92, 96. *The Little World of Don Camillo*, pp. 61, 67, 70, 74.

◆93 ibid. p. 78. ; ibid. pp. 66–67.

◆94 Roland Barthes, "The Reality Effect," in *The Rustle of Language*, Richard. Howard trans., Berkeley and Los Angeles: University of California Press. 1986. p. 145. ロラン・バルト『言語のざわめき』花輪光訳、みすず書房、一九八七年、一九〇頁。

◆95 Guareschi, *Mondo Piccolo: Don Camillo*, pp. 92, 152, 168. ; *The Little World of Don Camillo*, pp. 69, 136, 153.

◆96 ibid. pp. 47, 56, 60, 61, 94. グァレスキ『陽気なドン・カミロ』九三、一一六、一〇九、一一五、一一六、二四八頁より一部改変を施して引用。ibid. pp. 48, 58, 63, 64, 72.

◆97 ibid. pp. 29, 33, 298. ; ibid. pp. 29, 40.

◆98 ibid. p. 95. ; ibid. p. 73.

◆99 ibid. p. 97. ; ibid. p. 75.

◆100 ibid. p. 112. ; ibid. p. 91.

◆101 ibid. p. 180. ; ibid. p. 167.

◆102 ibid. pp. 62, 92, 103, 104, 144, 168. ; ibid. pp. 65, 70, 81, 82, 83, 127, 153.

◆103 ibid. pp. 32, 55. ; ibid. pp. 38, 57.
◆104 ibid. pp. 61, 157, 184. ; ibid. pp. 65, 141, 170.
◆105 ibid. pp. 32, 98, 146, 173. ; ibid. pp. 38, 76, 129, 159.
◆106 ibid. p. 21. グァレスキ『陽気なドン・カミロ』五二頁。 ibid. p. 29.
◆107 ibid. p. 143. 同書、一六九頁。 ibid. p. 125.
◆108 Guareschi, *Mondo Piccolo: Don Camillo*, pp. 27, 186. グァレスキ『陽気なドン・カミロ』六四頁。グァレスキ『ドン・カミロ頑張る』九五頁。
◆109 M. Sandrock, "New Novels," *Catholic World*, September 1950, p. 472.
◆110 Deac Martin to Pellegrini and Cudahy, 9 February 1951.
◆111 Cudahy to Victor Gollancz, 6 November 1956.
◆112 Giovanni Guareschi, *Mondo Piccolo: Don Camillo e il suo gregge*, Milan: Rizzoli. 1953. pp. 117, 118. *Gente così: Mondo Piccolo*, Milan: Rizzoli. 1981. p. 9. グァレスキ『ドン・カミロ大いに困る』一〇四頁。ほかは柳田訳。 Don Camillo and His Flock, pp. 9, 32.
◆113 Guareschi, *Gente così: Mondo Piccolo*, p. 39. ; *Don Camillo and His Flock*, p. 165. ; *Don Camillo Takes the Devil by the Tail*, pp. 11, 12, 15, 16.
◆114 Harold C. Gardiner, "Skirmishes of Red and Black," *America*, 23 August 1952, p. 503.
◆115 Guareschi, *The Little World of Don Camillo*, pp. 83, 87, 92, 120. ; *The Little World of Don Camillo*, trans. Una Vincenzo Troubridge, London: Victor Gollancz. 1951. pp. 96, 99, 100, 106, 138.
◆116 Guareschi, *The Little World of Don Camillo*, 1950. pp. 88, 98, 106, 109. ; *The Little World of Don Camillo*, 1951. pp. 101, 113, 123, 126.
◆117 Guareschi, *The Little World of Don Camillo*, pp. 74-75.
◆118 Giovanni Guareschi, *The Little World of Don Camillo*, Una Vincenzo Troubridge trans., Harrnondsworth, England: Penguin. 1962.
◆119 Troubridge to Cudahy, 17 September 1950.
◆120 Troubridge to Cudahy, 14 June 1949.
◆121 M.G. Ridley to Cudahy, 26 July 1949.
◆122 Giovanni Guareschi, *My Home, Sweet Home*, trans. Joseph Green, New York: Farrar, Straus and Giroux. 1966.

◆123 Giovanni Guareschi, *A Husband in Boarding School*, New York: Farrar, Straus and Giroux. 1967.

◆124 Thomas Whiteside, *The Blockbuster Complex: Conglomerates, Show Business, and Book Publishing*, Middletown, Conn.: Wesleyan University Press. 1981. pp. 119, 121–122. トーマス・ホワイトサイド『ブロックバスター時代――出版大変貌の内幕』常盤新平訳、サイマル出版会、一九八二年、一五一－一五二、一五四－一五六頁。

◆125 ibid. p. 94. 同書、一二一頁。

◆126 ibid. p. 103. 同書、一三一頁。

◆127 以下文献を参照。Alan D. Williams ed., *Fifty Years: A Farrar, Straus and Giroux Reader*, New York: Farrar, Straus and Giroux. 1996. pp. 537–578.

◆128 翻訳者と出版社の間の合意内容の詳細は、以下の通信や契約書を参照した。Sheila Cudahy to Cyrus Brooks, A. M. Heath and Company, 27 February 1950. Brooks to Cudahy, 10 March 1950. Cudahy to Una Vincenzo Troubridge, 12 April 1950. George Pellegrini to Brooks, 5 February 1951. Cudahy to Frances Frenaye (Lanza), 3 June 1952 and 27 April 1960. Cudahy to Victor Gollancz, 6 February 1957. Frenaye to Cudahy, 27 November 1959. 契約書「Farrar, Straus and Giroux with Gordon Sager」一九六六年三月十日付。Sager to Harold Vursell, 8 April 1966. Vursell to Sager, 11 April 1966.
特に『同志ドン・カミロ』出版に関する詳細（印刷、副次権の販売、著者の収入）は以下の通信を参照。Milo J. Sutcliff, Catholic Digest Book Club, to Roger Straus Jr., 9 December 1963. 社内メモ「Farrar, Straus and Giroux, 10 December 1963」。Straus to Herbert Alexander, Pocket Books, 13 December 1963. Lester Troob, Book-of-the-Month Club, to Straus, 23 December 1963. Robert Wohlforth to Giovanni Guareschi, 22 September 1964.

◆129 Cyrus Brooks, A.M. Heath and Company, to George Pellegrini, 21 November 1950.

◆130 Dudovitz, *The Myth of Superwoman*, pp. 24–25.

◆131 Jean Baudrillard, *In the Shadow of the Silent Majorities*, Paul Foss, Paul Patton, and John Johnston trans., New York: Semiotext(e). 1983. p. 35.

◆132 Brian McHale, *Constructing Postmodernism*, London and New York: Routledge. 1992.

◆133 Umberto Eco, *The Name of the Rose*, William Weaver trans., San Diego: Harcourt Brace Jovanovich. 1983. ウンベルト・エーコ『薔薇の名前　上下巻』河島英昭訳、東京創元社、一九九〇年。

◆134　Patrick Süskind, *Perfume: The Story of a Murderer*, John E. Woods trans., London: Hamish Hamilton. 1986. パトリック・ジュースキント『香水――ある人殺しの物語』池内紀訳、文春文庫、二〇〇三年。

◆135　Peter Høeg, *Miss Smilla's Feeling for Snow*, F. David trans., London: Harvill. 1993. ペーター・ホゥ『スミラの雪の感覚』染田屋茂訳、新潮社、一九九六年。

◆136　J. L. Chamosa and J. C. Santoyo, "Dall'italiano all'inglese: scelte motivate e immotivate di 100 soppressioni in *The Name of the Rose*," in L. Avirovic and J. Dodds eds., *Umberto Eco, Claudio Magris, autori e traduttori a confronto*, Udine: Campanotto. 1993. pp. 145–146. J・L・チャモサ、J・C・サントヨ「イタリア語から英語へ――『バラの名前』における１００個所の削除の動機づけのある選択と動機づけのない選択」谷口伊兵衛編訳『エコの翻訳論――エコの翻訳論とエコ作品の翻訳論』而立書房、一九九九年、二六九－二七〇頁。

◆137　Umberto Eco, *Il nome della rosa*, Milan: Bompiani. 1980. p. 241. エーコ『薔薇の名前　上巻』三八三－三八四頁。

◆138　David Katan, "The English Translation of *Il nome della Rosa* and the Cultural Filter," in L. Avirovic and J. Dodds eds., *Umberto Eco, Claudio Magris, autori e traduttori a confronto*, Udine: Campanotto. 1993. pp. 161–162. デイヴィッド・ケイタン「『バラの名前』の英訳と文化フィルター」谷口伊兵衛編訳『エコの翻訳論』三〇〇頁。

◆139　ibid. pp. 161–162. 同書、三〇二頁より一部改変を施して引用。

◆140　J. Schare, Review of U. Eco, *The Name of the Rose, Harper's*, August 1983. p. 75. ; L. McMurtrey, "Rose's Success a Mystery," *Hattiesburg American*, 2 October 1983. p. 2D.

◆141　G. Weigel, "Murder in the Dark Ages," *Seattle Weekly*, 17–23 August 1983.

◆142　Roger Rollin, "*The Name of the Rose* as Popular Culture," in M. Thomas Inge ed. *Naming the Rose: Essays on Eco's* The Name of the Rose, Jackson: University Press of Mississippi. 1988. p. 164.

第八章 グローバリゼーション

Globalization

何世紀にもわたって国際情勢をつくりあげてきた非対称性を、翻訳はほかにはないやり方で明らかにしてくれる。多くの「発展途上」国（ここでは、グローバル資本主義経済における従属的な地位を表現するためにこの語をつかう）では、翻訳はやむにやまれぬものだった。まず現地語のなかに植民者の言語が導入され、植民地支配を脱したあとは、政治主権をまもり、経済成長を成しとげるため、覇権的なリンガ・フランカでのやりとりをする必要があってのことである。翻訳という文化的な営みは、支配と依存のどちらにも深くかかわり、維持することも、かき乱すこともできるのである。南北アメリカ大陸、アジア、アフリカの植民地化は、現地人・植民者双方の通訳や、宗教・法律・教育など実行力をもったテキストの翻訳ぬきにも起こりえなかった。[◆1] 近年の多国籍企業の新植民地主義的なプロジェクト、その海外の労働力やマーケットの搾取も、膨大な翻訳なしにはすすめられない。その中には取引契約、取扱説明書、広告コピーから、大衆小説や児童書、映画のサウンドトラックまでがふくまれる。

従属的な立ち位置からも、翻訳はその機能を発揮した。なかには帝国に反旗を翻したものもあれば、グローバル資本と共謀したものもある。外国語テキストの翻訳は、反植民地運動の血気盛んなナショナリズムに加担した。一九五五年から一九八〇年までのあいだ、ユネスコの統計によれば、世界でもっとも翻訳された著者はレーニンだった。発展途上国において、翻訳は読書・出版を支えつつ、現地の言語と文学を富ませるという点では決定的な役割をはたしてきた。口承文化にとって、翻訳は最初期に刊行された書物になった。文字文化にとって（メディアが未発達にしろ、そうでないにしろ）、翻訳とは多国籍出版社や映画・テレビ会社とのもうけ話がついてまわるものであり、覇権国家のコンテンツの自国語での読者や視聴者を生むことで、産業の発展を下支えする。

訳すという行為はいかにとりとめもなく、アバウトに映ろうとも、つねに特定の読者を対象にしたものである。それゆえ想定しうる動機や結果は、地域に根差した、条件付きのものになり、グローバル経済における立ち位置——有力国かそうでないか——によっても変わってくる。このことは、文化的アイデンティティを形成する翻訳の力がもっともわかりやすいだろう。外国（フォーリン）文化の表象を創造しつつ、同時に国内の主体（ドメスティック・サブジェクティビティ）をつくりあげる。国内のコードとイデオロギーを吹きこまれた主体が、その表象を理解し、文化的に機能させるようしむけるのだ。覇権国家の内部では、翻訳はナルシシズムと自己批判の両極のあいだで振れる従属的な他者のイメージをつくりだす。それは、国内の主流の価値観を追認したり、疑問にふしたりもすれば、人種ステレオタイプ・文学の正典（キャノン）・商取引のパターン・外交政策を強化したり、改訂したりして、ほかの文化に影響をあたえたりもする。発展途上国では、翻訳は覇権を握る他者像や自己像をつくりだして、服従・協同・抵抗といったさまざまな手段にうったえつつ、外国の主流の価値観を是認したり、黙認したりしながら取りいれたり（自由主義経済、キリスト教布教）、批判的に修正して、より対立するような国内むけの自己像を生みだしたりする（ナショナリズム、原理主義）。

翻訳が従属的な文化圏におよぼす影響が上記のように多岐にわたるのは、文化の支配とはかならずしも画一化されたアイデンティティ形成の過程を経るわけではないからだ。もちろん、文化のグローバリゼーションは、「広告の手法」や「言語のヘゲモニー」のような「同質化を促す多様な装置」を「利用する」ことなくして起こりえない。しかし「メトロポリスの多様な力が新たな社会へと流れ込んでいく速度と少なくとも同じ速度で、その力が何らかの形で土着化される傾向にあ」り、「ローカルな政治経済や文化経済へと吸収されていく」のもたしかだ。[◆2] アフリカ・アジア・カリブ海の多言語文化では、翻訳は固有の伝統に都市の流行を混ぜあわせたハイブリッドなかたちで、分断が刻まれたアイデンティティを形成する。多様な、互いに矛盾しあう効果をもたらしうるにもかかわらず、翻訳が解き放つハイブリッド文化は、戦略的な用いられ方をされてきた。たとえば、国内における文学の文体や運動（西アフリカの小説において英語とアフリカの言語の切りかえ）、ベンチャー企業（国境を越えた広告キャンペーン）、政策（現地語をふくまないことも多々ある公用語の制定）などである。

　グローバル経済における翻訳の地位は、英米のような英語圏の主要国においては特に見るに堪えないものだ。そのように見ると、その覇権を下支えする条件の疑わしさに目がいく――それ自体英語支配や、国外の出版業や電子メディアを搾取する不均衡な文化交流、国内での外国文化の排除やステレオタイプ化に依存したものなのだ。同時に、英語のグローバリゼーション――英語によるカルチュラルプロダクトのための世界市場の出現――により、英米の価値観を伝達するだけでなく、地域ごとの差異にむしろそれらをしたがわせ、マイナーな立場の異種性（ヘテロジェニイティ）に同化させる翻訳の役割が確実になった。発展途上国は、英米文化の主流をとりこみつつも、そこからなお大きくはみだす、翻訳ストラテジーと文化的アイデンティティの場である。なかには大きな社会的インパクトをもつものもある。以下では、グローバル文化経済における翻訳の流通の、ながらく特徴となってきた非対称性について、まず考えてみたい。次いで、植民地主義と私たちのポスト植民地主義時代（コロニアリズム）（帝国主義的プロジェクトが消えたかに見せて、多国籍企業の皮をかぶった時代）において翻訳がとってきた抵抗と革新のかたちについて考えてみることにする。◆3

商業と文化の非対称

第二次世界大戦以降の翻訳の傾向は、英語文化の圧倒的な支配をしめしている。英語は世界でもっとも翻訳される言語になった。だが英米の出版産業の規模の大きさ、技術力の高さ、堅調な経営にもかかわらず、もっとも翻訳しない言語のひとつなのである。ユネスコの統計は（データを提供していない国があるせいで不完全だし、国によって書籍の定義が異なるせいで一貫していないが）大まかな流れを知るうえでは役に立つ。まとまったデータがあるように見える最後の年が一九八七年だが、世界の翻訳の総数は六万五千点であり、うち三万二千点が英語からの翻訳だった。おそらく、この数字はこの十年間でさほど変わっていない。なぜなら、完全版下が作成可能なコンピュータが普及したにもかかわらず、国際出版は劇的には増加していないからである。◆4 英語からの翻訳の数は、ヨーロッパ言語からの翻訳の数を圧倒している（フランス語からの翻訳は六七〇〇点、ロシア語からは六五〇〇点、ドイツ語からは五〇〇〇点、イタリア語からは一七〇〇点）。翻訳の地政経済学において、発展途上国の言語の地位はきわめて低い（一九八七年のユネスコのレポートでは、アラビア語からの翻訳が四七九、中国語からの翻訳が二一六、ベンガル語からの翻訳が八九、韓国語からの翻訳が一四、インドネシア語からの翻訳が八）。また、これらの国で翻訳されているほかの言語よりも英語は上まわっている。ブラジルでは新刊本の六十パーセントが翻訳だが（一九九四年に刊行された八〇〇〇点のうち四八〇〇点が翻訳)、その七十五パーセントが英語からのものだった。[5]

まったく対照的に、英米の出版社は翻訳をほとんどしない。一九九四年の米国では書籍の総出版点数は五一八六三点だったが、うち翻訳は一四一八点(二・七四パーセント)だった。このなかには中国語から五十五点、アラビア語から十七点がふくまれるが、フランス語からの三七四点、ドイツ語からの三六二点とは対照的だ。[6] 翻訳が英米文化の中でマージナルな位置にしかないのは疑いようもない。なお、英語に訳された外国語テキストの中でも、アフリカ、アジア、南アメリカの言語で書かれたものは比較的出版社の関心を集めない。[7]

このような顕著な翻訳の不均衡は、英米出版産業と海外のそれとのあいだの貿易収支に極度のかたよりがあることをしめしている。ごくシンプルに言えば、英語からの翻訳で大儲けしているのに、英語への翻訳にはほとんど投資しないのだ。一九八〇年代以来、英語書籍の翻訳権の販売は収益性の非常に高い事業になり、出版社に年間数百万ドルの利潤を生み、場合によっては国内以上の収入をもたらしている。[8] 英語の「ブロックバスター」の権利は南米で五〇万ドル、台湾、韓国、マレーシアのようなアジアの新興国では一万ドルから二〇万ドルの値がつく。[9] ブラジルでは、英語の本の翻訳権の底値は三〇〇〇ドルである。[10] ユネスコによれば、ブラジルでは一九八七年、一五〇〇点以上の翻訳が刊行されたが、まだ著作権が残っている純文学作品(サミュエル・ベケット、マーガレット・アトウッド)だけでなく、より高額な翻訳権料がかかるベストセラー作家の作品も多数ふくまれている(アガサ・クリスティー二十五点、バーバラ・カートランド十三点、シドニー・シェルダン九点、ハロルド・ロビンス七点、ロバート・ラドラム五点、スティーヴン・キング二点）。同年、英米の出版社はあわせてもブラジル文学を十四点しか刊行しなかった。[11] 翻訳権料の莫大な収入があっても、英訳される本の点数は増えない。なぜなら英米の出版社は国内のベストセラーに資金を傾注しているからであり、この傾向は一九七〇年代から依然としておさまることがない。[12] ランダムハウス社のCEOであるアルベルト・ヴィターレの言葉によれば、「翻訳権の販売は、アメリカ国内でしばしば支払わされる高額なアドヴァンスを補填するうえで欠かせない収入源になっている[13]」。

万国著作権法は著者に自作の翻訳を許諾する権利をあたえることで、英米の出版社に有利にはたらいている。ベルヌ条約は翻訳者の翻訳物に対する著作権を認めてはいるが、原作品とその二次的著作物にたいする著者の独占的な所有権を依然として保護している。

一九六〇年代、発展途上国では、著作物をより自由に使用できるよう法制度を修正しようとした。国内の出版が厄介な問題に妨げられている場合には、とりわけそうだった――低い識字率、紙不足、旧式の印刷技術、流通の乏しさ、政府の検閲、潜在的な書籍市場の無数の言語コミュニティへの分断。[14] ストックホルム改正（一九六七年）以降、ベルヌ条約には「発展途上国に関する議定書」がもりこまれるようになった。このおかげで――欧米の作家や出版社はあっけにとられたのだが――発展途上国では強制的に欧米の作品の出版と翻訳の権利を取得することができるようになった。

しかしこの議定書は、現実的には利害が対立するどちらの側も満足させられない妥協案にすぎない。これはとりたてて現地の出版業を振興しないし、不均衡な文化交流を是正もしない。なぜなら、強制的な権利の取得にはさまざまな条件があるからだ。このようなかたちで権利を取得した欧米の書籍の翻訳は、原作品の刊行後三年がたつまで発展途上国では刊行できない。さらに目的も教育や学術研究のためでなくてはならない。この二つの条件のせいで、出版社は海外作品・作家の国際的な人気にあやかることも、国内の読者層を増やすことも難しくなっている。[15] 実際、欧米の出版社は自社製の低価格版を輸出するか、決められた期間内に現地の出版社にリプリント版を出す権利か翻訳権を販売することで、強制的に権利を取得されることを回避するのが通例となっている。[16]

中国の場合、万国著作権法は貿易赤字だけでなく、異なる文化的・政治的価値観を押しつけてくるものである。中国では一九九一年まで包括的な著作権法がなかった。これは主に、知的財産の所有権が（父系的な伝統のせいにせよ、社会主義イデオロギーのせいにせよ）長いあいだ商業的なものではなく集合的なものだったせいである。そのため、欧米の法律の個人主義的な私的財産権のコンセプトとは根本から異なっている。[17] 欧米の出版社にとって、無断翻訳は（完全な海賊版ではないにしても）著作権侵害だが、中国では出版社の慣行上よくあったことで、違法とされたのは最近である。[18]

一九九二年にベルヌ条約に加盟したことで、中国の出版産業は少なくとも著作権法に関するかぎり世界のほとんどの国と足並みをそろえた。しかし現在、政府が出版にかつてよりもさらに目を光らせるようになり、社会秩序を乱すと判断した外国の作品を排除しやすくなったため、翻訳の量は実際はむしろ減少した。[19] 中国の出版社が外国の作品の高額な権利を、外貨で支払えないせいで、翻訳が謝絶されることもある。欧米の出版社の利益中心主義は（著作権侵害にたいする騒動に顕著にあらわれていたが）、中国における人権侵害にたいする欧米の懸念を結局は無効にしてしまうだろう。

発展途上国では、翻訳出版における貿易赤字は文化的だけでなく経済的にも悪影響をおよぼす。現地の出版社は、広い読者層にとどけるためには積極的なプロモーションやマーケティングが必要な国内のあまり知られていない文芸作品よりも、はるかに収益が見込める英米のベストセラーに投資する。結果、国内の作品は十分に資金を集めることができず、国内の言語・文学・読者層の発達も制限されてしまう。多言語国家では、翻訳バランスの不均衡は既存の言語・文化的構成員のあいだのヒエラルキーを強化してしまう。翻訳がおこなわれるのはもっぱら政府が指定する公用語か出版産業で主流の現地語へであり、もともと翻訳がもたらすはずだった言語や文学のゆたかさをほかの現地語から奪ってしまう結果になる。英語圏のベストセラーの翻訳のせいで国内文学が投資を受けられない状態になれば、「国家としての問題や関心を広く共有する」うえで有効な地域言語同士の翻訳も先送りになってしまうことは避けられない。[20]

翻訳される英語の本はロマンスやスリラーのような（美的価値観を高くもって批評的な距離をたもつのではく、感情移入して楽しむことのできる）ポピュラーなジャンルが多くなるので、翻訳によって英米の価値観に染まり西洋化したエリート層は、国内文化に関心をもたなくなる。たとえば、一九七〇年代中ごろまでには、エドガー・ウォーレスやイアン・フレミングのような英国の作家による「スパイものやクライム・スリラー」（物語は西アフリカやカリブ海のような植民地で展開する）のベンガル語訳が、インド人読者の「まったく新しい階層」を生みだした。この大衆読者にとって本は、自分たちが置かれたポストコロニアルな状況について考えさせるものとは正反対の「純粋なエンターテインメント」の対象になった。[21]

インドや英語が話されるアフリカ諸国のような、植民地時代の言語が公用語や出版言語になった地域では、多国籍出版社がもともとは英米の読者むけだった翻訳を輸出することで、現地の英語話者のマイノリティを新植民地的に支配しつづけている。こうした出版社はマイノリティであるエリート層だけでなく、より大衆的な読者にも影響力をもっている。なぜなら、多国籍出版社は（地元の出版社と組んで）英語からの重訳で搾取しているからだ。外国語テキストの英訳を現地語訳して出版するとなると、英語の価値観が外国文化の受容を仲介してしまうことになる。[22] 外国文学の翻訳が「もっとも一般的かつもっとももうかる」翻訳であるインドの出版界では、英語以外の欧州語の正典作品は、一般に英語から翻訳されている。[23] 必然的にインドの翻訳は、英語で主流の言説ストラテジーだけでなく、英米の外国文学の正典によって決まってくることになる。

発展途上国において、最大にしてもっとも収益があがるジャンルである教科書では、多国籍企業は教育的価値やその国の文化状況を考えずに、公用語で翻訳やリプリントを出版しつづけてきた。第二次世界大戦後の数十年間、ブラジルのマーケットに足がかりをさがしていたアメリカの出版社は、「イスパノアメリカの子会社用につくられた」教科書を翻訳していた。英国の出版社が「英国で使われていたものか、インドや極東でつくられたもの」をアフリカに輸入したのとまったく同じである。[24] 英国の教科書がアフリカの読者のためにきっちり書かれていたとしても、英国の価値観に忠実であろうとするあまり著者は文化的な差異を無視してしまうかもしれない。たとえば一九三二年には、ロングマン社は小学校の地理の教科書として二種類の版を刊行した。英語のオリジナルと、スワヒリ語訳で、どちらも東アフリカでの使用を想定していた。「内容のある教科書だ」とイギリス人の作者を持ちあげていた当時の評者ですら、翻訳プロセスの煩雑さは非難していた。いわく、作者は「最初からバンツー族のコンテキス

トに配慮して書い」たわけではなかった。◆[25]

商業翻訳の世界では、広告キャンペーンで言語のヘゲモニーを利用することで、多国籍企業が外国のマーケットを生みだそうとしている。アメリカに本拠地をおくパーカー・ペン社は最近、英語（『ニューズウィーク』『ニューヨーカー』）、フランス語（『レクスプレス』）、イタリア語（『レスプレッソ』）、ブラジル・ポルトガル語（『ヴェージャ』）など、世界中の大規模発行部数誌にかなりの数の全面広告を掲載した。全面広告のレイアウトは、縦長の画像二枚をならべた印象的なものだ。左側には立ち姿のパフォーマー（普通、バレリーナかジャズのトランペット奏者）の白黒写真が、Born to Performというキャプションつきで載っている。右側には凝った意匠の万年筆（ゴールドトリム、真珠母のような光沢しあげ）のカラー写真が載り、万年筆は下のJust Like A Parkerというキャプションを指している。この広告は、ある種の文化（バレエ、ジャズ）の威光を嗜好品（ペンの「参考小売価格」は数百ドルである）に置きかえるというシンプルなアナロジーで成立している。ブラジル版はキャプションをより異種的（ヘテロジェニアス）な言語に翻訳することで、このアナロジーをマーケティングの道具として現地でうまく機能するようにしている。ジャズ・ミュージシャンをつかい、Born to PerformをNascido Para Performanceと訳したのだ。◆[26]近年、ポルトガル語にはいってきた英語performanceは、ブラジルでは文化的な事象や表現を指してよくつかわれている。たとえば、スポーツジャーナリストやサッカーファンがa performance do time（チームのパフォーマンス）を評価するさいにつかわれる（timeも英語がポルトガル語化したもの）。

この翻訳はブラジル・ポルトガル語の多言語性と、ブラジルの文化的構成員のあいだの分断につけこむものだ。広告に埋めこまれた英語――ポルトガル語化したperformanceと（キャプションにある）ブランド名Como uma Parkerの両方——は、お高い雑誌の読者層の大半を占める英語を話すエリートにさりげなくアピールするものである（パーカーの広告は、ＩＢＭのノートパソコンとＢＭＷ車のつやつやしたカラー広告にはさまれている）。performanceがほとんどのブラジル人にポルトガル語だととられ、口語的な言い方だと通っているとしても、『ヴェジャ』の教養のある読者は英語に由来する語だと気づくだろう。ゆえにこの広告は、アメリカの製品がブラジルでえた威信を利用しているだけではない。英語から借用したブラジル・ポルトガル語をつかうことで、英語を話すエリートにとって、メジャー言語が擁するだろう威信をも狙っているのだ。エリート読者にとって、この翻訳はペンを欲望の対象に仕立てあげるものだ。採られているのは、ブラジルの文化的構成員のあいだのヒエラルキーを追認するために、二つの言語のあいだのヒエラルキー（英語がブラジル・ポルトガル語の単語のもとになっている）を立ちあげるという手法である。

発展途上国が覇権国の文化や経済に依存している現状を、翻訳が暴露するとして、そこから生まれる無数の副次的な問題は、その依存が（不均衡だとしても）さまざまなかたちこそあれ相互的なものだということも明らかにする。アフリカ、アジア、南アメリカの国々は、欧米の科学、技術、文学テキストの翻訳と輸入をあてにしている。教育レベルにかかわらず、学校の教科書もである。アフリカやインドのような英語圏文化の作家は、英国や米国での文学的、商業的な成功をあてにしている。都市のインテリに認められ、（資金繰りが苦しい地元の出版社のかわりに）自分の本が多国籍出版社に刊行されればいいと思っている。[27] ときに作品の価値が、地元の批評家によって、覇権言語に翻訳されたかどうか、それによって従属文化のために国際的な認知を獲得したかどうかによって判断されることもある。[28]

同時に、英米の出版社の方針——英語のベストセラーへの投資、翻訳権と輸出市場の開拓——は、発展途上国からの収入への依存を高める結果になった。一九七〇年代初頭、ロングマン社は「売上高の八十パーセントを海外からえた」[29]。電子メディアについても同じような指摘ができる。欧米の通信社やアメリカの映画・テレビ会社は情報とエンターテインメントのグローバルな流れを支配するだけでなく（英語にしろ、翻訳吹き替え版にしろ）、支配しつづけなければ利幅を維持することはできない。一九六〇年から八〇年のあいだのユネスコの統計によると、ウォルト・ディズニー・プロダクションは、世界でもっとも翻訳される「作者」ベスト5につねにランクインしていた。もちろん、ここで言う「作者」とは映画関連の会社による出版物にかかってくる。超国家主義はたんに外国の市場に依存しているわけではなく、外国の市場で競争するための効率的な現地語の翻訳の仕方にも依存している。つまり、収益をあげるため、著者性（企業）と出版（タイアップ）を新しいかたちに嵌めるのだ。

トランスナショナル・アイデンティティ

出版社にしろ、製造者にしろ、広告代理店にしろ、多国籍企業が組みこむ翻訳は、根本的にヨーロッパの植民地主義と同じように機能するものである。主たるちがいは、翻訳がいまは国家や商社、布教活動のかわりに企業資本に奉仕するようになったことである。変わらないことといえば、メジャー言語とマイナー言語、覇権文化と従属文化のあいだのヒエラルキーを確立するのに翻訳がつかわれるという点だ。翻訳は植民する側と植民される側、多国籍企業と現地の消費者のような、不平等なアイデンティティ形成のプロセスを策定するのだ。
植民地主義の歴史は場所や時代によって千差万別だが、一貫して――いや、避けがたく翻訳に依存している。キリスト教宣教師や植民地の提督は、教育者や人類学者の助けを借り、先住民の言語のために辞書や文法、正書法を整備して、宗教・法律文書を翻訳するのが慣例だった。十六世紀フィリピンでは、スペイン人司教が、先住民を改宗させるためにタガログ語で説教をおこなった。翻訳は改宗と植民地化を同時に可能にした。とりわけ宣教師が地上での政治的服従を来世での救済に結びつけてからは、キリスト教の神を認める信徒は、聖別をうけたスペイン王にも服従した。[30] しかし宣教師の説教は植民地の言語に権威と威光をさずけもした。鍵となる言葉はラテン語やカスティーリャ語のままとし（Doctrina Christina〔キリスト教の教義〕、Dios〔神〕、Espiritu Sancto〔聖霊〕、Jesucristo〔イエス・キリスト〕）、カスティーリャ語が聖書の言葉、すなわち神の言葉（ロゴス）に近いものとされたように、カスティーリャ語やラテン語にタガログ語が教義上依拠していることをしめしたからだ。[31]
十九世紀後半、イギリス人宣教師は同様にナイジェリアで聖書や、ジョン・バニヤン『天路歴程』のような敬虔な書物をヨルバ語、エフィク語、ハウサ語に訳した。[32] その後、政府が出資した翻訳局が設立され、イギリスの教科書の現地語版が刊行された。[33] ハウサの翻訳局は「まだ口語になじんでいない英語の用語」はみな翻訳せずに残すのが慣行だった（局長は「現地語で読むことしか教えられていないアフリカ人は、見知らぬ、発音できない単語が突然出てきてしまうとひどくまごついてしまう」と認めてはいたが）。[34] だが、その効果は神秘的なものでもあったようだ。とりわけテキストが英語から訳されたものだったがゆえ、未知の語は、ハウサ語ではなく英語を知識の源として、ひいてはすぐれた言語として、暗にしめすものだった。

植民地政府は支配を正当化するために、植民者による被植民者のイメージ、つまりは民族・人種のステレオタイプを刷りこんだ翻訳を用いて覇権を強化した。十八世紀、東インド会社のために働いた学者・判事のウィリアム・ジョーンズ卿は、サンスクリット語の法律文書を訳した。彼はインド人通訳の信頼性を疑い、インドの法律を汚れなき古代に回帰させようとしたからだが、結果として東インド会社の事業を支えることになった。[35]ジョーンズは自分の訳したマヌの『法典』が「正義の公準」として「何百万というヒンドゥー教徒」に課せられ、その「指導が行き届いた産業が、英国の富に多大な貢献をする」ことを望んでいた。[36]ジョーンズの帝国主義的なステレオタイプは後続の英国の学者や翻訳者に広く影響をあたえ、インドに英国式の教育が導入されたあとは、インド人はインド現地語のオリエンタリストによる英訳を学ぶようになり、そういった翻訳の文化的権威と、インド文化の差別的なイメージの双方に従うようになった。翻訳者のニランジャナは以下のように述べている。

英国式の教養を身につけたインド人は英語以外の言語を話すときでさえ、英語のもつ象徴的な力のせいで、植民地的言説をつうじて流布している翻訳や歴史ごしに自分自身の過去に触れるのをむしろ好んだのである。[37]

翻訳は文芸文化に影響をおよぼすものであるがゆえ、植民地政府は自らの支配に都合のいい文学を植民地につくろうと、翻訳を巧妙に利用してきた。二十世紀初頭、オランダは、競争的な翻訳出版プログラムをつうじて、教育を受けたインドネシア人の政治的な同意を引き出していた。急進的な国粋主義者の小説やジャーナリズムを検閲するのではなく、政府が指導する出版社バライ・プスタカは、ヨーロッパのロマンティックな小説（「政治的な内容をふくまない」）の安価なインドネシア語版を出版した。ほとんどが冒険ファンタジーで、人種的ステレオタイプやオリエンタリズム的エキゾティシズムであふれたもので、ライダー・ハガード、ジュール・ヴェルヌ、ピエール・ロティの作品もふくまれていた[38]。ハガードの小説はとりわけこの出版ストラテジーにはまるだろう。その小説で、アフリカ人は子供のように従順か、暴力的かつ野蛮で、白人の登場人物に導かれる必要があるように描かれた。物語は帝国の中で展開するのに、英国の帝国主義は一切描かれない[39]。

この手の翻訳は、急進的な著作物への読者の関心を減退させることで、インドネシアのナショナリズム運動の掘り崩しに手を貸しただけでなく、インドネシアの作家にヨーロッパのロマンスの安易な模倣をうながしもした。アブドゥル・ムイスの一九二八年の小説『西洋かぶれ』は、インドネシア人の劣等感を描き、オランダ式の教育とヨーロッパ人との結婚を避けるよう警告するものだった。このような主張を描くうえで、小説は登場人物の生活を隔てる民俗的・政治的な分断ではなく、登場人物の「心理的な不適合」を押しだすメロドラマ的な筋立てを用いている[40]。

バライ・プスタカ社の翻訳および地元の小説は、オランダによるインドネシアの急進主義の抑圧を幇助する文学観・社会的価値観を広めた。ちょうど今日、英米の出版社の刊行するベストセラーの翻訳が、覇権的な価値観に夢中になるグローバルな読者層を生みだしたのと同じだ。そこには文学のジャンル（ロマンス、スリラー）もふくまれ、しばしば都市圏の消費主義を賛美している。多国籍出版社が享受する覇権は、政治的なものではなく、文化的・経済的なものだ。異論を封殺するのではなく、市場をつくり、搾取するのだ。しかし、アフリカ・アジア・南アメリカから翻訳権の販売で得たセールスを再投資しないかぎり、その出版戦略はどうしようもなく帝国主義的なものにとどまる。

過去四十年間、そういった国々の文学に英米の出版社も関心を寄せてきたが、その結果は複雑なものだった。その主な理由は、英米の出版社がつくりあげた正典とは、かぎられたイメージを提供するものでしかなかったからだ。商業的のみならず批評的に見ても、もっとも成功をおさめた多国籍ベンチャーが、ハイネマン社のアフリカ作家シリーズであることはまちがいない。一九六二年から一九八三年までのあいだに、二七〇の文学テキストを刊行した。[41] ハイネマン社は本シリーズから多額の利益をえており、当初はロンドン本社が差配していたが、最終的にナイジェリアとケニアの支社も関わるものになった。アフリカの国々は独立後、学校の教科書としてシリーズを採用したので、本はアカデミックな権威をえて、広く流通するようになった。一九七六年、ナイジェリアの法律がハイネマン社の所有権を六十パーセントに制限した時点で、イバダン支社の売り上げのみで二三八万ポンドに達していた。一九八二年、ハイネマン社のシェアが四十パーセントまで削減された時点で、支社は依然としてロンドン本社に六万八百ポンドの利益をもたらしていた。[42]

編集者が作品を相当にしぼったせいで、シリーズはアフリカ文学を代表するようなものではなくなった。毎年、三百の原稿から選ばれた、約二十作品が刊行された。[43] 最初のベストセラーは、チヌア・アチェベの小説『崩れゆく絆』（一九六二）の再版だった。アチェベは特に、最初の十年間顧問を務めたこともあり、後続の本の基準になった。しかし一九八〇年代までには、アフリカの読者はシリーズがあまりに「アフリカと欧米の文明の衝突で占められ」すぎていると感じるようになった。これはアチェベの小説のメイン・テーマだった。[44] このような方向づけがされているアフリカ文学に傾注することで、ハイネマン社は都市における文学の発達を閑却していた。それは、授業で採用されるようなアカデミックな権威づけはないが、むしろ脱植民地化以降のアフリカのリアルな描写を狙った大衆的な小説だ。こうした小説は、ディケンズやバルザックと比較したくなるようなものだった。つまり「都市で財を成し、伝統的な農村生活よりも、教育を身につけ、物質的成功をおさめようとする若い世代の夢と野心を描いていた」。[45] 言語の覇権を決定的なものにする動きとして、ハイネマン社はアフリカ諸言語からの翻訳を排除し、シリーズを英語・フランス語テキストにしぼった。

結果として生まれた正典は、冷戦期に左派の知識人のあいだで流行した「第三世界」という、どう見てもヨーロッパ側のイメージを反映したものになった。第三世界とは、まさに冷戦期にはじめて提唱された概念だ。アメリカの資本主義とソ連の共産主義（「第一」と「第二」の世界）双方から独立した「第三の道」を国際社会に模索していたヨーロッパ人たちは、アフリカ・アジア・南アメリカのナショナリストによる反植民地運動の結果生まれた非同盟主義に、自分たちの願望を投影したのだ。[46] 同じようにハイネマン社がつくりあげたアフリカ文学のイメージは、文化の衝突を強調する反植民地主義と、民族の伝統に近代的な都市文化があたえたインパクトを疑問視するナショナリズムだった。このシリーズは欧米の出版社、読者、教師のことを、民族自決を目標におく血気盛んなアフリカの作家と連帯する、政治活動をおこなう知識人と定義していた。このシリーズを立ちあげ、アフリカの支社を設立したハイネマン社の会長のアラン・ヒルは、自社の出版ストラテジーは脱植民地化のプロセスに貢献するものと考えていた。自分のモチベーションを「ラディカルな、非順応主義の、宣教師的倫理観」と表現したヒルは、英語の教科書をアフリカで売って利益をえているくせに、現地の作家に投資せずに「なにも返さない」ほかの英国の出版社を批判していた。[47] そしてヒルは「競合他社は植民地あつかいして従わせるのを好んだが、私は［地元の支社のディレクターに］自治権をあたえた」とも回想している。[48]

ハイネマン社の事例は、マイナー文学の欧米の正典が、その文学のきわめて欧米的な表象を生んだというだけでなく、都市の知識人の文化的アイデンティティを形成しうるという事象をしめすものだ。この正典は、英語テキストや英訳に投影された理想と同一化するプロセスから生じたものだ。言いかえれば、純粋な商取引と同様、文化・政治プロジェクトと結びついた、はっきりと国内の価値観である。ハイネマン社のヒルは自分のラディカルな、宣教師的な倫理観が、アフリカの支社に独立をゆるしたと考えていた。もちろん、支社の出版が、ほかの多国籍出版社との競争に適うものだというのが前提条件ではあったのだが。

米国で一九六〇年代から七〇年代にかけておこったラテンアメリカ文学のいわゆる「ブーム」を牽引した出版社、作家、批評家は、リアリズムよりもその幻想小説的、実験小説的な作風を評価したが、前者こそアメリカ小説ではつねに主流だった。ブームはラテンアメリカで出版される文学が急に増えたから起こったわけではなく、もともと北米が生みだしたものだった。民間の資金援助で英訳が急に増えたのである。[49] アルゼンチンのホルヘ・ルイス・ボルヘスやフリオ・コルタサル、コロンビアのガブリエル・ガルシア・マルケスのような作家の作品の翻訳をつぎつぎと波のように刊行し、英語で外国文学の新たな正典をつくると同時に、より洗練された読者層をもつくったのだ。

このトレンドがつづいたのは、経済のメタファー(「ブーム」)がしめすように、ひとつには翻訳が儲かったからだった。グレゴリー・ラバッサによるガルシア・マルケスの『百年の孤独』の英訳(一九七〇)の成功は目覚ましかった。ペーパーバックはベストセラーになり、最終的には大学で教科書として採用された。[50] しかしラテンアメリカ文学の流入は米国の同時代小説をも変えていった。ジョン・バースのような作家に同じような語りの実験を突きつめるようにうながしたのだ。バースはラテンアメリカの作家が、伝統的なストーリーテリングの形式の「枯渇」の処方箋を提供してくれていると感じた。つまり、「マジック・リアリズム」というかたちでその「補充」をし、いままでよりも広い共通の自己認識をつくりだしたと考えた。[51] 英語小説は、北米文壇の症状を元に切りだされたラテンアメリカ文学のイメージの中で自己像を再生したのだ。

しかし結果生まれた正典は、この再生に役立たない文学を排除するものだった。ブームは主としてスペイン語文学の翻訳の増加によるものであり、現代ブラジル文学の発展は閑却していた。一九六〇年から一九七九年までのあいだ、英米の出版社は三三〇点のスペイン語書籍の英訳を刊行したが、ブラジル・ポルトガル語からは六四点しかなかった。[52] スペイン語に関心が集中したのは、一九五九年のキューバ革命以降ラテンアメリカに国際的な関心が集まったことが理由だが、なかでも特に北米の知識人はスペイン語圏文化を「公正な社会をめざす普遍的な闘争のための政治的エネルギーの源」と見なしていた。[53] だが、ブームは男性作家を大きくとりあげるものでもあった。これはおそらく、アメリカ文化における男性中心主義が反映していた——つまり、ラディカルな実験と男性性を同一視し、おかげでアルゼンチンの女性作家シルビーナ・オカンポの似たような作品は世に知られなかった。その幻想的な小説は、オカンポの共同制作者だったボルヘスや夫のアドルフォ・ビオイ・カサーレスと同じくらいどこまでも革新的なものだったが、一九八〇年代後半まで英訳されなかったのである。[54] 同時期、ブラジルの女性作家クラリッセ・リスペクトルの評価の高い作品が英語でも出版されるようになり、三年間に六点の翻訳が刊行された。[55] リスペクトルの作品は、ファンタジーを避けて、女性の主観にもとづいてよりリアルな感情にうったえるもので、現在英米文化圏でえているような正典の地位を当時は（特に学界では）獲得していなかった。フランスのフェミニスト理論家エレーヌ・シクスー（リスペクトルの作品をフランス語訳で最初に読んだ人間）が、その作品を支持したことで状況は一変した。リスペクトルが正典化されることで、彼女を研究する都市部の知識人は、フェミニストでありながら同時にポスト構造主義者であるという異なるアイデンティティを形成することになった。こうした人々はリスペクトルの作品に、家父長的な価値観に対する批判が、シクスーが「女性的エクリチュール」として理論化したテキスト性によって表現されているのを見いだした。[56]

都市部の知識人は発展途上国を文化・政治的価値観の発信源と見なしてきた。自国でプロジェクトを考案するのに有用だし、実際に国内の主体や、（読者の考えや趣味だけでなく）自分自身の知的アイデンティティを形成する役にも立つ。こうした流用はたんに利己的なものとして非難できない。そのプロジェクトは国内の主流の価値観（たとえば植民地主義や男性中心主義）に遠まわしにではあれ挑むものになっていることがあるだけでなく、従属的な文化に国際的な関心を集め、一部の文学テキストや文学史の流れを、世界文学の広く知られた正典に加えるからだ。だが都市部の知識人の動機のおもとに国内の関心や議論があるかぎりは、それがグローバルな覇権に反するものだったとしても、従属的な文化から切りとってきた表象を——文化なり商業なり、政治なり精神なりの——投資の対象として押しださずにはいられない。翻訳の傾向が、覇権国と発展途上国の双方の異文化認知の枠組をつくりだし、盤石のものにする。だが、それらの国々が位置どりをする言語的・文化的ヒエラルキーをとっぱらうことはどうあがいてもないのだ。

抵抗としての翻訳

だが、グローバル経済において従属的な立場にいたとしても、服従を甘受していると見なしてはならない。植民地体制にあって、翻訳の機能は極度に多様化し、効果は予測不能になり、押しつけられた差別的なステレオタイプを回避したり、書きかえたりする言説空間を、いつも被植民者に用意するのだ。抵抗の余地は、植民地の言説の両義性に本質的についてまわる。それは、被植民者のアイデンティティをつくりだして、植民地の価値観をまねさせるようにする。だが同時に、一部を切りとったものであり、不完全でバイアスがかかったものでもあり、似姿のはずが似ても似つかないもの、監視と規律を必要とする雑種(ハイブリッド)で、潜在的な脅威としてのあつかいを受けるものでもある。[◆57] この両義性は、福音主義プログラムや文明化ミッションは、政治支配がかたちを変えたものだとしめしながら、植民地の権威を失墜させる。ゆえに被植民者に差しだされた宗教や国家のシンボルは、イデオロギーにまみれたものとして、空虚な記号にすぎないものに成りはててしまう。[◆58] 翻訳のまたとない効能は、植民地的な言説がはらんだ緊張を募らせることにある。なぜなら、植民地と被植民地の言語を行き来することで、アイデンティティ形成のプロセスや、植民地化の根拠となる主流の価値観への擬態を攪乱しつつも、言語間の文化・政治的ヒエラルキーをなぞってしまうからだ。

ゆえに翻訳は、イギリス帝国主義の言説においてもつねに心配の種だった。記念碑的プロジェクト（ヒンドゥー教法典のジョーンズによる英訳）や重要な議論（植民地教育の言語について）はその規制や規定に関するものだった。一八三五年、東インド会社の理事であるトマス・マコーレーは、英国のパブリック・スクールのカリキュラムの導入が、英国のインド統治には不可欠だと論じた。マコーレーの想像では、この教育によって「我々と我々が統治する数百万の人々の通訳となるだろう階級」である現地人の翻訳者のエリート集団が生まれるはずだった。[59] マコーレーはこういった翻訳者のことをイギリス化されていても人種的に疑ってもいた。その考えによれば、「血と肌の色はインド人だが、趣味、意見、道徳、知性は英国人であるこの階級」は、「彼ら自身の血に流れる偏見の影響」からまぬがれるために、アラビア語やサンスクリット語のような母国語を勉強するのをやめなくてはならなかったのだ。[60]

マコーレーにとって、英語で教育を受けようとも、通訳は結局のところ地元の国民文化を打ちたてる存在だった。その知識と英語書籍の翻訳によって、「西洋から借用した学術用語」が用いられるようになり、国民文学が生まれ、「現地語を洗練」させ、「富ま」すことができるようになったというわけだ。マコーレーはこう書いている――「モアやアスカムの同時代人にとってのギリシャ語やラテン語が果たした役割を」、「我々の言語がインド人にとって果たすのだ。英国文学はいまや遥かなる古典よりも価値があるのだ」。[61] 明らかにこの翻訳プログラムが涵養したナショナリズムは、英国的なものであると同時に英国文学史への敬意だった（少なくとも、インドナショナリズムやインド文学史を触発する以前の当初は）。

ゆえにマコーレーの翻訳者が担った帝国の機能もあいまいになってしまった。

植民地化の過程では、翻訳はかくもさまざまなかたちをとり、かくもさまざまな道具(文法、辞書、語学の教科書)を働かせるので、その影響を予期したり、コントロールするのはほとんど不可能だ。そのうえ被植民者は、植民者の言語を学ぶための金銭的インセンティブがなかったり、支援を受けられなかったりするかもしれないし、あるいはただ単に学ぶのを拒絶するかもしれない。植民者と同席するのを避けたり、逆にそれを交渉するための手段として、被植民者はその言語をたがいに教えあうかもしれない。一九〇三年、約四百年にもわたるスペインの支配のあとでも、カスティーリャ語を理解するフィリピン人は人口の十パーセントだけだった。[62] あるフィリピン人——十七世紀の印刷業者トマス・ピンピン——が執筆した最初の本は、実のところタガログ語によるカスティーリャ語教科書だった。ピンピンは植民者の言語を流暢に話す術を教えようとしたのではなく、むしろスペインの圧政に抗してその言語を「娯楽と自衛」に役立てる術を教えようとした。もちろん、ドミニコ会の出版所から出ている本では絶対に載っていないことだった。[63] 自分の読者にピンピンが教えようとしたのは、植民者をまねするという観点からのカスティーリャ語の研究であり、スペインの存在がタガログ人のアイデンティティの形成に異質なプロセスを導入したことを暗に認めるものだった。ピンピンが植民者を相手にする不安を訴えたのはまちがいのないところだ。

Di baquin ang ibang manga caasalan at caanyoan nang manga Castila ay inyong guinalologdan at ginagagad din ninyo sa pagdaramitan at sa nananandataman at paglacadam at madlaman ang magogol ay uala rin

hinahinayang cayo dapouat macmochamocha cayo sa Castila. Ay aba itopang isang asal macatotohanan sapangongosap nang canila ding uica ang di sucat ibigang camtam? [. . .] Di con magcamomocha nang tayo nila nang pagdaramit ay con ang pangongosap ay iba, ay anong darating?
スペイン人の服装や、腕の振り方、歩幅まで外見を好み、真似しているのなら、スペイン人そっくりになるのに多くを費やすのをためらわないのはまちがいないでしょう。だったら、その言語というもうひとつの特徴も習得したいと思うのでは？［……］たとえば、私たちがむこうと同じ服装をしているのに話す言葉がちがったら、どうなるでしょうか？◆[64]

ピンピンは、タガログ人がカスティーリャ語をまちがって理解し、発音すると「どうなる」か、その不都合な結果について多くを語らなかった。しかしピンピンは、相手のスペイン人に馬鹿にされたり、肉体的な暴力をふるわれることがあるとさえもはっきり書いている。◆[65] カスティーリャ語をちがった風に話せば、植民者の権力から逃れる雑種性、つまりは文化的差異を押しだすことになる。つまり植民者の価値観を模倣することで差異を消し去ろうとしたはずが、かえって誇張してしまい、逆に抑圧を引きおこしてしまうのだ。

ピンピンの教育でもっとも大きなあつかいを受けたのは、タガログ語とカスティーリャ語のちがいだったが、おそらくレッスンのあいだに挿入されたマカロニ体の歌よりも効果をあげたものはないだろう。タガログ語の詩につづいてカスティーリャ語の訳が記されている。つまりタガログ語は、遅れてくるスペイン語訳にかわって第一の、「オリジナル」言語として提示されている。

Anong dico toua, Como no he de holgarme;
Con hapot, omaga, la mañana y tarde;
dili napahamac, que no salio en balde;
itong gaua co, aqueste mi lance;
madla ang naalman; y a mil cossas saben;
nitong aquing alagad, los mios escolares;
sucat magcatoua, justo es alegrarse;
ang manga ama nila, sus padres y madres;
at ang di camuc-ha, pues son de otro talle;
na di ngani baliu, no brutos salvages.
[. . .]
O Ama con Dios, O gran Dios mi Padre;
tolongan aco, quered ayudarme;
amponin aco, sedme favorable;
nang mayari ito, porque esto se acabe;[66]
at icao ang purihin, y a vos os alaben.
〔タガログ語／カスティーリャ語〕

ああ、なんと幸せなんだろう、／なぜ浮かれてはいけないんだろう、
昼も朝も、／朝も昼も、
私のこの仕事には、／私のこのやりとりは、
危険なんぞないんだから。／無駄なんかじゃないんだから。
信奉者のおかげで、／この私の学生たちのおかげで
たくさんのことがわかるだろう。／千ものことがわかるだろう。
まさにその両親の／父親や母親を
よろこびだ、／まさによろこばすのだ、
自分たちのようではない人々もいるが、／というのも自分たちは別なのだ、
彼らは狂ってはいないのだ。／野蛮な獣ではないのだから。

「……」

おお神よ、おおわが父よ、／おお偉大なる父なる神よ、
助けたまえ。／どうか助けたまえ。
私を選びたまえ。／私によくしてくれ。
ことを成し遂げられるようにと。／ことを終えられるようにと。
そうすればあなたを讃えます。／そしてあなたは称えられるでしょう。

この歌は、タガログ語とカスティーリャ語の両方に通常の韻律と母音韻の脚韻構成をあてはめることで

韻をそろえている。結果として、植民者の言語は、スペイン人神父のタガログ語説教が持っていた特権を失うことになる。この歌は二つの言語を「ラテン語のような主の言語や救済の約束のような単一のメッセージに結びつけるわけでもなく、脚韻と韻律をひたすら守ることに徹させている」[67]。

その上、タガログ語からカスティーリャ語に移すさい、意味のずれがあり、祈りのような歌をキリスト教聖歌のふざけたパロディにしてしまう恐れがあった。タガログ語では「信奉者」を集めようとするピンピンの試みには漠然とした「危険」がつきまとう。ピンピンはこうした人々をスペイン人の言語を学ぶのだから「狂ってはいない」と擁護する。他方で、カスティーリャ語訳では「学生」を惹きつけられなければ、そのプロジェクトは「無駄」になるかもしれない。こうした学生たちの願いは、「野蛮な獣」でなくなるためにスペイン語を身につけたいというものだった。タガログ語では、敵意をもったものに映りかねない言語学習や言語使用——タガログ人の自治に背くかもしれない、あるいはスペイン人植民者への反抗の手段となるかもしれない——に神の加護が求められていた。他方でカスティーリャ語では、神は植民者の権威へのよりナルシスティックな服従——つまりは、文明化する言語との一体化——を祝福するよう求められていたのだ。ピンピンの教科書にはスペインの支配体制への攻撃は、少なくとも表立っては一切ふくまれていない。しかし教科書はタガログ人の読者に、自分たちが服属している言語・文化・政治的ヒエラルキーを始終意識させるものになっている。

植民者の言語を押しつけることで結果的に、雑種的(ハイブリッド)な文学形式が出現するようになった。こうした文学が生まれた現地の著者性という概念には、その定義を問い直すような翻訳の一種もはいりこんでいる。ヨーロッパ言語で書かれた西アフリカの小説には時折、「トランスリンガリズム」という特徴が見受けられる。これは、英語やフランス語のテキストごしに、現地語の語彙や構文の痕跡がうかがえるような作品のことだ（ピジンや現地語の単語やフレーズをそのまま埋めこむのとは話が別）[68]。一九五〇年代初頭、ナイジェリアのエイモス・チュツオーラは英語で作品を執筆し、ヨルバ族のフォークロアと文学を、さまざまなヨーロッパの正典テキストと融合させた。対象となったのは特に『天路歴程』と、エディス・ハミルトンが一九四二年に刊行したギリシャ・ローマの神話集の『古代世界の神々』だった[69]。しかしチュツオーラが自分の小説の型として用いたのは奇抜な散文だった。そこでチュツオーラは、ヨルバ語から英語への翻訳を繰りかえしつつも、体系だてはしなかった。奇抜さの理由には、チュツオーラの英語教育が限定されていた（だいたい中学レベル）というのもあるが、ヨルバ語表現を英語への直訳にたよっているせいでもある。多くの場合、借用語は英語を見慣れないかたちに変えてしまう[70]。チュツオーラの最初の本『やし酒飲み』（一九五二）から、典型例を引いてみよう。「やし酒飲み」は亡くなったやし酒造りの名人を探して摩訶不思議な旅にでるが、途中で死神と出会い、泊っていくように招かれる。

when I entered the room, I met a bed which was made of bones of human-beings; but as this bed was terrible to look at or to sleep on it, I slept under it instead, because I knew his trick already. Even as this bed was very terrible, I was unable to sleep under as I lied down there because of fear of the bones of human-beings, but I lied down there awoke. To my surprise was that when it was about two o'clock in the mid-night, there I saw somebody enter into the room cautiously with a heavy club in his hands, he came nearer to the bed on which he had told me to sleep, then he clubbed the bed with all his power, he clubbed the centre of the bed thrice and he returned cautiously, he thought that I slept on that bed and he thought also that he had killed me.

その部屋に入ってみると、ベッドというのは実は人間の骨でできていた。それを見ただけでも、またその上で寝るのだと思っただけでも、背筋がゾッとしてきたので、わたしはベッドの下でねることにした。彼が何か策略を企んでいることがわかっていたからだ。ベッドが恐ろしくて下に寝たものの、それでも人間の骨が怖くて下でもねむることができず、目をさましたまま横になっていると、ま夜中の二時頃に、驚いたことに誰かが重いこん棒を手にして、あたりの様子をうかがいながら、部屋にはいってくるではありませんか。その男は、わたしにねるように言いつけてあったベッドの近くまでやってきて、全力をふりしぼって、こん棒でベッドの中央部を二度、三度と叩きつけ、足音を忍ばせながら帰って行った。彼は、わたしがそのベッドにねているものと思い、わたしを殺したものと思いこんでいたのだった。[◆71]

この一節には英語の非標準用法や誤りがふくまれるが、チュツオーラの受けた英語教育が不十分で、その英語の運用にむらがあるせいである。誤りが少なくともひとつある。I lied down there awoke には、チュツオーラが言語の差に苦しんでいる様子がにじみ出ている。ヨルバ語にある単語の形態変化を補おうとするあまり、英語にはないかたちにしてしまっている。lied のあとなのに動詞 awake を awoke にしてしまっている。[◆72] ほかにもいくつも変わった点はある。I met a bed、two o'clock in the mid-night、to my surprise was that——これらはヨルバ語の単語やフレーズを直訳したものである。[◆73] I met a bed は mo ba bèèdéを訳したものだ。ここの動詞baは「会う」だけでなく「出会う」、「発見する」、「追いつく」のようなさまざまな意味がある。[74] ほかにもチュツオーラは奇妙な英語のくみたてを用いている。「森林また森林の旅をつづけていた we were travelling inside bush to bush」は、ふたつの慣用表現がごっちゃになったものだ（inside the bushとfrom bush to bush）。チュツオーラはヨルバ語のláti inú igbo dé inú igbo（字義通り訳せば「森の中から森の中へ」）を直訳しているからだ。[75]

このような借用語は、第二言語習得の過程でもときたま起こり、一種の「中間言語（インターランゲージ）」を生みだす。これはたとえば移民のような、主要言語や標準方言の運用能力が弱いマイノリティが用いるものだ。[76] 植民地体制下で、このような行為が政治性を帯びないわけはない。チュツオーラの翻訳は英語にヨルバ語を刻印する。この行為によって、かなりの数の話者（約千三百万人）がいるにもかかわらず、大英帝国の下ではマイノリティの地位に甘んじさせられていた現地語の存在を、植民者の言語の構造そのものに刻みこむのだ。

コロニアル文学・ポストコロニアル文学は、翻訳をもふくむかたちで著者性を再定義するので、著者のオリジナリティというコンセプトに暗に挑戦するものになっている。これは、ヨーロッパのロマン主義の不可侵の教義であって、グローバル経済の中で文化がどの位置を占めるにせよ、いまだに主流でありつづけているものなのだ。チュツオーラの小説の根幹には流用（アフリカとヨーロッパの題材の使用に加え、アフリカの言語の英訳）があるが、借用語は意図的なものではない。借用語は、チュツオーラがおかれたコロニアルな状況からくるダイグロシアのせいでおこった、意図せざるものである。そしてロンドンの出版社のフェイバー・アンド・フェイバーは、目につく新語や非標準用法の構文をほぼそのままにしている。[77]

チュツオーラの小説にある翻訳は、その作品をユニークな自己表現として見る邪魔になる。チェッツオーラの評価をめぐっては賛否両論がおこったが、このことは批判的な側に根強かった、ロマン主義的なオリジナリティのとらえかたに一石を投じるものでもある。一九五〇年代から六〇年代にかけて、英米の書評家はチュツオーラを教育なき「天才」と誉めそやし、革新的な「幻視者」として、その作品を『アナ・リヴィア・プルーラベル』、『不思議の国のアリス』、ディラン・トマスの詩」に匹敵するものとした。[78] 他方でアフリカの批評家は、チュツオーラを知っていた民話をたんに書きなおしただけの芸のない通俗作家と切り捨てた。あるアフリカ人読者はこうこぼしている——

アフリカの物語を「いい英語」で書こうとするのは悪いことだが、チュツオーラ氏のヘンテコなことばで書くのはもっと悪いことだ。[79]

チュツオーラは海外の読者の獲得と分断を同時におこなった。その作品は覇権文化では失格の烙印を押される類の文章であったが、それにもかかわらずそうした文化で認められた文芸作品の概念や文学史にうまくはまるようなものでもあった。チュツオーラの著者性は自己発生的なものでも個人主義的なものでもなく、二次的で集合的なものであり、さまざまな口承文芸や、英国支配下で教育を受けていないナイジェリア人作家にもなじみのあるような文学を加工した点に特徴がある。

同じようにチュツオーラの翻訳も、「アフリカの身の毛もよだつような実際のエネルギー」を表現していると持ちあげるヨーロッパ中心主義的な観点からか、[80]「民族の純潔」からの逸脱だと批判するアフリカ中心主義的な観点からか、いずれにしても小説が真実の文化を表現したものだとは見なされない原因になっている。[81]ヨルバ族の民話や文学にチュツオーラが頼っているといっても、借用語はけっして特定のヨルバ語テキストを訳したものではない。チュツオーラの奇抜な英語のうらに現地語の厳密なオリジナルが存在するわけではない。実際、語彙や文体を見てみても、ヨルバ語はもともと異種的な言語であって、英語からの借用語をふくんでいた。たとえばチュツオーラが用いる、ヨルバ語の igbo risafu を翻訳した「仕置場専用森林 reserve-bush」という造語は、risafu 自体が英語からの借用翻訳である reserve からつくった造語でもあった。[82]チュツオーラの翻訳が生みだしたこのような文体上の特性は、民族的・人種的本質の隠喩などではなく、文化の狭間に横たわる差異の換喩なのである。こうした特性からわかるのは、英語とヨルバ語の狭間にチュツオーラのテキストが立っているということである。それは同時に英語の植民地的押しつけの限界と、英国の価値観をまねしてアイデンティティを形成する手法の破綻をあばくものになっている。

チュツオーラの創作では我知らずおこなわれていたトランスリンガリズムは、ほかのマイノリティ文学では政治的な意図をもって用いられている。おそらく、もっとも典型的なのはアラブのフランス語作家だろう。英国植民地の教育者は現地語での読み書きを奨励したが、[83]フランスは政策で植民地のエリートを同化し、「アフリカの言語を書いたり、教えたりすることを抑圧した」ので、結果今日でもフランス語はいまだに北アフリカでは有力な文芸言語の座を維持している。[84]だがフランス語はしばしば翻訳をつうじてアラブの題材を吸収し、その過程で自分自身も変容してしまう。モロッコの作家ターハル・ベン・ジェルーンの小説『聖なる夜』（一九八七）では、イスラム教の祈りの定型句のフランス語訳が作中に組みこまれる。それによってベン・ジェルーンは「フランス語を、フランス語しか話せないネイティヴスピーカーに「異質なもの」として提示すると同時に、自分が訳した祈りの文句をブラックユーモアすれすれの場面でつかうことで、冒涜しているのだ」[85]。ベン・ジェルーンのフランス語における翻訳は、かつての植民者の言語文化と、植民地の宗教の教義の両方を侵犯するものなのだ。

西アフリカでは、ナイジェリアの作家ゲイブリエル・オカラの小説『声』（一九六四）が、同様の言語実験を推しすすめている点でユニークだ。自ら「アフリカのアイデア、アフリカの哲学、アフリカの民話やイメジャリーを可能なかぎり活用することを信条とする作家」だと任じるオカラは、「それらをうまく使う唯一の道は、作家の母国語であるアフリカの言語から表現手段として用いているヨーロッパ言語（それが何語であれ）へとほぼ直訳してやることだ」と述べている[86]。実際には、オカラは英語で、イジョ語の語彙・構文上の特徴を再現する文体を用いるという、きわめて選択的な手法が採っている。

以下に代表的な箇所をいくつか抜粋してみる。

Okolo had no chest, they said. His chest was not strong and he had no shadow.

みな、こんなことを言いだした——オコロには胸がない。オコロの胸には力がない。オコロには影がない。

Shuffling feet turned Okolo's head to the door. He saw three men standing silent, opening not their mouths.

"Who are you people be?" Okolo asked. The people opened not their mouths. "If you are coming-in people be, then come in." The people opened not their mouths. "Who are you?" Okolo again asked, walking to the men. As Okolo closer to the men walked, the men quickly turned and ran out.

かさかさという足音で、オコロはドアのほうに頭をむけた。見ると、三人の男が黙ったまま立っていて、口も開こうともしない。「いったいどなたかな?」オコロはたずねた。三人は口を開かなかった。「部屋に入ろうってな人なら、入ればいい」三人は口を開かなかった。オコロが男たちの方に歩いていくと、踵をかえして逃げていった。

He had himself in politics mixed and stood for election.

彼は自分を政治にまじわらせ、選挙に立候補した。

The engine man Okolo's said things heard and started the engine and the canoe once more, like an old man up a slope walking, moved slowly forward until making-people-handsome day appeared.

機関士はオコロの言ったことを聞いて、もう一度カヌーのエンジンを始動させた。坂道をのぼっていくおじいさんのようにゆっくり前進すると、人々の顔だちをよく見せるお日さまが顔を出した。

◆87

He was lying on a cold floor, on a cold cold floor lying. He opened his eyes to see but nothing he saw, nothing he saw.

彼は冷たい床に寝ていた。冷たい冷たい床に寝ていたのだ。目を見開いてみたが、なにも見えなかった。なにも見えなかった。

オカラはイジョ語の慣用句を直訳しただけでなく（had no chest、had no shadow）、英語とは逆の語順や動詞が連続するフレーズを模したり（Who are you people be?）、強意のためにくりかえしにたよったり（cold cold floor）、複合語（coming-in people）を用いたりした。[88] 同時に、オカラはイジョ語の特徴を再現している場合であっても、英語文学史に共鳴するような用法を用いることもある。倒置に、changeth のような初期近代英語的な用法もあいまって、「主の成された御業がどれほど偉大だったか言ってやりたまえ Tell them how great things the Lord hath done」という文章には『欽定訳聖書』にも似た古風さがそなわっている。[89] そして合成語はジェラード・マンリ・ホプキンスやディラン・トマスのようなモダンな詩人を思いおこさせる。両者とも、詩人でもあるオカラのお気に入りである。[90]

オカラの翻訳はチュツオーラよりもはるかに計算しつくされたものであり、覇権言語を破壊した。イジョ語に近づけることで、英文学史をポストコロニアルなコンテキストに置きなおし、オカラは英語を異化（デファミリアライズ）したのだ。現地語での読み書きを奨励するために、宣教師が正典テキストを用いたという過去もその中にはふくまれる。オカラの理想の読者は、高度な英語教育を受けたイジョ語話者のエリート、つまりバイリンガルだと見てよい。しかしイジョ語がかなり小規模なマイノリティにしか話されていないがゆえ、イジョ語の知識はないが、それでも自作の詩的雑種性を評価してくれる英語読者に主に念頭に置いて、オカラは書くことになった。オカラは英語のグローバルな覇権を利用して、この読者の関心を、独立後のナイジェリアではびこる独裁政権というローカルだが喫緊の話題に集めたのだ。『声』でオカラが挑む村長は、個人崇拝を利用し、英国や米国、ドイツで教育を受けた老人の助言にしたがうことで村を治めているのである。

モダニティを翻訳する

（ポスト）コロニアルな状況における翻訳が解き放つ雑種性は、実際にヘゲモニックな価値観を侵食し、ローカルな変種のもとに置いてしまう。しかしこのような翻訳の文化・社会的影響力は、ほかの要素によって必然的に制限される。とりわけ翻訳されたテキストのジャンルとその受容によるところが大きい。ピンピンの語学教科書がタガログ人読者に訴えたのは、反植民地をかかげてカスティーリャ語を学習しようというよりは、スペインの支配に対して想像力で埋め合わせを試みるものだった。つまり、「娯楽と自衛」のため言語の覇権を微妙に組みかえるのである。チュツオーラやオカラのトランスリンガルな散文が、西アフリカの小説のトレンドになるようなことはまったくなかった。アフリカの口承伝説やその他アフリカの言語を流用する作家はチヌア・アチェベの例にならい、大半が標準英語で書かれた小説においてコード・スイッチングをする。◆91

覇権的価値観を雑種化する翻訳が、文化を刺激して刷新・変化を誘発するのは、植民地の伝統の流れを変え、エリート知識人だけでなく、ほかの構成員のアイデンティティも鋳なおすときだけである。フランコフォニー文学にアラブの題材を用いるベン・ジェルーンの手法は近年の北アフリカ小説によく見られるが、特にその作品はフランスの知識人から高い評価を受け、『聖なる夜』は一九八七年のゴンクール賞を獲得した。だがこうした動きがフランス文学の正典を変革するものなのか、変化を抑制するものなのか、まだよくわかっていない。フランソワ・ミッテラン大統領はベン・ジェルーンの受賞を「普遍なるフランス語へのオマージュ」と見た。ポストコロニアルな異種性が原因で排除されていたフランコフォニー文学の復権とはとられなかったのだ。[92]

従属文化で翻訳が引きおこしたもっとも決定的な変化とは、おそらくは新たなコンセプトやパラダイムの輸入であって、とりわけそれが顕著になるのが長くつづいた伝統（話し言葉にせよ書き言葉にせよ）から、近代的な時空、自己と国家の概念への移行をうながしたときだろう。二十世紀初頭の中国では、最後の王朝の清が終焉の時をむかえていた。この時代、外国文学を輸入することで国民文化をつくりだそうとした翻訳者は枚挙にいとまがない。中国の翻訳者は、西洋の小説や哲学を次々に紹介することで、近代化というプログラムを追求したのだ。

中国の出版社が刊行する小説の量は、一八八二年から一九一三年のあいだに急激に増加した。翻訳はその三分の二、一一七〇冊中六二八冊を占めていた。[93] 訳者のなかで、最大の影響を誇ったのが林紓（一八五二―一九二四）である。林紓は多作で、一八〇にもおよぶ西洋文学のテキストを訳したとされている。なかにはダニエル・デフォー、ヴィクトル・ユーゴー、ウォルター・スコット、ロバート・ルイス・スティーヴンソン、アーサー・コナン・ドイルのような作家の作品もふくまれる。[94]

林紓自身は西洋語を解さなかった。清朝後期の出版の慣例として、林紓は語学に堪能な人間と協同し、口頭で訳すのを聞いて即座に古文訳した（「文言」[95]）。その翻訳手法は徹底して同化的なものだった。林紓は容易に中国化できるもの——中国の伝統的な価値観に同化できる外国のテキストを選んだ。特に古典文語と儒教的な家族中心の道徳に適合するものである。林紓はディケンズの『骨董屋』を儒教の徳である孝行の説話として読み、一九〇八年に『孝女耐兒傳』という題で翻訳した。[96]

一八九九年、林紓の翻訳家としての最初の作品となったのが、アレクサンドル・デュマ・フィスの感傷的なロマンス『椿姫』で、儒教の忠を感情豊かに描いたものとして大いに評価していた。驚くべきことに、林紓はデュマのヒロインである高級娼婦マルグリットと中国の伝説的な忠臣二人をひきくらべている。つまり、自分が外国のテキストに刻みこんだ価値観とはたんに伝統的なものではなく封建的なものであり、清の皇帝への忠誠心をあらわしたものだとしたのだ。

私は以前『茶花女遺事』を訳した際に、筆を投げ捨てて泣き叫ぶこと三度に及んだ。世の中の女性の志が、士大夫のそれよりも堅固だと思ってのことである。士大夫の中でも関龍逢や比干のように忠を尽くし義を極め、百回死んでも志を曲げることのない者であってこそ、ようやくマルグリットと競うに足りるのだ。思うに、マルグリットがアルマンに仕えたさまは、まさに関龍逢や比干がそれぞれ桀王、紂王に仕えたさまそのものである。桀や紂は関龍逢や比干を殺したけれども、関龍逢や比干は後悔しなかった。それは、アルマンがマルグリットを殺そうとも、マルグリットが後悔することなどあろうはずもないのと同じなのである。だから私は言うのだ、この世の中でも関龍逢や比干のような者であってこそ、ようやくマルグリットと競うに足りるのだ、と。[97]

林紓による娼婦の美化は感傷的なもので、『論語』のミソジニーとは程遠い。その『論語』の一節（一八－二）で、孔子は比干の死に触れて、「仁」の一人として称賛したのだ。殷王朝最後の王である暴君紂王を強く諌めて殺された人物だ。[98]

林紓の学者－翻訳家としてのアイデンティティは、デュマ作品のヒロインへの儒教的な共感によって形成された。それは当時の士大夫よりも、自分の方が上手に皇帝に仕えているという林紓の執心がにじみ出たものだった。これは、林紓が進士にはなれず高官の地位にはつけなかったため、役人ではなく作家として役立とうとしたがゆえである。[99] 林紓の「文言」とその翻訳の儒教精神は、まさに皇帝の権威が政治や制度の変化によって厳然と切り崩されている時代にあって、封建的な文化を立て直したいという意図がこめられていた。十九世紀初頭以降中国は西洋から侵略され、交易でも食い物にされていたが、林紓の翻訳が刊行されはじめたのは、日清戦争で中国が惨敗し（一八九四－九五）、義和団事件が八か国連合軍によって鎮圧された（一八九八－一九〇〇）直後のことだった。おそらくさらに重要なのは、林紓が科挙が廃止された一九〇五年以降もながらく翻訳をつづけたことである。公的な、教育的な言説で古典中国語を用いるための屋台骨となる制度が失われたのだ。[100] 林紓や厳復（一八五三－一九二一）のような清末の翻訳家は己の職務を「古典文語にたんに寄与するだけでなく、それを庇護すること、つまるところ古典文化を庇護すること」とこころえていた。[101]

興味深いことに、こうした翻訳家たちの仕事を生みだした国内の文化的・政治的アジェンダは、外国語テキストの差異を拭いさりはしなかった。むしろ事態は逆で、同化を駆りたてたのは、国際的な競争力をつけ、列強にあらがうため、なにからなにまで異なる西洋の理念や形式を中国に取り入れることも狙いだったからだ。結果として、中国の古典文化と西洋の近代的価値観の類比がくり返されたが、大抵は双方の変容をともなうものだった。

たとえば一九〇七年から一九二一年にかけて林紓は、儒教道徳にかない、中国を変革するという目的に合うからという理由でライダー・ハガードの小説を二十五作訳した。林紓がハガードの『モンテズマの娘』を『英孝子火山報仇錄』というタイトルで訳したのは、そこに儒教説話を読みとったからだった。いわく、「孝を行って母の仇を討つことを知る者は、すなわち忠を尽くして国の恥を雪ぐことをも必ずや知っているのだ」[102]。林紓はハガードの冒険小説の背景に英国の植民地主義があることなど重々承知だったが、それでも植民者の侵略を描けば、外国の侵略者を模倣し、抵抗するよう中国の読者を駆りたてられると信じていたのだ。ハガードの『バンバツェの霊』の翻訳『古鬼遺金記』の序文で、林紓は、このような小説に見られる人種差別的なステレオタイプをあえて取りあげて、こう説明している。

こんな調子だからこの人種の冒険心が煽られるのだが、こうした話というのは、どれもロビンソン・クルーソーとコロンブスの二人を源流とするものなのだ。ああ、白人は未開の地における手に入れ難き利益でさえも百遍の死をも恐れずに追い求めるというのに、我が同族ときたら元々持っている利益すら捨て去り、手をこまねいてそれを他人に与えてしまう。こうして客（白人）が主（中国人）を凌駕するようになって、四億の大衆がこぞって僅かな白人の支配下に入ってしまうとは、なんと恥ずかしいことだろうか！[103]

この一節に見受けられる人種差別は、英国の冒険小説に埋めこまれた植民地主義的言説のステレオタイプだけでなく、社会進化論をも反映していた。後者は厳復が訳したT・H・ハクスリーやハーバート・スペンサーの著作で、同じような愛国的な目的をもって中国に広められたものだ。厳復はハクスリーの『進化と倫理』を一八九八年に翻訳したが、それはまさに同書が「自強と保種」に関連するという主張からであった。[104] しかしこういった翻訳家たちに見受けられる人種差別は、翻訳を国家改革の頼みの綱とする自身の信条と矛盾するものではないか。林紓も厳復も西洋の個人主義と侵略主義を称賛していたが、その一方で文学を通じてこういった価値観を中国人が真似るよう促すことで、西洋と中国が非対称性なのは、生物学的要因によるものではなく、文化的要因によるものだとすりかえたのだ。つまり、人種的なものではなく伝統的な倫理観のちがいからくるものとし、修正可能としたのだ。

林紓はどうやら結果として、こういった認識にいたったようだ。林紓はかつて自分が国家の基礎となると見なしていた生物学主義からはなれ、帝国主義によって単に「辱め」に甘んじるだけに転化してしまった儒教の美徳である「譲」を捨てるよう中国人にうながした。

西洋人が恥を重視して争いをも辞さないというのは、全てがその「性」によるものではなく、これまた習慣の積み重ねに過ぎない。[……]中国はそうではない。辱めを耐え忍ぶことこそが「譲」だとし、自分の身を安全に保つことこそが「智」だとする。だから数千年も異民族に侮られ踏みにじられても恥じることがないのだ。これもまた「性」と言うべきものであろうか。[105]

文化に染みついた「智」が〈国民〉「性」になった結果、集合的な「恥」の感覚のような愛国感情がくじかれてしまった。厳復の翻訳は、ジョン・スチュアート・ミルやアダム・スミスのような英国人が唱えたリベラルな個人主義を、列強の侵略にさらされて王朝が衰退していく中国の状況に合わせて修正したものだった。厳復によるミルの『自由論』の翻訳（一九〇三）は、個人の自由という概念を集合的・愛国的方向に強く押しだすものだった。研究者のシュウォルツは以下のように述べている。

個人の自由が、ミルにおいては、しばしば目的そのものとして取扱われていたとすれば、厳復においても、それは「民徳と民智」を前進させる手段となり、さらには、国家の諸目的の手段となっていたのである。[106]

林紓や厳復のような清末の翻訳家の実践からうかがえるのは、とりわけ文化や政治で従属的な立場に置かれている場合、同化ストラテジーでもなお、強力な雑種性を生みだし、予期しない変革の呼び水になりうるということだ。旧弊な中国文化が、封建制において何世紀ものあいだ凝り固まっていたことを考えると、同化は避けられない流れではあった。結果として、林紓や厳復は自身を革命家ではなく、改革者と見なした。彼らは学者や役人といったエリート層にアピールする文語体を用い、外国語テキストを修正し、省略し、コメントを挿入することで、西洋の価値観や訳者自身の愛国的なアジェンダをそういったエリートに受け入れられるものにした。彼らの翻訳は、西洋の概念や形式よりも文言に忠実なものだった。

しかし外国語テキストを、主流である同化的な文体で訳出するという行為そのものが、同化的かつ異化的――中国的かつ西洋的と言いかえてもいい――なものだったのだ。厳復がかかげたよき翻訳の基準である忠実さ（信）、明晰さ（達）、優美さ（雅）は、古代中国の翻訳理論に登場するもので、三世紀に仏典漢訳が国によってすすめられたときのものだ。[107] 厳復が古代の基準を復活させた理由が、翻訳によって帝国の文化政策を推進するうえで矛盾がないと思ったからなのはまちがいない。しかし、清朝末期の翻訳における中国化は、フランス・イギリスの啓蒙時代の翻訳家が好んだ同化と驚くほど似てもいる。厳復は一八七〇年代に英国に旅行したさいにこの時期を研究し、のちにそのテキストを訳すことになる。スミスの『国富論』（一九〇一―〇二）だけでなく、モンテスキューの『法の精神』（一九〇四―〇九）もそうだ。厳復は、英語で書かれたものとしては最初の体系的な翻訳論であるアレクサンダー・タイトラーの『翻訳原論』（一七八九）の影響を受けたと言われている。『翻訳原論』もまた、なめらかで読みやすい訳文を目標言語で生みだすためなら、十分な自由があたえられるべきだと主張していた。[108] タイトラーの同化にも同じようなイデオロギー的な意味づけがされていた。タイトラーの理想の翻訳は、「原文の気安さ」を備えたものだった。なぜなら、翻訳の読者は同じようなエリートだったからであり、ハノーヴァー朝のブルジョワジーの美的・道徳的価値観を暗黙のうちに刷りこまれていたからだ。[109]

清朝末期の翻訳家が好んだ同化は、想定以上に作品を読みやすいものにしてしまい、かならずしもその求める言葉にはならなかった。林紓や厳復は非常に洗練された文体を確立しただけでなく、啓発的な序文、補足の注を加えた。林紓の場合には、文言を明晰にするために句読点を加えていた。[110]『椿姫』や『進化と倫理』の翻訳は一九三〇年代にはいっても絶大な人気をほこり、学者や役人だけでなく、中等教育を受ける学生や在野の知識人のような教育を受けた読者層に広く読まれた。[111] 林紓の訳したセンチメンタルな小説(ロマンス)は、親孝行の徳を愛国心に一貫して変えるようなものでもなかった。悲恋をあつかった現実逃避のための小説、いわゆる「鴛鴦蝴蝶派」小説のブームに乗じた面もあったのである。これは二〇世紀初頭の時点で中国の出版界で主流だった小説で、西洋化、辛亥革命、共和制国家の樹立といった、文化や政治を紊乱する出来事に直面した保守的な読者の心を癒やすようなものだった。[112] 厳復が訳した自然科学や社会学についてのテキストは、『易経』の万物流転的な考え方に逆行する歴史の進化論を輸入するものであり、「外国の言説は中国中心主義の伝統よりも強力」なものだと強く打ちだした。[113] そして広く流通することで、文語体だったにもかかわらず、北京官話の口語（白話）による文化的な言説の出現に寄与することになった。林紓や厳復の翻訳は、文言の権威に期せずして疑問を投げかけるものだったのだ。以下のように述べる研究者もいる。

こうした訳者の外国語テキストを書きかえたり、略したりする技術は結局、彼らが用いた古典中国語は外国の知識を理解したり、吸収するうえで不十分なのではないかという疑念を強めることになった。[114]

清朝末期の翻訳家は、後続の作家を啓発して愛国的な文化政策に呼びこみもした。中国文学の偉大なモダニスト改革者・魯迅（一八八一－一九三六）は若いころ、林紓・厳復によるハガードやハクスリーの訳を熱心に読んで、西洋文学の翻訳をはじめ、ジューヌ・ヴェルヌの小説も二冊訳した。魯迅が

SFを選んだのは、当時中国語で手にはいる西洋文学のジャンルから欠けているものであり、科学の大衆化が「中国の民衆を前進させる」役に立つと信じていたからだった。[115] 魯迅は中国人の「国民性」を考えるうえで、自然科学や宣教用のテキストで流通していた進化論やオリエンタリスト的な用語を用いた（スペンサーにアーサー・スミスの『中国人的性格』〔一八九四〕を接ぎ木した）。結果、生理学的なものであると同時に人文学的な問いを提起することになった。つまり「その〔中国の〕病根はどこにあるのか?」「どのような人間性が最も理想的か?」というものだ。[116] 魯迅はいくつもの外国語（英語・ドイツ語・日本語）に堪能だったが、大衆化の手段としての翻訳というその翻訳観は、清朝末期の同化ストラテジーの採用につながった。つまり文語体に訳し、外国語テキストを読みやすく編集したのだ。ヴェルヌの『地球から月へ』（一九〇三）の翻訳『月界旅行』で、魯迅は章の数を減らし、それぞれに内容を要約した章題をつけ、こう説明した。「味がなく、わが国の人に適さぬ言葉遣いは、多少削り改めた」。[117]

しかし、清末の方法論はじきに限界を露呈した。魯迅にも、その弟の共訳者の周作人（一八八五－一九六七）にも、先達のような清王朝への執心がなかったため、その翻訳はすぐに中国文化の伝統を廃する革命的な目的を帯びるようになった。二人は単純に西洋化されたものではない、近代的な口語体文学を確立しようとした。西洋近代文学の作家に認知され、敬意を集められるような文学を目指したのである。新たな文学を生みだすため、二人は林紓のような先行する翻訳家を否定するようになった。周作人は、「〔林紓は〕外国人から学ぼうとせず、外国の作品を中国のものに似せることに躍起になっている」とこぼしている。[118] 一九〇九年に魯迅と周作人は、海外の小説の言語的・文化的差異を取りさるのではなく、取りこむような、先駆的な翻訳アンソロジー『域外小説集』を刊行した。

このアンソロジーの作品選択や、翻訳にあたっての言説ストラテジーの開発という点で、魯迅と周作人は清末の慣例から実際に外れていた。センチメンタルな小説や冒険小説、つまりすぐ読めて、感情移入しやすい大衆的うけをねらった小説のかわりに、ロマン主義の、素直に感情移入できない実験小説、つまり斜に構えた内容で、批判的に読む必要があるエリート的な文芸観が先に立つフィクションをえらんだのだ。二人は翻訳を中国が国際的に置かれた劣位を変える手段と見なしていたので、似たような立場にありながら、その文学はマイノリティに甘んじることなく海外でも評価されている国に惹かれていった。[119]このアンソロジーは、ロシアと東ヨーロッパの作家の短編小説でほぼ占められており、ロシアの象徴主義作家レオニード・アンドレーエフ、フセヴォロド・ガルシン、ポーランドの歴史作家ヘンリク・シエンキエヴィチの作品が複数採られていた。

清朝末期の翻訳家の意訳的な同化ストラテジーの特徴だったなめらかな訳文のかわりに、魯迅と周作人が追及したのは外国語テキスト（しばしばドイツ語や日本語からの重訳になった）に密着することで生まれる、より違和感の大きい文体だった。こうして、二人は翻訳言説を異質なものにしたので、注のような助けこそあったものの、生まれたアンソロジーは「どこか異なものという印象を読者にあたえた」[120]。二人の翻訳は文言で書かれてはいたが、語彙や構文には西洋風の特徴が見うけられ、西洋人の名前は翻字され、日本語からの借用語もあった。[121]ここでの「異」とは中国の現状に即したものであり、主流の翻訳方法とは異なるものだった。清朝末期の翻訳の大半の持ち味だった儒教的な親しみやすさ、居心地のよさとは反対に、魯迅と周作人の採ったストラテジーは、近代的な概念や形式の奇妙さ、落ち着きのなさを伝えるように意図されていた。

こうした効果を生みだすうえで、二人は西洋の別の国の文学史から翻訳言説を採ったが、西洋とは異なる、自分たちのナショナル・アイデンティティの概念にあわせて手を加えもした。タイトラーのような英国の理論家が好んだ同化のかわりに、魯迅と周作人が従ったのはゲーテやシュライアーマハーのようなドイツの理論家が好んだ異化ストラテジーだった。後者の作品に、日本留学中に触れる機会があったのだ。シュライアーマハーは「翻訳のさまざまな方法について」と題した講義（一八一三）で、以下のように述べている。

翻訳が原作の言い回しに密着すればするほど、その翻訳作品はいよいよ読者には異質なものを連想させるのだと、これまで言われてきているからです。◆122

シュライアーマハーも、異化翻訳が愛国的アジェンダにかなうものになるよう望んだ。ナポレオン戦争のさなかにドイツ文学の創造に貢献することで、フランスの文化的・政治的覇権にたいするプロシアの挑戦を後押ししたかったのだ。しかしシュライアーマハーのナショナリズムの根底にあったのは人種的な優越感であり、最終的には世界征服のヴィジョンへと変質していった。シュライアーマハーは「異質なものに対する私たち［ドイツ人］の敬意、また私たちの仲介者的な本性ゆえの定めとは」ドイツにおいて世界文学の正典を保持することであるとした。

つまり、私たちの言語を補助として、さまざまな時代が生み出してきた精華をすべての人が純粋かつ完全に享受できるようにすること、これは外なる存在（フレムトリング）にだけ可能なのです。[123]

これはまさに、魯迅が疑問を投げかけたナイーヴな文化的愛国主義（ショーヴィニズム）であり、清朝を支持していた中国の同時代人が抱いていたものだ。魯迅の異化翻訳は、伝統的な中国文化が抱えこんだ根本的な矛盾に疑問符を突きつけ、近代文学を確立することを目指していた。ロマン主義文学の革命的可能性について言及した一九〇七年の重要なエッセイで魯迅は、中国の兵士が「インドやポーランドの奴隷根性を痛罵」する自己満足の歌を歌っているさまに、自国が被る抑圧への気晴らしを読みこんで、辛辣に批判した。

思うに、中国ではいま、往昔の光輝の数々を並べたてんものとしきりに思うのだが、言うをはばかり、左の諸国はすでに奴隷となった、右の諸国は息も絶え絶えだと、とりあえず滅亡した国をえらんでは、わが身とひきくらべ、わが優越を示さんと願っているのだ。[124]

文体の改革をうながす手段として翻訳を用いることで、魯迅は中国人の保守的な読者の自己イメージを書きかえようとした。つまり、（少々不愉快な思いをさせることにはなるが）そのような読者に自分のひとりよがりを直視させ、外国文化の資源にいかに頼っているのか（つまり、いわゆる「言語横断的実践（トランスリンガル・プラクティス）」に頼っているか）わからせようとした。[125] のちに批評家から、古典語と西洋風の言葉が混じっていて読みづらい訳文だと腐されたとき、魯迅は自分の狙いを明言した。

わたしの翻訳は、もともと読者を「すっきり」させるためのものではなく、それどころかしばしば人を不快にし、ひいては憂鬱、憎悪、憤激などを感じさせてしまう。[126]

一九〇九年のアンソロジーが広く読まれたことは、魯迅と周作人の異化ストラテジーが中国文学に差異をもたらしたことを意味するが、同時に文化同士のあいだに新たな矛盾を生んだのも事実である。当初、二人の翻訳の異種的な文言は、最初の読者だったエリート読者には違和感が強すぎ、アンソロジーは一五〇〇部刷られたにもかかわらず、どうやら四〇部も売れなかったようだ。[127] しかし、一九二〇年に第二版が刊行されると、その時までには二人の翻訳法が中国文化の主流になっていたおかげで、同じく文体上の改革(ただし口語ではあったが)を推進していた若い作家の多くに影響をあたえた。

一九一九年に数千人の学生が大挙して外圧に抗議した日にちなんで五四運動と呼ばれるようになったが、[128]こうした作家たちは西洋化・日本化された「白話」に「あらゆるしきたりや慣習からの個人の解放」を結びつけた。そしてこの白話こそ、引き合うような西洋のテキストを訳すさいに彼らがつかった言語だった。その中には『共産党宣言』(一九二〇)、『若きウェルテルの苦しみ』(一九二二)、『ツァラトゥストラはかく語りき』(一九二三)、『ファウスト』(一九二八)もふくまれていた。魯迅自身も、ゴーリやシェンキエヴィチのような外国作家に触発されて形式上の工夫を凝らしつつ、口語体の文章で国家主義的テーマを模索しはじめた。[129] ロマン主義文学の翻訳によって心理描写の用語の数々が輸入されたおかげで(その大半が日本語の借用語だった)、中国最初の社会主義リアリズム小説、葉紹鈞作の『倪煥之』(邦訳『小学教師』、一九二八―二九)は、「学校教師が社会変革に情熱をかたむける様子を、ゲーテの『ウエルテル』をまちがいなく思わせる筆致で描」きもした。[130]

一九〇九年の翻訳アンソロジーが、当初ねらったのはエリート読者層であって、根強い権威をもつ儒教伝統や大衆うけする「鴛鴦蝴蝶派」小説のような守旧派の流れに対抗しようとしてのことだった。魯迅と周作人は、中国文化を構成するさまざまな階層のあいだの分断を深くするだけでなく、彼らにマイノリティの価値観を押しつけるリスクがあった。だが二人の影響力がいかに大きかったとはいえ、変化という観点からは必要十分なものではなかったのである。実際、二人のアンソロジーは中国語訳聖書である『和合本』（一九一九）のようなほかの翻訳プロジェクトとともに、白話における文芸言説の発達をうながし、それがのちに中国の国語になったのである。[131]

場所の倫理

従属文化で翻訳がはたす役割は（コロニアルにせよ、ポストコロニアルにせよ）、覇権を握る英語圏の国家で、翻訳が現況おかれたマージナルな立ち位置というスキャンダルを掘り下げるものである。翻訳はながらくアフリカ、アジア、カリブ海、南アメリカにおけるさまざまな帝国主義プロジェクトにおいて実施されてきた。その劣位という境遇それ自体のせいで、外圧への抵抗として、あるいはその代理人として翻訳を用いることをそれらの地域では余儀なくされてきた。国際関係における非対称性は政治的・経済的なものであると同時に文化的なものである。そして、翻訳の互いに両立しないありかたが表明されているのである。

今日、米国や英国では、書籍の商業的価値があまりに重視された結果、出版社は翻訳権の販売に躍起になっている。他方外国の書籍で投資の対象となるのはベストセラーにかぎられ、国外の販売実績を国内にそのままもってこようとする。このような商業主義は、翻訳が文化においてはたす役割やその効果について考えることを必然的に抑圧してしまう。公益に適う本という、あいまいな定義におさまる本を出せばいいことになりがちだし、結果生まれるものを鑑賞しても、英語文化圏の主流の正典やアイデンティティを追認する以上の用をなさない。外国文化を表現するさいかならず起こりうるステレオタイプに批判的でありながら、外国文学の読者と市場の両方をつくりだそうとする出版プログラムはめったにない。

発展途上国の出版社が翻訳に関心をしめすのも、まちがいなく同種の商業主義によるものだ。南米、環太平洋、東欧のブックマーケットが栄えれば、メジャー文学（英国、米国、西欧）の正典作品が先をあらそって訳されるようになる。そして国際的なベストセラーの翻訳権は、しばしばほかの国での成功をうけて、奪いあいになる。

しかし歴史の分岐点、特に帝国や植民地体制が崩壊するさいには、従属文化は別の手段をとってきた。そのような場合、翻訳は資本形成ではなく、アイデンティティ形成の手段として評価された。特に著者や国家、読者や市民をつくりだすうえで有効だ。結果として翻訳プロジェクトは、有力な知識人や学術機関によってプロモートされてきた。そして出版社も（老舗であれ新興であれ、私営であれ国営であれ）、翻訳に多額の投資をおこなってきた。

つまり翻訳が擁する文化的権威と影響力は、その国が地政学的・経済的にどのような立場にあるかで変わってくる。覇権国家では、著者だけがもつオリジナリティや相手文化の信憑性といった形而上的概念にとらわれて、翻訳は二線級のもの、派生的かつ純正ではないものと貶められてきた。ゆえに特に米国や英国では、翻訳は作家・批評家・研究者・教員から比較的わずかな関心しかあつめない。発展途上国では、翻訳は文化資本だけでなく経済資本も蓄積する。メジャー、マイナー言語間でコミュニケーションする必要性が、翻訳産業やトレーニング・プログラムを生みだす。翻訳は、（ポスト）コロニアルな状況によくある多言語主義（ポリリンガリズム）や文化的雑種性（カルチュラル・ハイブリディティ）のよき調停役でもあり、国民文学を確立し、覇権言語や文化の支配に抵抗するうえで有用な言語改革運動の生みの親でもある。

こうした多様な効果と機能は、文化的差異の認識をもって旨とする翻訳の倫理に、新たに錯綜した側面をつけ加える。外国語テキストを選び、訳す同化ストラテジーが倫理的に疑問視されれば（国内の主流の価値観に肩入れしてナルシスティックに異質さを退けることになるが）、マイノリティの置かれた状況は現況の「同化」と「異化」を再定義する。この二つのカテゴリーは確定したものではなく、つねに現地の状況に応じて、翻訳プロジェクトごとに再構築される。

たとえば一九五七年、ガーナ独立の一年後に『オデュッセイア』が識字率向上のため現地のトウィ語に翻訳されたことがあった。異なる環境下において読みやすさを達成すべく種々の自由を行使しただけでなく、その同化ストラテジーはペンギン・クラシックスにおさめられたE・V・リューの散文訳をモデルにしていた。[132] まさにリューと同じく大衆うけをねらったトウィ語訳は、学術的な注釈をつけず、あたかも現実の出来事かのような幻想を生みだし、読者に自分を重ねるよう誘うことで、わかりやすい訳文を追求した。訳者はこう書いている。「この作品は小説として読まれるべきであり、読者の関心がわけもなく話の筋から逸れるようなことがあってはならない」[133]。

脱植民地化以降のガーナ国内における主流の価値観は英国的なものであり、英語は公用語のままだった。トウィ語の翻訳者はメジャー言語の正典作品をえらび、覇権文化のメジャー言語で主流の同化ストラテジーで訳したのだ。現に、リューの『オデュッセイア』は標準的な英訳と言ってもいいだろう。この訳は一九四七年にペンギン・クラシックス・シリーズの幕を切って落とすと、以来二五〇万部以上売れているからだ[134]。だがトウィ語のホメロスのペンギン化を文化ナルシシズムの実例、帝国主義文化の鏡で形成されたアイデンティティと切り捨てることはできない。この翻訳は同化主義的なもの以外のなにものでもないのだ。「トウィ語にはバラを指す言葉がない」という理由で、ホメロスの「指ばら色の曙の女神 the rosy-fingered dawn」[135]のような名高い形容辞を書きかえてしまうのだから[136]。しかしこのプロジェクトに横たわる文化的差異はあまりに大きく、同化的修正でさえ異質なものになってしまった箇所もあった。ホメロスの「翼ある言葉 winged words」[137]はトウィ語では「空を鳥のように飛んでいく言葉」になった。この直喩を「不自然に感じる読者もいた」ので異文化を垣間見せることができた[138]。

このような差異に立脚する翻訳の倫理にとっては、重要な関心事として、たんに言説ストラテジーではなく(なめらかな訳文にするか、ごつごつした訳文にするか)、つねにその意図と効果を問われる。すなわち翻訳が文化を刷新し、変化をもたらそうとするものかどうかである。外国語テキストの異質さが最大限発揮されるのは、目標言語のテキストにかねて存在する文化的言説のヒエラルキーに手を加え、国内の文化的構成員のあいだの境界を踏み越え、制度における価値観や営みの再生産から外れるときなのだ。国内の主流の価値観を踏襲し、制度を盤石にする画一化の翻訳の倫理は、通例文化的権威の損失をあたうかぎり避け、資本を集積するため、その影響力を抑制する。（ポスト）コロニアルな状況は、この画一化と差異の境目を複雑にしてしまう。そこで翻訳はいくつもの差異のあいだ——たんに文化的なものではなく、経済的・政治的不均衡——を行き来する。そして覇権文化にあずかるような国内のアイデンティティを形成する一方で、そのような文化を現地の異種性にしたがわせもする。出版産業は近年のアメリカのベストセラーをなめらかな、同化的な訳文でくりかえし刊行し（公用語の標準方言で）、現行の文化交流の不均衡をただ維持しようとする覇権的な価値観を無批判に消費させようとする。覇権的な文学を同化的な訳文で大々的に刊行する出版社は、西洋文学を翻訳する側の価値観にとりこむことで（トウィ語の『オデュッセイア』がその例だが）、口承文芸から近代文学への移行をうながすが、これは明らかに重大な文化の変化だ。だがもともと文芸文化が豊かな従属文化で、翻訳が極端なローカリゼーションを追求すれば、民俗的・宗教的原理主義をくんで、助長するような同質化を重視するリスクがある。こうした翻訳は外国語テキストの文化的差異を抹消してしまうのだ。

発展途上国における同化はグローバルとローカルなトレンドのハイブリッドになりがちなので、きわめて保守的な同化ストラテジー（言いかえれば、翻訳する側の文化における主流の固有の価値観を強固にすることを目的としたストラテジー）を用いるように見えるときですら、翻訳は覇権的価値観を書きかえうるのである。林紓がライダー・ハガードの小説の帝国主義的なサブテキストの意味づけを見事に変えたことを思い出そう。皇帝の利になるよう中国化する翻訳が、まわりまわって王朝文化の権威を削ぐことになった。ラディカルなまでに異化的で、言語的・文学的異種性を追求して文化変革を起こそうとする翻訳言説は、当初意図した読者層である一握りのエリートを超えて行きわたり、口語や大衆的なジャンルに広く影響をあたえるのだ。魯迅と周作人がドイツ・ロマン主義の翻訳手法を重視したことを思い出そう。これが最終的に、近代的かつ社会主義的な中国の白話文学の誕生につながるのである。

発展途上国は、文化の画一化と差異との争いが顕著な場所であるため、翻訳の役割について大切なことを覇権国に教えてくれもする。翻訳の価値は、その効能や役割次第だが、あらかじめ完全に見とおしたり、コントロールしたりすることはできないのだ。しかしこのような不測の事態があるからといって、翻訳プロジェクトの影響力を見積もる翻訳者の責任は増すことはあっても減じはしないのである——自分の翻訳とその考えうる受容に吹きこまれている国内の価値観のヒエラルキーをつくりなおすことができるのだから。（ポスト）コロニアルな状況がしめすのは、植民地を構成する言語的・文化的差異にあわせて批判的かつ臨機応変におこなう翻訳が最善だということだ。このような差異だけが、外国文化の異質さを翻訳に刻みこむよすがになるのである。

註

◆1　以下の文献を参照のこと。Vicente L. Rafael, *Contracting Colonialism: Translation and Christian Conversion in Tagalog Society under Early Spanish Rule*, Ithaca, New York: Cornell University Press. 1988. ; Eric Cheyfitz, *The Poetics of Imperialism: Translation and Colonization from The Tempest to Tarzan*, New York and London: Oxford University Press. 1991. ; Tejaswini Niranjana, *Siting Translation: History,*

Poststructuralism, and the Colonial Context, Berkeley and Los Angeles: University of California Press. 1992.

◆2 Arjun Appadurai, *Modernity at Large: Cultural Dimensions of Globalization*, Minneapolis: University of Minnesota Press. 1996. pp. 42. 32. アルジュン・アパデュライ『さまよえる近代――グローバル化の文化研究』門田健一訳、平凡社、二〇〇四年、六七、八六頁。

◆3 Masao Miyoshi, "A Borderless World? From Colonialism to Transnationalism and the Decline of the Nation-State," *Critical Inquiry* 19: 1993. pp. 726–751. マサオ・ミヨシ「国境なき世界――植民地主義から多国籍主義への動きと国民国家の衰退」関根雅美訳『批評空間』第二期一号、一九九四年、八八－一二二頁。

◆4 William S. Lofquist. "International Book Title Output: 1990–1993," in D. Bogart ed., *The Bowker Annual Library and Book Trade Almanac*, New Providence, New Jersey: Bowker. 1996. p. 557.

◆5 アルトゥール・ネストロフスキとのやりとりより。一九九五年十一月十五日。

◆6 Gary Ink, "Book Title Output and Average Prices: 1995 Final and 1996. Preliminary Figures," in D. Bogart ed., *The Bowker Annual Library and Book Trade Almanac*, New Providence, New Jersey: Bowker. 1997. p. 508.

◆7 翻訳の点数が多いドイツにおける似たような状況については、以下の文献を参照のこと。Peter Ripken, "African Literature in the Literary Market Place Outside Africa," *African Book Publishing Record* 17: 1991. pp. 289–291.

◆8 Thomas Weyr, "The Foreign Rights Bonanza," *Publishers Weekly*, 28 November 1994. pp. 32–38. ; Mary B. W. Tabor, "Book Deals: Losing Nothing in Translation," *New York Times*, 16 October 1995. pp. Dl, D8.

◆9 Weyr, "The Foreign Rights Bonanza," pp. 33, 38.

◆10 Laurence Hallewell, "Brazil," in P. G. Altbach and E.S. Hoshino eds., *International Book Publishing: An Encyclopedia*, New York: Garland. 1994. p. 596.

◆11 Heloísa Gonçalves Barbosa, *The Virtual Image: Brazilian Literature in English Translation*, unpublished dissertation, University of Warwick. 1994. p. 18.

◆12 以下の文献を参照のこと。Thomas Whiteside, *The Blockbuster Complex: Conglomerates, Show Business, and Book Publishing*, Middletown, Conn.: Wesleyan University Press. 1981. トーマス・ホワイトサイド『ブロックバスター時代――出版大変貌の内幕』常盤新平訳、サイマル出版会、一九八二年。

◆13 Weyr, “The Foreign Rights Bonanza,” p. 34.

◆14 こうした問題の概観については、以下の文献を参照のこと。Philip G. Altbach, “Publishing in the Third World: Issues and Trends for the Twenty First Century,” in P.G. Altbach and E.S. Hoshino eds., *International Book Publishing: An Encyclopedia*, New York: Garland. 1994.

◆15 Berne, Appendix C: II(2)(a), (5)

◆16 Paul Gleason, “International Copyright,” in P.G. Altbach and E.S. Hoshino eds., *International Book Publishing: An Encyclopedia*, New York: Garland. 1994. p. 193.

◆17 Edward W. Ploman and L. Clark Hamilton, *Copyright: Intellectual Property in the Information Age*, London: Routledge and Kegan Paul. 1980. pp. 140-147.

◆18 Philip G. Altbach, *The Knowledge Context: Comparative Perspectives on the Distribution of Knowledge*, Albany: State University of New York Press. 1987. p. 103.

◆19 David Wei Ze, “China,” in P.G. Altbach and E.S. Hoshino eds., *International Book Publishing: An Encyclopedia*, New York: Garland. 1994. p. 459.

◆20 T. Singh, “India,” in P.G. Altbach and E.S. Hoshino eds., *International Book Publishing: An Encyclopedia*, New York: Garland. 1994. p. 467.

◆21 Sujit Mukherjee, “Role of Translation in Publishing of the Developing World,” in *World Publishing in the Eighties*, New Delhi: National Book Trust. 1976. pp. 68–69.

◆22 「重訳」にかんしては、以下の文献を参照のこと。Gideon Toury, *Descriptive Translation Studies and Beyond*, Amsterdam and Philadelphia: John Benjamins. 1995. chap. 7.

◆23 Mukherjee, “Role of Translation in Publishing of the Developing World,” pp. 68–69.

◆24 Julian Rea, “Aspects of African Publishing 1945–74,” *African Book Publishing Record* 1: 1975. p. 145.

◆25 S. Rivers-Smith, Review of R.H. Parry, *Longmans African Geographies: East Africa* (1932), Oversea Education 3: 1931. p. 208.

◆26 Veja 26 July 1995: p. 6.

◆27 Per Gedin, “Publishing in Africa - Autonomous and Transnational: A View from the Outside,” *Development Dialogue* 1–2: 1984. p. 102. ;

Singh, "India," p. 467.

◆28 Heloísa Gonçalves Barbosa, "Brazilian Literature in English Translation," in C. Picken ed., *Translation: The Vital Link,* London: Institute of Translation and Interpreting. 1993. p. 729. ; Jenine Abboushi Dallal, "The perils of occidentalism: How Arab novelists are driven to write for Western readers," *Times Literary Supplement,* 24 April 1998. pp. 8–9.

◆29 Armand Mattelart, *Multinational Corporations and the Control of Culture: The Ideological Apparatuses of Imperialism,* trans. M. Chanan, Brighton, England: Harvester. 1979. pp. 147–148.

◆30 Rafael, *Contracting Colonialism,* p. 168.

◆31 ibid. pp. 20–21, 28–29, 35.

◆32 Adeboye Babalolá, "A Survey of Modern Literature in the Yoruba, Efik and Hausa Languages," in B. King ed., *Introduction to Nigerian Literature,* Lagos: University of Lagos and Evans Brothers Ltd. 1971. pp. 50–51, 55.

◆33 *Oversea Education,* "Vernacular Text-Book Committees and Translation Bureaux in Nigeria," 3: 1931. pp. 30–33. ; R. Adams, "Efik Translation Bureau," *Africa* 16: 1946. p. 120.

◆34 Rupert Moultrie East, "Modern Tendencies in the Languages of Northern Nigeria: The Problem of European Words," *Africa* 10: 1937. p. 104.

◆35 以下の文献を参照のこと。Edward Said, *Orientalism,* New York: Pantheon. 1978. pp. 77–79. エドワード・W・サイード『オリエンタリズム　上』板垣雄三・杉田英明監訳・今沢紀子訳、平凡社ライブラリー、一九九三年、二四一二五頁。Niranjana, Siting Translation, pp. 12–20.

◆36 Sir William Jones, *The Letters of Sir William Jones,* G. Cannon ed., Oxford: Oxford University Press. 1970. pp. 813, 927.

◆37 Niranjana, *Siting Translation,* p. 31.

◆38 C.W. Watson, "*Salah Asuhan* and the Romantic Tradition in the Early Indonesian Novel," *Modern Asian Studies* 7: 1973. pp. 183–185.

◆39 Deirdre David, *Rule Britannia: Women, Empire, and Victorian Writing,* Ithaca, New York: Cornell University Press. 1995. pp. 188–192.

◆40 Watson, "*Salah Asuhan* and the Romantic Tradition in the Early Indonesian Novel," pp. 190–191.

◆41 James Currey, "African Writers Series - 21 Years On," *African Book Publishing Record* 11: 1985. p. 11.

◆42 John St. John, *William Heinemann: A Century of Publishing, 1890–1990,* London: Heinemann. 1990. p. 477.

◆43 James Currey, “Interview,” *African Book Publishing Record* 5: 1979. p. 237.

◆44 Henry Chakava, “A Decade of Publishing in Kenya: 1977–1987. One Man’s Involvement,” *African Book Publishing Record* 14: 1988. p. 240.

◆45 Gedin, “Publishing in Africa - Autonomous and Transnational,” p. 104.

◆46 Peter Worsley, *The Three Worlds: Culture and World Development*, Chicago: University of Chicago Press. 1984. p. 307.

◆47 Alan Hill, *In Pursuit of Publishing*, London: John Murray. 1988: pp. 122–123.

◆48 以下の文献に引用されている。John, *William Heinemann*, p. 477.

◆49 Irene Rostagno, *Searching for Recognition: The Promotion of Latin American Literature in the United States*, Westport, Conn.: Greenwood. 1997. ; Barbosa, *The Virtual Image*, pp. 62–63.

◆50 Sara Castro-Klarén and Héctor Campos, “Traducciones, Tirajes, Ventas y Estrellas: El ‘Boom’,” *Ideologies and Literature* 4: 1983. pp. 326–327.

◆51 Johnny Payne, *Conquest of the New Word: Experimental Fiction and Translation in the Americas*, Austin: University of Texas Press. 1993. chap. 1.

◆52 Barbosa, *The Virtual Image*, pp. 17–19.

◆53 Johnny Payne, *Conquest of the New Word: Experimental Fiction and Translation in the Americas*, Austin: University of Texas Press. 1993. p. 20. 以下の文献も参照のこと。Roberto Fernández Retamar, *Caliban and Other Essays*, trans. Edward Baker, Minneapolis: University of Minnesota Press. 1989. pp. 7, 30–31.

◆54 以下の文献を参照のこと。Silvina Ocampo, *Leopoldina’s Dream*, trans. D. Balderston, New York: Penguin. 1988.

◆55 Barbosa, *The Virtual Image*, p. 12.

◆56 Rosemary Arrojo, “The Ambivalent Translation of an Apple into an Orange: Love and Power in Helene Cixous’s and Clarice Lispector’s Textual Affair,” unpublished manuscript. 1997.

◆57 Homi Bhabha, *The Location of Culture*, London and New York: Routledge. 1994. p. 86. ホミ・バーバ『文化の場所――ポストコロニアリズムの位相』本橋哲也・正木恒夫・外岡尚美・阪元留美訳、法政大学出版局、二〇一二年、一〇五頁。

◆58 ibid. p. 112. 同書、一三〇―一三二頁。

◆59 Thomas Babington Macaulay, *Selected Prose and Poetry*, ed. G.M. Young, Cambridge: Harvard University Press. 1952. p. 729.

◆60 ibid. p. 726.

◆61 ibid. pp. 729, 724.

◆62 Rafael, *Contracting Colonialism*, p. 56.

◆63 ibid. pp. 56–57, 65.

◆64 Rafael, *Contracting Colonialism*, pp. 57–58.

◆65 ibid. pp. 72–73.

◆66 ibid. pp. 60–62.

◆67 ibid. p. 62.

◆68 Patrick G. Scott, "Gabriel Okara's *The Voice*: The Non-Ijo Reader and the Pragmatics of Translingualism," *Research in African Literatures* 21: 1990. p. 75.
以下の文献も参照のこと。Bill Ashcroft, Gareth Griffiths, and Helen Tiffin, *The Empire Writes Back: Theory and Practice in Postcolonial Literatures*, London and New York: Routledge. 1989. pp. 59–77. ビル・アッシュクロフト、ガレス・グリフィス、ヘレン・ティフィン『ポストコロニアルの文学』木村茂雄訳、青土社、一九九八年、一〇九－一四〇頁。Chantal Zabus, *The African Palimpsest: Indigenization of Language in the West African Europhone Novel*, Amsterdam and Atlanta: Rodopi. 1991. pp. 3–10.

◆69 Hans Zell and Helene Silver, *A Reader's Guide to African Literature*, London, Ibadan, and Nairobi: Heinemann. 1971. p. 195.

◆70 Adesina Afolayan, "Language and Sources of Amos Tutuola," in C. Heywood ed., *Perspectives on African Literature*, London, Ibadan, and Nairobi: Heinemann. 1971. ; Zabus, *The African Palimpsest*, p. 113.

◆71 Amos Tutuola, *The Palm-Wine Drinkard*, London: Faber and Faber. 1952. pp. 13–14. エイモス・チュツオーラ『やし酒飲み』土屋哲訳、岩波文庫、二〇一二年、一五－一六頁。

◆72 Afolayan, "Language and Sources of Amos Tutuola," p. 51.

◆73 ibid.

◆74 Zabus, *The African Palimpsest*, p. 113.

◆75 Tutuola, *The Palm-Wine Drinkard*, p. 91. チュツオーラ『やし酒飲み』一二一頁。Zabus, *The African Palimpsest*, pp. 114–115.

◆76 Ashcroft, Griffiths, and Tiffin, *The Empire Writes Back*, p. 67. アッシュクロフト、グリフィス、ティフィン『ポストコロニアルの文学』一二四頁。

◆77 軽く編集の手がはいった原稿が、以下の文献に掲載されている。Tutuola, *The Palm-Wine Drinkard*, p. 24.

◆78 Gerald Moore, *Seven African Writers*, London: Oxford University Press. 1962. pp. 39, 42. ; Selden Rodman, Review of A. Tutuola, *The Palm-Wine Drinkard, New York Times*, 20 September 1953. p. 5.

◆79 Bernth Lindfors ed., *Critical Perspectives on Amos Tutuola*, Washington, D.C.: Three Continents Press. 1975. pp. 31, 41. 以下の文献がこの論争をまとめている。Rand Bishop, *African Literature, African Critics: The Forming of Critical Standards, 1947–1966*, Westport, Conn.: Greenwood. 1988. pp. 36–37.

◆80 Lindfors ed., *Critical Perspectives on Amos Tutuola*, p. 30.

◆81 Rand Bishop, *African Literature, African Critics: The Forming of Critical Standards, 1947–1966*, Westport, Conn.: Greenwood. 1988. p. 75.

◆82 Tutuola, *The Palm-Wine Drinkard*, p. 95. チュツオーラ『やし酒飲み』一二六頁。Afolayan, "Language and Sources of Amos Tutuola," p. 53.

◆83 たとえば、以下の文献を参照のこと。Rupert Moultrie East, "A First Essay in Imaginative African Literature," *Africa* 9: 1936. 350–357.

Donald J. Cosentino, "An Experiment in Inducing the Novel among the Hausa," *Research in African Literatures* 9: 1978. pp. 19–30.

◆84 Zabus, *The African Palimpsest*, p. 19.

◆85 Samia Mehrez, "Translation and the Postcolonial Experience: The Francophone North African Text," in L. Venuti ed., *Rethinking Translation: Discourse, Subjectivity, Ideology*, London and New York: Routledge. 1992. p. 130.

◆86 Gabriel Okara, "African Speech . . . English Words," *Transition* 9(10) (September): 1963. p. 15.

◆87 Gabriel Okara, *The Voice*, London: Andre Deutsch. 1964. pp. 23, 26–27, 61, 70, 76.

◆88 Okara, "African Speech . . . English Words," pp. 15–16. ; Scott, "Gabriel Okara's *The Voice*," pp. 75–88. ; Zabus, *The African Palimpsest*, pp. 123–126.

◆89 Okara, *The Voice*, pp. 24–25. Mark 5: 19. 〔『欽定訳聖書』マルコによる福音書5－19〕

◆90 Scott, "Gabriel Okara's *The Voice*," p. 80. ; Zabus, *The African Palimpsest*, p. 125.

◆91 以下の文献を参照のこと。Paul Fadio Bandia, "Code-Switching and Code-Mixing in African Creative Writing: Some Insights for Translation Studies," *TTR Traduction, Terminologie, Rédaction: Études sur le texte et ses transformations* 9(1): 1996. pp. 139–154.

◆92 Mehrez, "Translation and the Postcolonial Experience," p. 128.

◆93 Henry Y. H. Zhao, *The Uneasy Narrator: Chinese Fiction from the Traditional to the Modern*, Oxford and New York: Oxford University Press. 1995. pp. 17, 228.

◆94 Leo Ou-Fan, *The Romantic Generation of Modern Chinese Writers*, Cambridge: Harvard University Press. 1973. p. 44.

◆95 Zhao, *The Uneasy Narrator*, p. 230 n. 9.

◆96 Ou-Fan, *The Romantic Generation of Modern Chinese Writers*, p. 47. ; Hu Ying, "The Translator Transfigured: Lin Shu and the Cultural Logic of Writing in the Late Qing," *Positions* 3: 1995. pp. 81–82. ; Zhao, *The Uneasy Narrator*, p. 231.

◆97 Ying, "The Translator Transfigured," p. 71.

◆98 Confucius, *The Analects*, trans. R. Dawson, Oxford and New York: Oxford University Press. 1993. p. 74.『完訳　論語』井波律子訳、岩波書店、二〇一六年、五四〇頁。

◆99 Ou-Fan, *The Romantic Generation of Modern Chinese Writers*, pp. 42, 57.

◆100 Edward Gunn, *Rewriting Chinese: Style and Innovation in Twentieth-Century Chinese Prose*, Stanford, Calif.: Stanford University Press. 1991. pp. 32–33.

◆101 Ying, "The Translator Transfigured," p. 79.

◆102 Ou-Fan, *The Romantic Generation of Modern Chinese Writers*, p. 51.

◆103 ibid. p. 54.

◆104 Benjamin I. Schwartz, *In Search of Wealth and Power: Yan Fu and the West*, Cambridge: Harvard University Press. 1964. p. 100. ベンジャミン・I・シュウォルツ『中国の近代化と知識人――厳復と西洋』平野健一郎訳、東京大学出版会、一九七八年、九七頁。

◆105 Ou-Fan, *The Romantic Generation of Modern Chinese Writers*, p. 54.

◆106 Schwartz, *In Search of Wealth and Power*, p. 141. シュウォルツ『中国の近代化と知識人』一三九頁。

◆107 Chen Fukang, *Zhongguo yixue lilun shigao* (A History of Chinese Translation Theory), Shanghai: Shanghai Foreign Languages Educational

Press. 1992. pp. 14–17. 張南峰との一九九七年九月三日とのやりとりより。

◆108 Gunn, *Rewriting Chinese*, p. 33 n. 5.

◆109 Alexander Fraser Tytler, *Essay on the Principles of Translation*, J.F. Huntsman ed., Amsterdam and Philadelphia: John Benjamins. 1978. p. 15. ; Lawrence Venuti, *The Translator's Invisibility: A History of Translation*, London and New York: Routledge. 1995. pp. 68–73.

◆110 Eugene Perry Link Jr., *Mandarin Ducks and Butterflies: Popular Fiction in Early Twentieth Century Chinese Cities*, Berkeley and Los Angeles: University of California Press. 1981. p. 136.

◆111 Schwartz, *In Search of Wealth and Power*, p. 259 n. 14. シュウォルツ『中国の近代化と知識人』二五六頁。 Ou-Fan, *The Romantic Generation of Modern Chinese Writers*, pp. 34–35.

◆112 Link Jr., *Mandarin Ducks and Butterflies*, pp. 54, 196–235.

◆113 Gunn, *Rewriting Chinese*, p. 35.

◆114 ibid. p. 33.

◆115 Vladimir Ivanovich Semanov, *Lu Hsün and His Predecessors*, C. Alber trans., White Plains, N.Y.: M.E. Sharpe. 1980. p. 14.

◆116 Lydia H. Liu, *Translingual Practice: Literature, National Culture, and Translated Modernity - China, 1900–1937*, Stanford, Calif.: Stanford University Press. 1995. pp. 60–61. リディア・リウ『国民性を翻訳する――魯迅とアーサー・スミス』中里見敬・清水賢一郎訳、『言語文化論究』二三号、二〇〇八年、二〇八頁。

◆117 William A. Lyell Jr., *Lu Hsün's Vision of Reality*, Berkeley and Los Angeles: University of California Press. 1975. p. 65. 魯迅「『月界旅行』解説」藤井省三訳『魯迅全集　12　古籍序跋集・訳文序跋集』伊藤正文・山田敬三・小南一郎・丸山昇・蘆田肇・藤井省三・小谷一郎訳、学習研究社、一九八五年、二一一頁。

◆118 Zhao, *The Uneasy Narrator*, p. 231.

◆119 Irene Eber, *Voices from Afar: Modern Chinese Writers on Oppressed Peoples and Their Literature*, Ann Arbor: University of Michigan Center for Chinese Studies. 1980. p.10. ; Leo Ou-fan Lee, *Voices from the Iron House: A Study of Lu Xun*, Bloomington: Indiana University Press. 1987. pp. 22–23.

◆120 Semanov, *Lu Hsün and His Predecessors*, p. 23.

◆121 Lyell Jr., *Lu Hsün's Vision of Reality*, p. 96. ; Gunn, Rewriting Chinese, p. 36.

◆122 André Lefevere ed. and trans., *Translating Literature: The German Tradition from Luther to Rosenzweig*, Assen, Netherlands: Van Gorcum. 1977. p. 78. フリードリヒ・シュライアーマハー「翻訳のさまざまな方法について（ベルリン王立科学アカデミー講義　一八一三年六月二四日）」三ツ木道夫編訳『思想としての翻訳――ゲーテからベンヤミン、ブロッホまで』白水社、二〇〇八年、四八頁。

◆123 Lefevere ed. and trans., *Translating Literature*, p. 88. 同書、六八頁。

◆124 translated by Jon Kowallis in Liu, *Translingual Practice*, pp. 31–32. リディア・H・リウ「言語横断的実践・序説（下）」宮川康子訳『思想』九〇〇号、一九九九年六月、一一二頁。魯迅「摩羅詩力説」北岡正子訳『魯迅全集　1　墳・熱風』伊藤虎丸・北岡正子・伊藤昭雄・林敏・代田智明・大沼正博訳、学習研究社、一九八四年、九七頁。

◆125 cf. Liu, *Translingual Practice*, p. 32. 同論文、一一三頁。

◆126 Lu Xun, *Selected Works*, vol. 3, Yang X. and G. Yang eds. and trans., Beijing: Foreign Languages Press. 1956. p. 68. 魯迅「「硬訳」と「文学の階級性」」『魯迅全集　6　二心集・南腔北調集』吉田富夫訳、学習研究社、一九八五年、二四頁。

◆127 Lyell Jr., *Lu Hsün's Vision of Reality*, pp. 95–96.

◆128 Gunn, *Rewriting Chinese*, p. 107.

◆129 Patrick Hanan, "The Technique of Lu Hsün"'s Fiction," *Harvard Journal of Asiatic Studies* 34: 1974. pp. 53–96.

◆130 Gunn, *Rewriting Chinese*, pp. 107–108.

◆131 Janice Wickeri, "The Union Version of the Bible and the New Literature in China," *Translator* 1: 1995. pp. 129–152.

◆132 Lawrence Henry Ofosu-Appiah, "On Translating the Homeric Epithet and Simile into Twi," *Africa* 30: 1960. pp. 41–45.

◆133 ibid. p. 45.

◆134 "Back to the Classics," *Economist* 18 May 1996. p. 85.

◆135 ホメロス『オデュセイア　下』松平千秋訳、岩波文庫、一九九四年、二九〇頁。

◆136 Ofosu-Appiah, "On Translating the Homeric Epithet and Simile into Twi," p. 42.

◆137 ホメロス『オデュセイア　上』松平千秋訳、岩波文庫、一九九四年、一六頁。

◆138 Ofosu-Appiah, "On Translating the Homeric Epithet and Simile into Twi," p. 43.

訳者あとがき

1

本書はLawrence Venuti, *The Scandals of Translation: Towards an Ethics of Difference* の全訳である。

著者のローレンス・ヴェヌティは一九五三年生まれ。コロンビア大学で博士号取得後、テンプル大学で四〇年にわたって教鞭をとった。現在はテンプル大学名誉教授。アメリカの翻訳研究（トランスレーション・スタディーズ）の第一人者とされ、来日経験もある。本書はヴェヌティの主著のひとつとして、広く参照、引用されてきたものであり、ヴェヌティの初の邦訳書になる。

本書で著者が暴く「翻訳のスキャンダル」とはなにか。それは世界の文化、政治や経済を覆う不均衡だ。世界で流通する翻訳のうち、英語からの翻訳が圧倒的な割合を占める反面、英語への翻訳は少なく、全書籍の三パーセント以下である。そして、その割合としては少ない翻訳においても、英訳はさまざまな制約や制限をうけてしまう。本書で著者はその不均衡を――翻訳が文化にとりこまれ、あるいはとりこまれたように見せて文化を改変する様子を――克明に描き出している。

以下にヴェヌティの主要な著作をあげておく。『翻訳研究読本（トランスレーション・スタディーズ・リーダー）』など、北米の大学で翻訳研究の標準的な教科書として使用されているものもある。

Rethinking Translation: Discourse, Subjectivity, Ideology（編著、翻訳研究の論集。一九九二年）
The Translator's Invisibility: A History of Translation（初版一九九五年、第二版二〇〇八年、第三版二〇一九年）
The Scandals of Translation: Towards an Ethics of Difference（本書。一九九八年）
The Translation Studies Reader（編著、ヒエロニムスからデリダまで、翻訳論のアンソロジー。二〇〇〇年、第二版二〇〇四年、第三版二〇一二年、第四版二〇二一年）
Translation Changes Everything: Theory and Practice（二〇一三年）
Teaching Translation: Programs, Courses, Pedagogies（編著、翻訳教育についての論集。二〇一七年）
Contra Instrumentalism: A Translation Polemic（二〇一九年）

なお、ヴェヌティの文章で邦訳があるものに、

ローレンス・ヴェヌティ「ユーモアを訳す――等価・補償・ディスコース」鳥飼玖美子訳、鳥飼玖美子・野田研一・平賀正子・小山亘編『異文化コミュニケーション学への招待』みすず書房、二〇一一年、四三四–四五四頁。

がある。

2

ヴェヌティの名を一躍知らしめたのは、一九九五年に出版された『翻訳者の不可視性――ある翻訳の歴史』*The Translator's Invisibility: A History of Translation*であり（未訳）、そこで提出された異化／同化domestication / foreignizationという概念だった。

翻訳を「著者に忠実な訳」か「読者に歩みよった訳」のどちらにするかという問題は新しいものではなく、本書でも紹介されるように少なくとも一九世紀初頭のドイツでフリードリヒ・シュライアーマハーが提唱した定義にまでさかのぼれるものだが、ヴェヌティはそこに言語による権力構造を持ちこみ、異化／同化domestication / foreignizationという対概念として鋳なおした。強大な、主流の／支配的な言語は（たとえば英語）は、翻訳のプロセスにおいて、外国のテキストを自文化の価値観に従属させてしまう。「ある翻訳の歴史」と題された同書において、ヴェヌティは歴史をさかのぼって、いかに翻訳や翻訳者が徹底的に不可視化されてきたかを暴いてみせた。

本書『翻訳のスキャンダル』でもこの「異化／同化domestication / foreignization」という概念は鍵となる。この用語自体は本邦でも専門家のあいだではある程度流通しているが、単に前者を「ぎこちない直訳」、後者を「なめらかな意訳」と解して使用している例も多い。だが、ヴェヌティによる原意はそれだけではないのだ。同化とは訳文のみならず、作品選定やプロモーション、パッケージなど、さまざまなレベルで働き、外国のテキストを国内の主流の価値観に阿らせる圧力なのである（逆に言えば、流通している以上、まったく同化の要素のない翻訳もありえないことになる）。異化とは同化に抗して、受け手（ターゲット）の文化規範において摩擦を生む翻訳のことである。この異化によって、読者は翻訳の中にナルシスティックな自己像ではなく、真の他者の姿を見つけることが可能になるのだ。

誤解されがちなのだが、ヴェヌティは単に「なめらかな訳」を批判しているわけではない。むしろ、読者にとっての可読性は重視されている。翻訳する側の規範に全面的に服従してしまい、異質なもの、新しいものをなにも提示しない翻訳（プロジェクト）が問題なのだ（こういった翻訳は特に英米圏では読者に「翻訳が翻訳であること」を意識させず、結果的に翻訳／翻訳者を「不可視化」してしまう）。ゆえに、一見なめらかな訳であっても、翻訳する側の文化状況や、翻訳される側の作品や文化の地位によっては十分に異化的な作用を持ちうることになる。翻訳者は出版や学術といったさまざまな制度の中で交渉し、異質なものをもちこむことで自国の文化を変革しなくてはならない。それこそが本書の提唱する「差異の倫理」であって、翻訳者の使命なのだ。

このようにdomestication / foreignizationは本書においても重要な位置を占める鍵概念なのだが、同時に本書を翻訳するうえで、訳者を悩ませた問題でもあった。本概念はこれまでも「内国化／外国化」「受容化／異質化」など訳者や論者によってさまざまに訳されてきた。またこの語はヴェヌティの造語ではなく、それ自体意味をもつ語であって、名詞としてのみならず、動詞や形容詞としても使用されるため、あつかいが難しい。本書では日本語としての座りのよさを重視して「同化／異化」とし、章の初出や関連する語の登場時には読みづらくならない程度にルビを付して、注意を喚起することにした。読者の了解を願う次第である。

3

『翻訳者の不可視性』のエピローグは「行動への呼びかけ（コール・トゥ・アクション）」と題され、以下のように締めくくられている。

> 今日における翻訳者の不可視性は、文化の地政学的経済をめぐる厄介な問題を提起している。これに立ち向かうためには、翻訳に今まで以上に疑いの目をむけることが緊急に必要である。しかし、私がここで奨励している疑念は、翻訳の力に対する一種ユートピア的とでも言えそうな信仰を前提としている。この力は、国内における新しい文化形態の出現だけでなく、国外における新しい文化関係の出現にも変化をもたらすものだ。翻訳者の不可視性を認識すれば、現状の批判と同時に、翻訳者が交渉しなければならない差異を今よりも受け入れてくれるような未来を希望することにつながるのだ。

つづいて刊行された本書『翻訳のスキャンダル——差異の倫理にむけて』は、そのようなさまざまな「交渉」が描きだされている。

たとえば第四章「文化的アイデンティティの形成」では、日本文学の英訳事情が取り上げられている。戦後、エドワード・サイデンスティッカー、ドナルド・キーンといった米国人日本学者が翻訳した日本近代文学は、一部のアカデミシャンの価値観を反映したものだった。その谷崎・川端・三島のいわゆる「ビッグ・スリー」は——日本学者のエドワード・ファウラーいわく——冷戦下の同盟国としてののぞましい日本像を提供するものでもあった。

九〇年代に商業的な成功をおさめた吉本ばななの英訳は、その政治性の欠落から批評家マサオ・ミヨシによって批判されたが、ヴェヌティはそれを日本文学の多様性を欧米の読者に開示するものとして再評価する。ここでヴェヌティは触れていないが、もちろんこのオルタナティブな日本文学受容の延長線上に村上春樹の爆発的なヒットがある。村上春樹作品は商業的な成功をおさめると同時に、ハーヴァード大学教授ジェイ・ルービンの英訳によって正典化し、エージェントが第二のハルキ・ムラカミを求めるという事態が起こった。二〇二〇年代の現在はハルキ的なものにおさまらない新たな日本文学の紹介が進行中の時代だろう。

4

ヴェヌティの論の特徴として、翻訳研究を、広く人文学的な文脈に接続した点が挙げられるだろう。本書で参照される文献も、(ポスト) マルクス主義や構造主義、ポストコロニアリズムまで多岐におよぶ。これは本書が翻訳の背後に潜む権力構造を暴くことを狙っている以上、当然でもあるのだが、結果として翻訳研究を広義のカルチュラルスタディーズの文脈に置くことになった。いずれにしても、その記号的ではなく、叙述的なアプローチは、以降文学研究において翻訳をあつかううえでも影響をあたえた。

またこれも本書の対象が言語文化間のグローバルなヒエラルキーである以上、避けがたいことでもあるのだが、ヴェヌティは、議論の射程を西洋にとどめず、フィリピンやアフリカ、中国や日本にまで対象を広げている。その際、英訳や専門家による研究の参照、あるいは英訳同士の比較といった手法をもちいることで、通常原文と訳文に密着しなくてはならないと思われがちな翻訳研究を拡大している。こういった方法論は本書の刊行後二〇〇〇年代以降に活発になった世界文学研究とも相通じるところである。

もちろん議論の弱点も共有しており、日本文学についての記述なら日本文学者エドワード・ファウラー、中国文学なら中国文学者李欧梵の著作に主に依拠しているのだが、その内容を批判的に吟味することはできていないため情報に偏りがある。日本においても国外に文学を輸出するうえで文学者の側からさまざまな動きがあったはずだし、中国においても訳者はかならずしもイデオロギーに突き動かされてのみ翻訳をしていたわけではないだろう。

しかしそういった点を割り引いても、本書の文学研究への貢献は大きく、たとえばデイヴィッド・ダムロッシュによる『世界文学とは何か?』も本書を参考文献のひとつにあげている。

5

ヴェヌティの論のもうひとつの特徴として、翻訳者としての姿勢をかなり前面に打ち出している点が挙げられるだろう。英米の翻訳理論家や翻訳研究者はかならずしも翻訳実践者というわけではなく、翻訳をしていたとしても(日本の外国文学者の基準に照らして)量的にはさほどではないことも多いのだが(これは翻訳が学術業績としてほとんど評価されない慣行にもよるところが大きい)、ヴェヌティは早くから翻訳家としても活動し、イタリア語の文芸作品の英訳を中心に相当数を手がけている。またその翻訳にたいして、グッゲンハイム・フェローシップほか、国内外のさまざまな賞を受賞している。

ヴェヌティが翻訳者が不可視化されていると非難し、同化翻訳を押しつけてくる制度を糾弾するのも、翻訳実践者としての実感によるところも大きいのだろう。第八章「グローバリゼーション」では具体的な数字を提出したうえで、「英米の出版社は翻訳をほとんどしない」と述べるのだが、この状況は少なくとも数字の上では二〇二二年もあまり変わっていない。英米の出版物における翻訳の割合は依然として三パーセントを切ったままである（とはいえ、近年は小規模なインディペンデント系出版社による外国文学の出版などポジティブな要素もある）。

またその翻訳者のおかれた周辺性は大学教育のような制度の中ですらそうなのだ。たとえば第五章「文学の教育」で、翻訳研究のプログラムが大学教育で周辺に追いやられていることが指摘されるが、近年プログラム自体の数は大きく増加したものの、その周辺性という点において二〇二二年の現在でも本質的には変わっていないようだ。[*1]

第三章「著作権」で、ヴェヌティは出版から五年を経過した著作物は版権なしで翻訳できるようにしたらどうかという提案をおこなうが（これはかつて日本に存在した十年留保をさらに短縮したものだ）、個人的には日本でもこれぐらい思い切った手を打たなければ、多様性のある、健全な翻訳文化は育たないのではないかと思うこともしばしばである。版権の不要の「古典新訳」はいい手段のようにも映るが、初訳作品とのバランスを欠けば、正典の権威をいたずらに高め、制度の硬直化を生むだろう。

二〇一三年、私はハーヴァード大学で開催された世界文学研究所（ＩＷＬ）のサマースクールで、幸

＊1　翻訳家デヴィッド・ボイド氏とのやりとりによる。

運にして本書の著者ヴェヌティのゼミに参加することができた。トゥーリーやナイダ、ベルマンなど翻訳理論を一通り学ぶクラスで、講師の説明と発音の明晰さだけでなく、授業が終わったあとの雑談時に、ヴェヌティ先生が「カタルーニャ語の詩を訳したんだけど、出版社から断られちゃってね……」とこぼしていたのが印象に残っている。

6

本書の出版は一九九八年だが、本書が指摘する不均衡は大勢において変化しないどころか、なお強まっているというのが現実だろう。

「翻訳大国」とかつて呼ばれ、欧米に比して翻訳者の地位が総じて高かった日本においても、この「スキャンダル」は無縁ではない。そもそも日本では翻訳書の新刊書に占める割合が一〇パーセントを切って久しい。二〇〇四年の翻訳書の刊行点数は五七二一であり、これは書籍全体の七・七パーセントでしかない。これは英米よりは高いもののフランスやドイツといった欧州の国々よりも低い（これは日本の出版点数があまりにも多すぎるせいもあるが）。なお翻訳書の刊行点数は近年さらに減少傾向にあり、二〇一九年には四〇八一点、割合にして五・七パーセントまで急減している。出版不況のため、翻訳者の報酬は低い水準で抑えられており、「文芸翻訳者」という職業自体が成立しづらい状況がある。

さらに問題は日本の翻訳書の多くが英語からの翻訳だという点である。たとえば翻訳書のうち最大のジャンルである外国文学小説のうち、八割を英米文学が占めている。[*2] それ以外の言語からの翻訳はプロモーションなどさまざまな点で忌避されやすい。当然ながら日本において、邦訳である程度の「文脈」

を把握できる同時代の外国文学は、英米圏が中心になる（現在、英米に次いで身近な現代外国語文学はスペイン語圏の文学だろう。最近では韓国文学がこれを猛追している）。「その他の外国語」の文学の紹介はどうしても単発になり、たまに翻訳されてもすぐに膨大な出版点数の洪水の中に消えていくしかない。これでは「国内の価値観」になんらかのインパクトをあたえることはむずかしいだろう。

学術においては英語偏重はさらに重大な問題であり、本書――北米の研究者の英語による著作――の翻訳自体、そのようなヒエラルキーの軛から無縁ではない。しかし残念ながら、欧米の重要文献が指をくわえていても翻訳されていたのは九〇年代前半までの話で、人文学においても一部の分野をのぞいて研究書の翻訳は採算面から専門的出版社すら忌避する傾向が強まっている。本書のような「古典」が現在まで翻訳されないでいたことがその何よりの証拠だろう。

また日本における英語中心主義とも関連するのだが、日本で翻訳といえば、まずもって英文和訳のことであって、「翻訳論」とは名英訳者がいかにこなれた名英訳をするかという技術論や精神論だったりすることも少なくない。これは大学でもそうで、たとえば翻訳研究や翻訳論のコースがあったとしても、担当しているのがとりたてて翻訳研究を学んだわけでもなければ、その分野でアカデミックな業績もない英文専攻の教員だけでは、翻訳という現象の多様性や深さを教えるのはむずかしいだろう。

世界的な潮流である英語中心主義とパラレルな関係にある国内的な言説が再生産される一方であるようにも見える昨今、本書のもつ意義は少なくない。

＊2　日本の出版に関するデータは『出版指標年報　２０２１年版』（全国出版協会出版科学研究所）より。

7

本書の翻訳は訳者二名でおこなった。各章の担当を決め、月に一、二度ミーティングを開催して、内容についての理解を深めながら訳文を叩きあった。以下にそれぞれの担当章をあげておく。

秋草＝序章、二章、四章、五章、八章、索引。

柳田＝一章、三章、六章、七章。

本書の内容は多岐にわたるため、訳文については専門家に教えを乞うた部分もある。上原究一、田中創、山辺弦の各氏である。特に上原氏はヴェヌティの引用元が中国語の数か所に関して、部分的に訳文を提供してくださった。記してお礼を申し上げる。

最後になったが、編集者の藪崎今日子さんに御礼申し上げる。面識のない訳者による本書の持ちこみを受けいれてくださり、企画（プロジェクト）として成立させてくれた。著者や訳者だけでなく、編集者の力ぞえもあってはじめて翻訳書は世に出、結果として本書が提言する「差異の倫理」は実現するということを忘れないようにしたい。

二〇二二年二月
訳者を代表して
秋草俊一郎

翻訳のスキャンダル

差異の倫理にむけて

2022年5月25日　初版発行

著	ローレンス・ヴェヌティ
訳	秋草俊一郎／柳田麻里
装幀	戸塚泰雄（nu）
装画	近藤恵介
編集	薮崎今日子
発行者	上原哲郎
発行所	株式会社フィルムアート社 〒150-0022 東京都渋谷区恵比寿南1-20-6　第21荒井ビル tel 03-5725-2001　fax 03-5725-2626 http://www.filmart.co.jp/
印刷・製本	シナノ印刷株式会社

ISBN978-4-8459-2106-5　C0090

著者略歴

ローレンス・ヴェヌティ（Lawrence Venuti）

1953年生まれ。コロンビア大学で博士号取得後、テンプル大学で40年にわたって教鞭をとった。現在はテンプル大学名誉教授。北米における翻訳研究（トランスレーション・スタディーズ）の第一人者として知られ、その同化・異化概念は後続の研究に影響をあたえた。著書に『翻訳者の不可視性――ある翻訳の歴史』（1995）、『翻訳はすべてを変える――理論と実践』（2013）、編著に『トランスレーション・スタディーズ・リーダー』（初版2000、第4版2021）がある。自身も、イタリア語・フランス語・カタルーニャ語の翻訳者としても活動し、数々の賞を受けている。

訳者略歴

秋草俊一郎（あきくさ・しゅんいちろう）

1979年生まれ。東京大学大学院人文社会系研究科修了。博士（文学）。現在、日本大学大学院総合社会情報研究科准教授。専門は比較文学、翻訳研究など。

著書に、『「世界文学」はつくられる　1827–2020』、『アメリカのナボコフ――塗りかえられた自画像』など。訳書にクルジジャノフスキイ『未来の回想』、バーキン『出身国』、アプター『翻訳地帯――新しい人文学の批評パラダイムにむけて』（共訳）、レイノルズ『翻訳――訳すことのストラテジー』などがある。

柳田麻里（やなぎた・まり）

1988年生まれ。上智大学国際教養学部卒業、日本大学大学院総合社会情報研究科博士前期課程修了。

現在、出版物やメディカル文書の翻訳者として活動中。

索引

あ行

か行

さ行

た行

な行

は行

ま行

や行

ら行

わ行

＊